D1155439

FLEURS
et JARDINS ÉCOLOGIQUES

L'Art d'aménager des écosystèmes

FLEURS et JARDINS ÉCOLOGIQUES

L'Art d'aménager des écosystèmes

Michel Renaud

Collaboration
Bertrand Dumont

Catalogage avant publication de Bibliothèque et Archives Canada

Renaud, Michel, 1955-

Fleurs et jardins écologiques : l'art d'aménager des écosystèmes

(Bouquins verts)

Comprend des réf. bibliogr. et un index.

ISBN 2-923382-02-1

1. Jardinage biologique. 2. Écologie des jardins. 3. Horticulture d'ornement. 4. Jardins faciles à entretenir. I. Dumont, Bertrand. II. Titre. III. Collection.

SB453.5.R46 2005 635.9'1584 C2004-942138-7

Bertrand Dumont éditeur inc.
C.P. n° 62, Boucherville (Québec)
J4B 5E6
Tél. : (450) 645-1985
Téléc. : (450) 645-1912
Courriel : info@jardinplaisir.com

Remerciements

J'aimerais remercier les personnes suivantes sans qui ce livre n'aurait pu voir le jour.

Mes clients qui, au cours de ces trente années de vie professionnelle, m'ont permis de développer mon art.

Jacques Petit, auteur et spécialiste des sols, Jean Richard, auteur et spécialiste de la taille des fruitiers et Alex Shigo, auteur et spécialiste des arbres, trois iconoclastes qui m'ont inspiré tout au long de ce parcours, mais principalement au début de ma carrière.

Merci à mon frère Jacques qui m'a transmis l'audace de réaliser mes rêves.

Un gros merci à Christian Messier, pour la révision des premiers chapitres sur l'évolution et l'écologie, les discussions passionnantes et la rédaction de la préface.

Merci à André Pedneault et Jacques Petit pour la révision des chapitres sur le sol et à M. Fortin, de Fafard, pour ses précisions sur les tourbes de sphaigne.

Merci à ma compagne Joëlle qui m'a permis de transgresser la règle maison et de monter ma table de travail au salon pour m'inspirer, tout au long de ces quinze mois d'écriture, de la vue de notre jardin. Au cours de cette période, mes absences (mentales) ont trouvé écho dans la présence et le soutien de Joëlle.

Merci à la nature dont la beauté extraordinaire m'a guidé tout au long de cette écriture.

Un merci particulier à Bertrand Dumont, qui a cru en moi dès le départ, pour son soutien indéfectible tout au long de ce livre. Sa collaboration exceptionnelle, ses précieux conseils et les nombreuses discussions que nous avons eues ont marqué la réalisation de ce livre.

ÉDITEUR : Bertrand Dumont

RÉVISION : Hélène Veilleux, Franck Delaval et Raymond Deland

CONCEPTION DE LA MISE EN PAGES : Norman Dupuis

INFOGRAPHIE : Lise Lapierre

© Bertrand Dumont éditeur inc., 2005

Dépôt légal – Bibliothèque nationale du Québec, 2005
ISBN 2-923382-02-1
Imprimé au Canada

Tous droits réservés. Il est interdit de reproduire, enregistrer ou diffuser un extrait de cet ouvrage, sous quelque forme ou par quelque procédé que ce soit, électronique, mécanique, photographique, sonore, magnétique ou autre, sans avoir obtenu au préalable l'autorisation écrite de l'éditeur.

TABLE DES MATIÈRES

COMPRENDRE

OBSERVER

CRÉER

Préface

J'AI FAIT LA CONNAISSANCE de Michel Renaud un peu par hasard. Nous cherchions quelqu'un pour nous aider à créer un aménagement naturel et fonctionnel là où se trouvait un bout de gazon sur le devant de notre maison. Michel m'avait été recommandé par les gens du Jardin botanique de Montréal. Après quelques heures de discussions enflammées et plusieurs sondages dans le sol pour découvrir les secrets qui se cachaient sous et sur mon gazon, le plan général pour rétablir un écosystème naturel sur ce bout de pelouse était établi.

© Michel Renaud

On peut discourir longtemps sur la signification philosophique du gazon en Amérique du Nord, mais j'imagine qu'il exemplifie notre besoin de contrôle absolu sur la nature. Nous avons en effet un besoin inné de maîtriser l'environnement qui nous entoure. Notre incroyable succès comme espèce animale nous vient justement de cette formidable capacité à tout dominer. Cette faculté est souvent source de beauté et d'harmonie, mais aussi de laideur et de destruction. En tant qu'être humain, faut-il le rappeler, nous avons le pouvoir de façonner le meilleur… et le pire.

Au fur et à mesure que nous continuons à nous répandre comme espèce, nous empiétons de plus en plus sur les habitats de millions d'autres espèces qui partagent avec nous la planète. Nous le faisons évidemment souvent pour de bonnes raisons : pour construire des écoles, des musées, des maisons, des routes, des parcs et… des jardins. Cependant, il faut bien reconnaître, que malgré nos plus belles intentions, nos créations ne produisent pas toujours les conditions propices à la survie des autres espèces.

Le livre de Michel Renaud vous convie à embellir votre environnement tout en améliorant les conditions de vie de notre planète bleue et verte. En effet, en parcourant les pages de cet ouvrage, vous apprendrez comment vous associer aux habitudes gagnantes de la nature pour créer des jardins plus beaux, plus faciles d'entretien, plus fonctionnels et surtout plus favorables à la bonne santé écologique de notre Éden. La nature est complexe, mais en suivant quelques principes simples et surtout en augmentant votre capacité à l'observer, ce livre vous permettra de créer votre paradis terrestre. Votre jardin, aussi petit soit-il, pourra alors jouer un rôle écologique pour le maintien et l'évolution des conditions essentielles à la vie de toutes les espèces sur Terre.

Vous êtes incrédules ? Je vous invite à lire cet ouvrage unique sur l'art d'aménager des écosystèmes et de créer des jardins écologiques.

CHRISTIAN MESSIER
Docteur en écologie, professeur à l'Université du Québec à Montréal.

Introduction

Un peu partout sur notre planète, des hommes, des femmes et des enfants imaginent un monde nouveau, une Terre plus viable où nos activités seraient en harmonie avec la nature. C'est une partie de cette nouvelle histoire que je veux rêver avec vous. Celle de jardins et d'espaces verts qui concourent à votre épanouissement, à l'amélioration de notre environnement collectif et à l'éclosion de la beauté sur notre Terre.

Le biologiste Rupert Sheldrake, dans son livre Rebirth of Nature, remplace le concept de lois de la nature par celui d'habitudes de la nature. Pour lui, ce que nous appelons des «lois» sont en fait des stratégies fructueuses que la Terre a développées au cours de lentes et patientes séries d'essais et d'erreurs qui durent depuis des milliards d'années.

Le jardin ornemental est sans doute un des lieux privilégiés pour reconnaître ces habitudes fructueuses de la nature. C'est un lieu d'expérimentation fabuleux qui nous permet de confronter nos idées du fonctionnement de la nature avec la réalité. En apprenant les habitudes gagnantes de la Terre et en puisant à même son expérience qui se compte en milliards d'années, nous nous connectons à une formidable évolution. Nous en devenons partie intégrante.

Ce livre vous invite à découvrir une méthode éprouvée pour réaliser un jardin paysager écologique. Celle-ci, basée sur la compréhension et l'application des mécanismes ingénieux de la Terre, est particulièrement efficace pour faciliter votre travail, améliorer la beauté et la fonctionnalité de vos aménagements, réduire le temps et les coûts d'entretien et éliminer les produits néfastes pour notre environnement des pratiques courantes d'entretien. De plus, avec cette méthode, votre jardin s'embellira d'année en année tout comme la Terre le fait depuis sa genèse.

Fleurs et jardins écologiques – L'art d'aménager des écosystèmes s'adresse à tous les passionnés de nature et de jardins, jardiniers débutants, expérimentés ou professionnels, en milieu urbain, en banlieue ou à la campagne. Tous y trouveront une approche et des trucs qui sauront les éclairer aussi bien pour la création d'un nouveau jardin écologique que le réaménagement d'un jardin existant.

L'évolution perpétuelle

Il y a près de 30 ans maintenant, j'entreprenais ma recherche et mes expérimentations sur le jardinage écologique et l'art de vivre simplement et sainement. Je rencontrais Jacques Petit, Jean Richard, Claude Aubert et Alex Shigo, des spécialistes iconoclastes chacun dans leur domaine. Ils m'ont transmis leurs passions et une vision écologique de l'agriculture et de l'horticulture. Celles-ci m'habitent toujours.

Ces rencontres, des lectures et de multiples formations m'ont amené à expérimenter, avec succès, différentes techniques de jardinage et d'horticulture. À la fin des années soixante-dix, je réussissais déjà à faire pousser des légumes et des plantes sans aucun engrais ni pesticide chimique alors que de grands spécialistes de l'agriculture conventionnelle se demandaient (et se demandent encore) si c'était possible. Alors que le mot compost n'était pas encore entré dans le langage populaire, j'en avais déjà expérimenté toutes sortes de types.

Partant de là, j'ai cheminé, me trompant parfois de route, réalisant à certaines périodes de «grandes» avancées.

À l'instar des scientifiques qui n'ont sans doute, à ce jour, découvert que la moitié des espèces vivant sur Terre, coucher sur le papier ces années d'expérience m'a bouleversé et passionné au fur et à mesure que je découvrais l'ampleur de tout ce que je ne savais pas.

C'est aussi cela, le jardinage écologique. Une expérience toujours présente, qui mène à l'humilité et qui rend l'expérience du jardinage encore plus exaltante. C'est une aventure de découvertes sans fin. Alors, restez branché sur le plaisir de découvrir et de vous insérer dans la nature, pour créer ainsi une authentique beauté autour de vous.

Pour vous familiariser avec l'art d'aménager des écosystèmes, ce livre est divisé en trois parties. La première vous permet de *comprendre* ce qu'est un écosystème et quels sont les surprenants mécanismes d'équilibre que la Terre a développés au cours de son évolution. Dans la seconde partie, je vous invite à *observer*, dans une perspective écologique, votre site et

Depuis 12 ans, j'ai fait de mon jardin un véritable champ d'expérimentation.

© Michel Renaud

les organismes végétaux et animaux, mais aussi les humains (car vous faites partie de votre écosystème) qui l'habitent. Dans la troisième partie, je vous explique comment *créer* des écosystèmes paysagers fonctionnels, qui répondent à vos besoins tout en favorisant la continuité des mécanismes fructueux de la Terre.

Bien que cette méthode ait fait ses preuves au cours des quinze dernières années, et que chaque étape soit essentielle pour maintenir un écosystème paysager fonctionnel, elle ne doit pas être considérée comme un dogme, mais plutôt comme processus à expérimenter soi-même. C'est une entrée en matière. Au même titre que les assouplissements permettent aux danseurs d'accéder à la grâce et à la créativité, l'art d'aménager des écosystèmes présenté dans ce livre peut être perçu comme un cadre préalable permettant d'accéder à une joie et à une créativité nouvelles au jardin.

Installez-vous confortablement dans votre jardin, dans la forêt ou encore dans votre salon et laissez-vous transporter par une belle histoire, celle de la vie et de l'expérience de la Terre commencée il y a 4,5 milliards d'années et qui se poursuit dans votre cour. Découvrez comment votre action individuelle dans votre jardin ou votre espace vert est une partie essentielle du formidable défi auquel nous sommes tous conviés : faire de votre environnement immédiat et de notre Terre un endroit viable pour les générations actuelles et futures.

Que ce livre soit pour vous un compagnon qui vous permette de nourrir votre créativité et d'amplifier votre joie de jardiner et d'aménager votre environnement.

Bonne lecture et bonne évolution !

Michel Renaud

Photo : NASA Goddard Space Flight Center

Comprendre

Les plantes à fleurs des jardins sont des angiospermes. Elles ont accumulé plusieurs des grandes innovations évolutives de la planète. © Michel Renaud

Votre jardin a 4,5 milliards d'années

LA TERRE est une toute petite partie d'un univers infini. Aussi loin que peuvent porter les plus puissants télescopes, nul ne peut détecter une autre planète aussi exubérante à maintenir et à développer la vie. La planète bleue, née de l'attraction et de la collision de poussières d'étoiles et de météorites il y a près de cinq milliards d'années (huit milliards d'années après le fameux Big Bang), était, à sa naissance, totalement inapte à maintenir la vie. À ses débuts, la Terre subissait des températures très élevées et était dépourvue d'atmosphère respirable. Quelques centaines de millions d'années plus tard, à la faveur d'un refroidissement graduel, la masse informe se solidifie et forme la croûte terrestre. Il faudra encore 200 millions d'années à la planète pour former les premiers océans. Les terres émergées viendront plus tard.

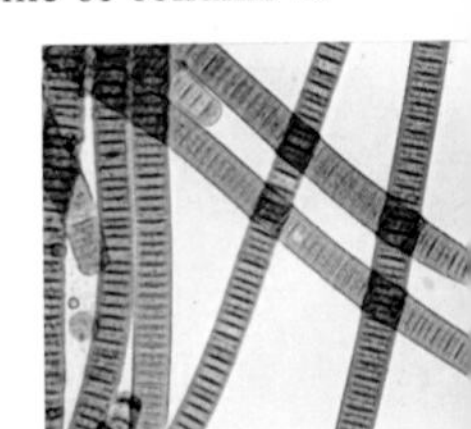

Les algues bleues microscopiques ont transformé l'atmosphère terrestre.

La vie, elle, apparaîtra seulement un milliard d'années plus tard, il y a environ 3,2 milliards d'années. C'est dans la mer, après de nombreuses évolutions physiques et chimiques, que le mystère de la vie émerge sous la forme d'algues bleues et de bactéries microscopiques.

Les bactéries et les algues bleues ont inventé un procédé fabuleux pour développer de la vie sur terre : la photosynthèse. Elles captent la lumière solaire et en tirent l'énergie nécessaire pour transformer l'eau et le gaz carbonique de l'atmosphère et s'en servir pour bâtir leurs tissus. Dans ce processus, les algues rejettent de l'oxygène. C'est ainsi que l'atmosphère primitive, issue principalement de l'activité volcanique et qui ne contenait pas d'oxygène, se transforme.

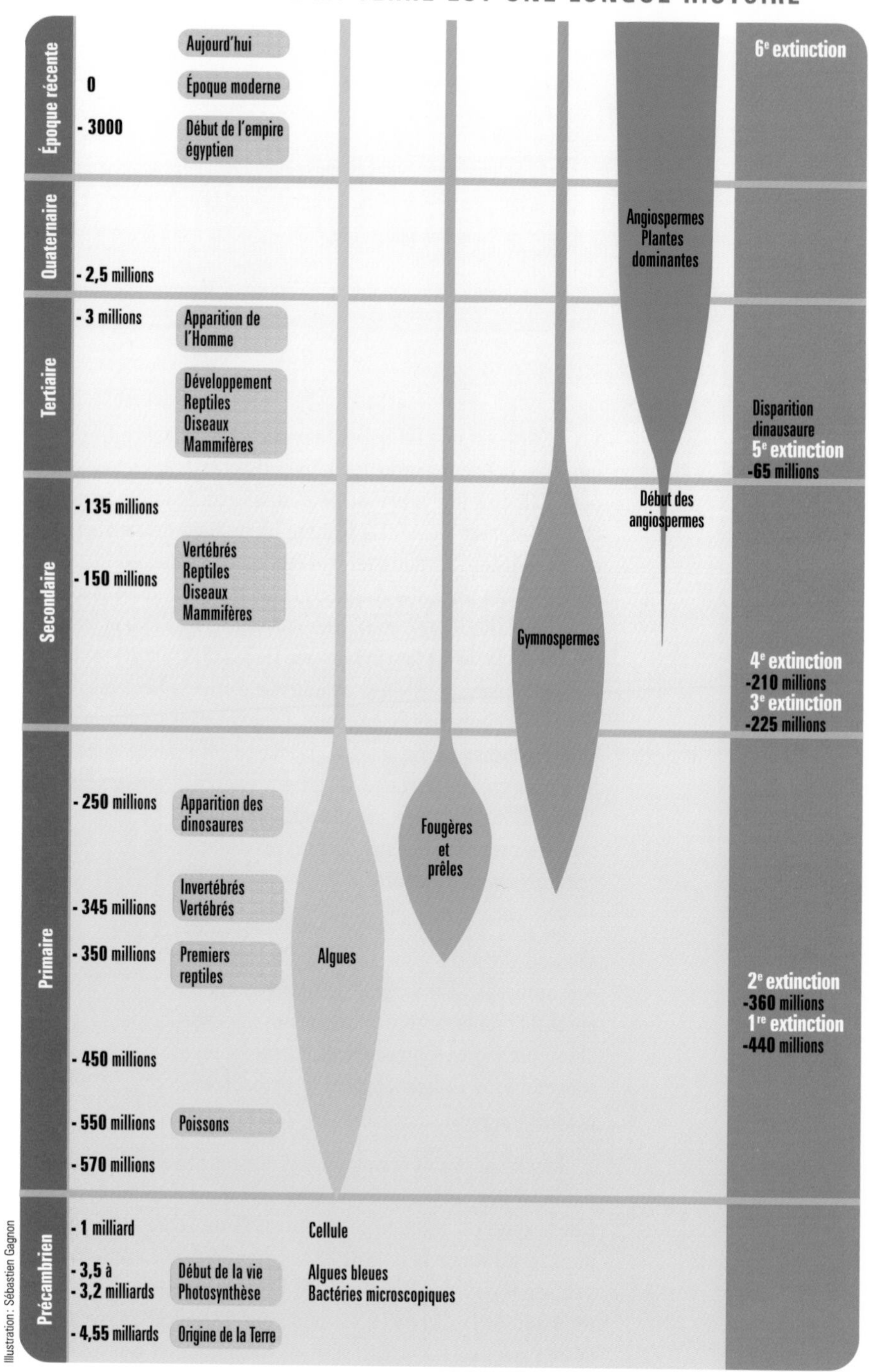
L'ÉVOLUTION DE LA TERRE EST UNE LONGUE HISTOIRE
Époque récente
0
- 3000
Aujourd'hui
Époque moderne
Début de l'empire égyptien
6e extinction
Quaternaire
- 2,5 millions
Angiospermes Plantes dominantes
Tertiaire
- 3 millions
Apparition de l'Homme
Développement Reptiles Oiseaux Mammifères
Disparition dinausaure
5e extinction
-65 millions
Secondaire
- 135 millions
- 150 millions
Vertébrés Reptiles Oiseaux Mammifères
Début des angiospermes
Gymnospermes
4e extinction
-210 millions
3e extinction
-225 millions
Primaire
- 250 millions
Apparition des dinosaures
Fougères et prêles
- 345 millions
Invertébrés Vertébrés
- 350 millions
Premiers reptiles
Algues
2e extinction
-360 millions
1re extinction
-440 millions
- 450 millions
- 550 millions
Poissons
- 570 millions
Précambrien
- 1 milliard
Cellule
- 3,5 à - 3,2 milliards
Début de la vie Photosynthèse
Algues bleues Bactéries microscopiques
- 4,55 milliards
Origine de la Terre
Illustration : Sébastien Gagnon

Au cours des deux milliards d'années suivantes, lentement, très lentement, l'atmosphère gagne en oxygène et devient respirable pour certains autres êtres vivants. La concentration en gaz carbonique dans l'atmosphère diminue et les températures baissent. L'atmosphère contient environ 1 % de la teneur actuelle en oxygène (selon Aline Raynal-Roques dans *La botanique redécouverte*), mais ce faible taux permet la formation de la couche d'ozone ; les rayons ultraviolets qui restreignaient l'épanouissement de la vie sont désormais filtrés. Les premiers organismes restaient sous l'eau pour se protéger des rayons mortels. Ils peuvent enfin sortir de l'eau.

Les conditions sont maintenant réunies pour favoriser l'apparition d'organismes plus performants. Ces nouveaux organismes sont dotés d'une cellule avec un noyau. Il a donc fallu deux milliards d'années pour que la vie initiale s'organise en cellules comparables à celles des êtres vivants modernes.

Les premières plantes terrestres

Les rivages des terres émergées furent donc colonisés d'abord par des organismes venus de la mer : algues, champignons, bactéries... Après de multiples essais infructueux, des êtres totalement différents ont émergé ; des lichens et des mousses dont on observe aujourd'hui encore des descendants. Déjà la collaboration entre les êtres est au centre de l'évolution. Les lichens existent grâce à la **symbiose** entre des algues, qui ont les attributs nécessaires pour réaliser la photosynthèse, et des champignons qui, avec leurs mycéliums (racines), pénètrent profondément les anfractuosités du roc pour en retirer certains des minéraux. Les mousses, elles, expérimentent un autre type de symbiose entre leurs racines et des **mycorhizes** (champignons), ce qui leur permet de prospérer.

Symbiose

« Association étroite et durable entre deux organismes, qui tirent profit tous deux de ce mode de vie. » *Dictionnaire des sciences de l'environnement*

Mycorhize

Du grec myco = *champignon et* rhiza = *racine*

Les lichens limitent leur développement aux assises rocheuses et restent des plantes rampantes. Les mousses, elles, se restreignent aux milieux humides, car elles ne possèdent pas encore de conduits pour le transport de l'eau ; elles sont faiblement adaptées au milieu terrestre.

Puis finalement, après une multitude d'essais et d'erreurs, la Terre crée des plantes réellement terrestres ; des plantes dites vasculaires. On les nomme ainsi parce qu'elles possèdent des vaisseaux pour le transport de l'eau et des minéraux.

Les mousses...

... et les lichens sont les premières symbioses terrestres chez les plantes. © B. Dumont/Horti Média

À ce moment de l'évolution de la Terre, les « nouvelles » plantes terrestres ont trois parties fondamentales :

- des racines plongeant dans le sol, pour s'y ancrer, et absorber l'eau ainsi que certains éléments nutritifs ;
- des tiges, qui, grâce aux trachées, transportent l'eau et les éléments minéraux vers les feuilles permettant ainsi de soutenir la cime ;
- des feuilles effectuant la photosynthèse, permettant ainsi de capter le gaz carbonique et de le transformer en carbone, élément de base des tissus des plantes, et libérant aussi de l'oxygène, source de vie pour tous les êtres vivants.

Il a donc fallu quatre milliards d'années d'évolution pour arriver à des structures de plantes et d'associations symbiotiques proches des formes et des associations que nous connaissons aujourd'hui.

« Véritable clé de l'évolution végétale, la symbiose mycorhizienne a permis l'apparition de centaines de milliers d'espèces de plantes vasculaires. Si bien que, depuis 450 millions d'années, la presque totalité des plantes vasculaires vit, ou a vécu, en association avec ces champignons. » J. André Fortin, *Et des végétaux... naquit le sol*

Il y a 400 millions d'années, les premières fougères, ancêtres de nos fougères, apparurent.

© B. Dumont/Horti Média

C'est ainsi qu'il y a environ 550 millions d'années, le réchauffement climatique aidant, tout est en place pour provoquer un véritable essor de biodiversité. Des milliards d'espèces se succèdent, toujours plus adaptées et plus performantes que les précédentes.

« On estime que 30 milliards d'espèces ont existé depuis l'apparition des organismes multicellulaires, au moment de l'explosion de la vie à l'ère du cambrien, il y a 550 millions d'années. »
David Suzuki, *L'équilibre sacré : redécouvrir sa place dans la nature*

Spore

« Organe de reproduction particulièrement caractéristique de certains végétaux inférieurs; il comporte une ou quelques cellules seulement et jamais un embryon. » Office de la langue française, 1975

Le Ginkgo biloba *est un « fossile vivant » qui survit dans les parcs et jardins.* © B. Dumont/Horti Média

Gymnosperme

De Gumno = *nue et* sperma = *semence*

Arrivent alors les fougères, les prêles et les lycopodes dont on observe encore des descendants dans les forêts et les jardins aujourd'hui. Une nouvelle forme de symbiose végétaux et mycorhizes se développe. Jusqu'alors les mycorhizes sont insérés à l'intérieur des cellules des racines. À ce stade de l'évolution, une nouvelle forme se développe. Les mycorhizes s'installent à l'extérieur des cellules des racines, amplifiant les possibilités de la symbiose. Ce sont les ancêtres des champignons de sous-bois que l'on connaît aujourd'hui. Grâce à cette nouvelle association, les plantes deviennent de plus en plus grosses, certaines fougères dépassant les trois mètres de haut, les prêles dix mètres et les lycopodes 40 mètres. Ces plantes forment alors de véritables forêts, toujours en contact avec des milieux très humides, essentiels pour la reproduction qui se fait maintenant grâce à des **spores.**

Il faut attendre encore quelques dizaines de millions d'années et de multiples essais progressifs, aujourd'hui disparus, pour que se produise un autre saut évolutif.

Il y a environ 350 millions d'années, apparaissent les gymnospermes, dont les seuls descendants actuels sont les conifères et l'arbre aux quarante écus (*Ginkgo biloba*), une espèce aujourd'hui sans doute disparue des milieux naturels, mais qui survit dans nos parcs et jardins.

Les **gymnospermes** marquent un progrès décisif par rapport aux plantes qui se reproduisent par spores. Leur sexualité est aérienne. La plante porte à la fois les organes mâles et femelles sur un même plant; la partie mâle lance son pollen et la partie femelle (les « cocotes » chez les conifères) le reçoit. La rencontre des sexes n'est plus dépendante de la présence de milieux humides. De plus, facteur décisif, l'embryon des gymnospermes est protégé dans une enveloppe rigide, la graine, qui se rompra lorsque celle-ci aura trouvé un milieu adapté pour germer, et ce milieu n'aura pas forcément besoin d'être humide.

Autre innovation, leur appareil vasculaire (tige) est fait de bois, ce qui permet un développement en hauteur. Ces plantes peuvent ainsi créer une plus grande biomasse. Certaines gymnospermes adoptent en plus le nouveau type de symbiose ectomycorhizienne encore plus performant. La nouvelle symbiose conifères et ectomycorhizes produit dans le sol des substances acides et des tanins qui ralentissent la décomposition des

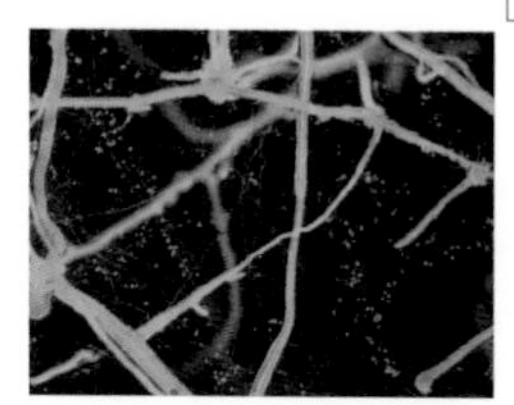

Les endomycorhizes colonisent l'intérieur de la racine. Les ectomycorhizes sont de véritables foreurs qui prolongent la radicelle.

© Marc Béland, Premier Tech Biotechnologies

matières organiques. Le sol est ainsi conservé au pied des arbres au lieu d'être lessivé. Toutes ces nouvelles adaptations rendent les conifères plus aptes à coloniser les assises rocheuses sèches et délavées en altitude, autrefois réservées au lichen. Avec le temps, cette association arbre et champignon produit de plus en plus de matière organique stabilisée permettant ainsi la naissance de véritables forêts de conifères semblables à celles que nous connaissons aujourd'hui. Après qu'un désastre eut fait disparaître les forêts de fougères, il y a environ 250 millions d'années, les gymnospermes domineront le monde végétal pendant plus de 100 millions d'années.

« Une espèce ne s'implante pas seulement en détruisant les autres, elle s'implante aussi par la qualité de son adaptation, par la qualité innovatrice qu'elle représente. » Claude Bourguignon, *Le sol, la terre et la plante*

Les angiospermes forment aujourd'hui la vaste majorité des espèces indigènes et des plantes cultivées. © Michel Renaud

Toutefois, l'évolution est loin d'être terminée. Il y a environ 140 millions d'années, alors que les dinosaures règnent encore sur terre, il se produit un autre saut évolutif important. Certaines plantes, les **angiospermes,** enveloppent leurs graines dans des fruits. Cette stratégie rend la semence encore plus résistante aux intempéries, ce qui lui permet de survivre en attendant des conditions propices.

Angiosperme

Du grec aggeion = *capsule et* sperma = *semence*

Les angiospermes sont aussi appelées les plantes à «fleurs vraies» parce qu'elles produisent de véritables fleurs. Les magnifiques plantes à fleurs qui ornent les jardins sont des angiospermes.

Contrairement aux gymnospermes, les angiospermes présentent aussi des modes de vie extrêmement variés: arbres feuillus, plantes aquatiques, graminées, plantes herbacées à vie courte ou à vie longue, etc. En fait, leurs possibilités adaptatives sont immenses.

Les conifères dominaient jusqu'à l'arrivée des angiospermes. À la fin du crétacé, il y a 65 millions d'années, les conditions climatiques changent brusquement. Plusieurs scientifiques émettent l'hypothèse qu'une météorite aurait peut-être frappé la Terre, provoquant la cinquième grande extinction. Un très grand nombre d'espèces auraient alors complètement disparu dont les dinosaures. Les gymnospermes, eux, régressent, les plantes à fleurs occupent alors l'espace libéré. Depuis, elles ne cessent de prendre de l'expansion.

Bon à savoir

Lorsqu'au jardin germent les nombreuses graines que nous n'avions pas semées, nous sommes témoins de l'étonnante persistance des graines de gymnospermes.

Depuis l'explosion de la diversité il y a 550 millions d'années, la progression de la diversité des êtres vivants ne s'est pas faite en ligne droite. L'évolution montre plutôt une courbe en dents de scie comportant cinq grandes extinctions: la première il y a 440 millions d'années; la seconde il y a 365 millions d'années; la troisième et la plus importante où près de 95% des espèces marines disparurent, il y a 225 millions d'années; la quatrième il y a 210 millions d'années; et la cinquième il y a 65 millions d'années qui fit disparaître d'un coup les dinosaures qui régnaient en roi et maître sur Terre depuis 175 millions d'années.

D'après les scientifiques, la planète vit sa sixième extinction. Les cinq précédentes avaient été provoquées par des facteurs biophysiques naturels. Cette sixième extinction est provoquée par l'activité humaine sur la planète. D'ici 2050, entre 30 et 50% des espèces animales et végétales de la planète auront disparu (Leaky et Lewin, 1997; Reeves, 2003; Suzuki, 2001; Wilson, 2003; etc.). Cette situation aura des impacts imprévisibles sur les plantes de nos jardins et sur les humains.

Les angiospermes, des plantes à fleurs des jardins aux grands arbres feuillus des forêts, représentent le groupe végétal actuel le plus répandu dans le monde avec plus de 250 000 espèces, plus du tiers des espèces végétales actuelles. Elles dominent partout, excepté dans la toundra, au nord, et pour certaines grandes forêts de conifères plus au sud dans des régions plus sèches.

Parallèlement à cette formidable évolution des plantes, le monde animal se métamorphose dans une expérience similaire.

Les organismes vivants qui nous entourent aujourd'hui ont intégré plus de trois milliards d'années d'évolution. Ce sont de véritables gagnants, ou plutôt devrait-on dire qu'ils sont issus de véritables associations gagnantes, car dans la nature tout est coévolution et aucun organisme ne se développe seul.

Le sol se métamorphose

Le sol a aussi subi une formidable évolution. Dans de nombreux lieux émergés, la croûte terrestre, dure et inapte à la vie, s'est transformée au cours des milliards d'années en un sol grouillant de micro-organismes, d'insectes, de vers de terre et de racines de plantes de toutes sortes. Cette transformation s'est encore, et comme presque toujours, produite grâce à un jeu évolutif d'associations et de symbioses.

Les racines et les organismes du sol créent littéralement le sol au contact du substrat minéral.

© Michel Renaud

La terre sans les organismes du sol n'est qu'un substrat inerte. Certes l'action géologique et le climat, vent, eau, gel, fragmentent la roche-mère en particules grossières. Cependant le sol ne se forme que lors de la rencontre du végétal, de l'animal et du minéral. Dynamisés par les racines, les organismes y vivent en symbiose avec les plantes et avec l'apport de matières organiques produites par les plantes et les animaux. La symbiose racines et mycorhizes est devenue, avec les millions d'années, de plus en plus performante à déloger et à retenir les éléments minéraux de la roche-mère et à améliorer la terre. On peut dire sans se tromper que ce sont les successions de plantes qui, au cours de leurs périples de millions d'années, ont pavé la voie à leur expansion ou à la colonisation par d'autres plantes. Les différentes successions symbiotiques du sol ont littéralement créé le sol.

« La surface du globe terrestre est, dans sa presque totalité de sols, couverte de sols modelés, édifiés par les êtres vivants. Et ce sont des végétaux qui sont responsables, presque seuls, de ces actions majeures ; sans eux, il n'y aurait pas de sols arables, mais seulement de la poussière de roche. Ils attaquent chimiquement des minéraux ; ils apportent au sol stérile leurs cadavres en décomposition qui nourriront d'autres végétaux. L'édification des sols est, avec l'accumulation d'oxygène atmosphérique, l'un des facteurs principaux qui ont permis le développement de la vie animale ; et tous deux sont dus aux plantes. » Aline Raynald-Roques, *La botanique redécouverte*

Le climat est vivant

Le climat et l'atmosphère se sont modifiés de plus en plus vers des conditions propices à la vie. Une des contributions les plus étonnantes et les plus significatives à ce sujet provient d'un scientifique anglais du nom de James Lovelock. Celui-ci fut chargé par la NASA de développer différentes recherches pour analyser l'atmosphère et déceler la vie sur Mars. Cette recherche le conduisit à réfléchir sur ce qui créait la vie sur Terre. Il fut d'abord surpris de constater que le climat et l'atmosphère restaient relativement stables malgré des changements qui auraient dû normalement apporter des modifications importantes dans le temps. Par exemple, pourquoi les océans ne deviennent-ils pas plus salés malgré l'apport continuel de sels minéraux arrachés aux sols et aux roches et transportés par les fleuves ?

Le climat, dans tous ses aspects, est influencé par tous les autres grands systèmes planétaires.

© B. Dumont/Horti Média

« Pourquoi la température ne monte-t-elle pas alors que la température du soleil s'est accrue de 25 % depuis sa formation ? Comment la terre réussit-elle à maintenir le juste taux d'oxygène dans son atmosphère alors qu'une réduction aussi minime que 10 % serait sans doute fatale pour la plupart des formes vivantes ? » David Suzuki, *L'équilibre sacré : redécouvrir sa place dans la nature*

Les conclusions surprenantes du scientifique rassemblées dans son livre *l'Hypothèse Gaïa* ont créé une véritable commotion dans le monde scientifique. M. Lovelock décrit la Terre comme un super-organisme qui se régule par lui-même. Au même titre que le corps humain grelotte s'il a froid pour augmenter sa température ou sue à grosses gouttes pour réduire sa température, la planète bleue peut produire des proliférations d'algues gigantesques dans les mers du nord, accélérer la production de nuages et, possiblement, provoquer des volcans, etc., pour maintenir sa température et son atmosphère viables. Aujourd'hui, de nombreux scientifiques de renom et de très sérieuses études soutiennent cette nouvelle théorie et développent ses innombrables ramifications.

Tout est relié

Toutes ces données ont amené les chercheurs à émettre l'hypothèse qu'aucune espèce ou système terrestre, comme le climat ou l'atmosphère, ne peut survivre isolément des autres systèmes ou organismes ; tout est intrinsèquement relié. Les radicelles des plantes échangent des sucres avec des microorganismes symbiotiques qui en retour leur fournissent des éléments minéraux et les protègent contre la prolifération de pathogènes ; de nombreuses plantes prospèrent grâce à la pollinisation d'insectes ou d'oiseaux ; les humains et les animaux respirent grâce aux plantes qui produisent de l'oxygène ; etc.

La Terre, au cours de son existence de plusieurs milliards d'années, a essayé, raturé, combiné toutes sortes d'associations, de symbioses, de collaborations entre les espèces, les règnes et les systèmes pour améliorer la performance de la vie. Des 30 milliards d'espèces vivantes que la planète a abritées depuis sa genèse, il n'en reste aujourd'hui qu'environ 30 millions, soit 0,1 % des espèces qui ont déjà existé.

Tout est relié !
Photo : NASA Goddard Space Flight Center

« Les scientifiques croient que chaque espèce se maintient pendant en moyenne quatre millions d'années avant de céder la place à d'autres formes vivantes. On estime à environ 30 millions le nombre d'espèces présentes sur Terre aujourd'hui, ce qui signifie que 99,9 % de toutes les espèces apparues un jour ont disparu. » David Suzuki, *L'équilibre sacré : redécouvrir sa place dans la nature*

Les plantes et les animaux qui nous accompagnent aujourd'hui sont donc des organismes extrêmement évolués puisqu'ils ont passé avec succès le crible de l'évolution. Une promenade dans une forêt mature fournit de formidables exemples de ces espèces évoluées, des mécanismes de régulation et de la beauté extraordinaire de la vie après 4,5 milliards d'années d'évolution. La forêt réussit à faire pousser ses grands arbres sans aucune fertilisation, sans arrosage autre que la pluie, sans traitement phytosanitaire ni désherbage. Les cascades d'eau dévalent les pentes distribuant le liquide vivifiant sans avoir recours à des usines d'épuration. Après un feu ou une tornade, la forêt se régénère rapidement et profite souvent de l'occasion pour accueillir de nouvelles espèces et accroître la diversité du milieu. Ces « cataclysmes » font partie du fonctionnement normal d'un écosystème.

Il est possible de s'inscrire de façon positive dans l'évolution du « super-organisme Terre » et de profiter de cet immense réservoir d'expériences que la planète bleue a accumulées et continue d'accumuler depuis 4,5 milliards d'années. Jardins et espaces verts écologiques sont autant de fils de la nouvelle toile de biodiversité qui se tisse et qui contribue non seulement à embellir et égayer nos environnements, mais également à protéger et à amplifier la vie.

Un jardin est un écosystème *où vit une* communauté *et qui compte habituellement plusieurs* biotopes. *Les plantes à fleurs roses sont des vivaces : échinacée* (Echinacea purpurea). *Les plantes à fleurs jaunes sont des cultivars annuels : rudbeckie hérissée 'Gloriosa'* (Rudbeckia hirta *'Gloriosa'*). © Michel Renaud

Acquérir un vocabulaire écologique

AU COURS des 40000 dernières années, l'*Homo sapiens* s'est différencié de façon significative des autres espèces. Deux petits organes, le larynx et la langue, se sont développés de façon unique ; ils lui ont permis de faire ce grand bond en avant. C'est du moins ce que soutient Jared Diamond, biologiste et anthropologue de renom dans *Le troisième chimpanzé : essai sur l'évolution et l'avenir de l'animal humain*. Cette nouveauté évolutive nous différencie fondamentalement des hommes de Cro-Magnon, nos plus proches cousins, et des chimpanzés avec lesquels nous partageons plus de 98 % de nos gènes. L'évolution de la langue, du larynx ainsi que des muscles s'y rattachant a permis le développement de l'extraordinaire faculté qu'est le langage. Celui-ci nous permet de communiquer, de réfléchir et de conceptualiser. Le langage aurait été le moteur de notre étonnante évolution.

En écologie, les mots sont passionnants. Ils expriment des concepts, des façons de voir la nature. Ils sont plus que de simples outils de communication. Ils sont la carte qui permet d'avoir une vue d'ensemble du fonctionnement de la nature.

Derrière chaque interprétation d'un terme se cache une histoire et des valeurs.

Avant de commencer une conférence ou un cours, je demande souvent aux participants de préciser la signification de certains mots de base en écologie couramment employés tels « écosystème », « écologie » et « environnement ». Cette étape est fort importante, car elle permet de bien se comprendre.

Je vous invite donc à faire cet exercice. Prenez un papier et un crayon et écrivez vos propres définitions des mots « écosystème », « écologie » et « environnement ». Dans vos définitions, faites ressortir le plus clairement possible les différences et les complémentarités entre ces termes, car c'est là que se trouve la compréhension profonde de l'aménagement paysager écologique. En mettant à jour vos propres interprétations de ces mots du langage populaire, vous serez beaucoup plus réceptif pour intégrer les définitions qui suivront. À vos crayons et bonne réflexion !

Un écosystème peut être aussi grand que la planète ou aussi petit qu'une plate-bande de jardin. © Michel Renaud

À moins que vous n'ayez fait des études dans le domaine environnemental, les différences et les complémentarités entre ces termes ne sont pas évidentes. Si vous avez eu des difficultés à réaliser cet exercice, c'est normal.

Je vous présente maintenant la signification de ces trois termes de base en écologie et au passage de quelques autres qu'il me semble incontournable de connaître pour réaliser un jardin paysager écologique. Je me base sur les définitions des dictionnaires et de livres de références en écologie pour expliquer ces mots-concepts.

Écosystème

« L'écosystème est l'unité fonctionnelle de base en écologie. C'est, dans un lieu donné, l'ensemble du milieu naturel (biotope) et des êtres vivants qui y vivent (biocénose), avec toutes les interactions entre ce milieu et les organismes. » *Office de la langue française*, 1993

Maintenir un écosystème fonctionnel est l'objectif à atteindre en aménagement paysager écologique, c'est-à-dire maintenir un système d'interrelations positives entre les organismes qui peuplent un jardin (plantes, oiseaux, insectes bénéfiques, organismes du sol, papillons, humains, etc.) et le milieu.

Un écosystème est composé d'un *biotope* et d'une *biocénose* ou *communauté* d'êtres vivants.

Biocénose

Du grec bios = vie et koinos = en commun

Biocénose

« L'ensemble des êtres vivants qui composent un écosystème. »

Le terme **biocénose** est habituellement utilisé par les écologues.

Communauté

« Tous les organismes vivants partageant un environnement commun et entretenant des liens interactifs. » Stern, *Introductory Plant Biology*, 1988

J'utilise le terme *communauté*, plus accessible, de préférence à biocénose, pour décrire le même concept.

Biotope

« Aire géographique de dimension variable, souvent très petite, offrant des conditions constantes ou cycliques aux espèces vivantes. » *Le Petit Larousse, grand format*, 2003

Bon à savoir

« Le biotope héberge une biocénose tandis que l'habitat héberge une espèce. »
Office de la langue française, 1994

La communauté habite ou visite un biotope. Un biotope c'est donc une aire géographique restreinte formant un milieu physique défini où l'ensemble des facteurs physiques et chimiques de l'environnement reste sensiblement constant ou subit des variations périodiques prévisibles. Le climat, le sol et la luminosité sont des éléments très importants d'un biotope.

Écologie

« L'écologie c'est la science qui étudie les milieux où vivent les êtres vivants, les relations entre êtres vivants et les relations entre les êtres vivants et leur milieu. » Dictionnaire Univers Nature

De tous les termes abordés dans ce chapitre, le mot « écologique » est sans doute celui qui est le plus galvaudé. On confond souvent le mot « écologie » avec « naturel » ou « moins polluant », comme dans les expressions peinture « écologique » ou « engrais écologique ». Ainsi, pour être écologique, il faudrait utiliser des « produits naturels écologiques » et abandonner les « produits chimiques » ! Pour plusieurs personnes, le mot écologie signifie aussi « être en harmonie avec la nature ». On entend aussi des phrases comme « il faut protéger notre écologie » ou « les défenseurs de l'écologie ».

Dans ce livre, la définition du mot « écologie » sera beaucoup plus simple. Ce sera la science qui étudie la nature.

Dans un même jardin, il y a souvent plusieurs biotopes.
© Michel Renaud

Écologie

Du grec oikos = *maison et* logos = *science*

L'écologie est l'« étude des milieux où vivent et se reproduisent les êtres vivants ainsi que des rapports de ces êtres avec leur milieu. » Le Petit Robert, 1989

L'**écologie** c'est donc l'étude de la nature, des êtres qui l'habitent et des relations qu'ils entretiennent entre eux et avec leur milieu. L'écosystème c'est le but, l'écologie c'est l'outil.

L'expression « aménagement paysager écologique » signifie un type d'aménagement basé sur une étude « écologique » du milieu et des organismes qui y vivent dans le but de créer un écosystème fonctionnel.

Environnement

« Ensemble des conditions naturelles (physiques, chimiques, biologiques) et culturelles (sociologiques) susceptibles d'agir sur les organismes vivants. » Le Petit Robert, dictionnaire alphabétique et analogique de la langue française

Le mot environnement peut aussi se définir tout simplement par « *ce qui entoure, constitue le voisinage de* », selon *Le Petit Larousse*.

L'environnement n'est donc pas un lieu, mais bien un ensemble de conditions entourant un être vivant ou un objet inanimé. Pour une plante, l'environnement représente tout ce qui influence sa croissance, sa santé et sa capacité de se reproduire. Par exemple, l'environnement des herbes à gazon d'une pelouse inclut tous les éléments suivants :

L'environnement physique :

- le climat : vent, chaleur, froid, humidité, sécheresse, verglas, glace, etc. ;
- le sol : sa composition, sa structure, le pH, le drainage, la teneur en éléments minéraux, etc. ;
- la luminosité ;
- la présence de sels de déglaçage ou de chlore de piscine ;
- et autres facteurs.

L'environnement biologique :

- la faune et la microfaune : oiseaux, vers de terre, insectes, rongeurs, mulots, taupes, amibes, protozoaires, nématodes, etc. ;
- la flore et la microflore : arbres et végétaux environnant la pelouse, herbes sauvages qui s'y implantent, algues, champignons microscopiques, actinomycètes, bactéries, etc.

Dans un jardin écologique, humains, plantes et organismes utiles vivent dans un environnement propice.

© Michel Renaud

L'environnement socioculturel :

- l'utilisation de la pelouse (piétinement, compactage...);
- les attentes esthétiques des utilisateurs et des utilisatrices;
- les ressources (monétaires, matérielles, temps d'entretien, etc.) disponibles;
- les méthodes culturales employées;
- et autres facteurs.

Niche écologique

« Le rôle que joue un organisme dans un écosystème et les conditions environnementales essentielles pour maintenir une population viable. » Begon, Harper et Towsen, *Ecology*

La niche écologique c'est le rôle que joue un organisme dans un écosystème et les conditions environnementales propices à son épanouissement; les deux étant étroitement liés.

Par exemple: les mycorhizes sont des champignons microscopiques qui vivent en symbiose avec les racines des plantes. Un de leurs rôles écologiques est de faciliter l'assimilation des éléments nutritifs du sol par les racines; en même temps la présence de racines est une condition essentielle à leur survie.

Autre exemple: le rôle écologique du jardinier écologique est de maintenir un jardin paysager écologique; ce jardin à son tour fait partie des conditions environnementales propices à l'épanouissement du jardinier.

Dernier exemple: un des rôles écologiques des plantes est de fournir de la matière organique aux organismes du sol qui s'en nourrissent; en même temps les plantes ont absolument besoin de ces organismes pour croître sainement; ces organismes font partie de leur niche écologique.

TRUCS ET CONSEILS

Connaître la niche écologique des plantes que vous voulez implanter dans votre jardin écologique est très souvent essentiel à leur épanouissement.

Ces exemples montrent bien que les rôles et les conditions environnementales propices d'un organisme vivant dans un écosystème sont interreliés. La connaissance des niches écologiques des principaux organismes qui vivent dans un écosystème est un des fondements de l'approche écologique.

«Le concept de niche écologique est la pierre angulaire de toute la pensée écologique.» Begon, Harper et Towsen, *Ecology*

L'objectif ultime de toute la démarche en aménagement paysager écologique est donc de maintenir un écosystème fonctionnel. L'écologie est votre outil pour y parvenir. L'objet de votre étude devrait tout d'abord vous porter à comprendre comment fonctionne la nature; par la suite à identifier les conditions des biotopes existant sur votre site, ce que vous verrez dans la deuxième partie du livre; et finalement, à fournir un environnement correspondant aux niches écologiques des végétaux que vous implantez, ce que j'aborde dans la troisième partie.

Votre aménagement sera ainsi un lieu où les habitudes fructueuses de la Terre se manifesteront.

Tout au long de ce livre, vous pourrez vous familiariser avec les termes et les concepts présentés dans ce chapitre. N'hésitez pas à y revenir aussi souvent que nécessaire. La juste compréhension de ces termes facilite le bond évolutif auquel tous les jardiniers écologiques sont conviés.

Bon à savoir

À travers les âges, la plupart des plantes ont développé des niches écologiques très précises pour s'implanter dans des milieux fort diversifiés.

La niche écologique n'est pas un lieu physique, c'est le rôle que joue un organisme dans un écosystème et les conditions environnementales propices à son épanouissement. © Michel Renaud

Signification de certains autres termes couramment utilisés dans ce livre

Jardin paysager

Le terme *jardin paysager* définit souvent, en Amérique française, un jardin où l'on fait pousser des végétaux d'ornement. En Europe, le terme *jardin ornemental* décrit le même concept. Les deux termes sont donc synonymes. Le terme jardin potager renvoie à un endroit où l'on cultive des légumes et certains fruits pour la consommation.

Aménagement paysager

Au Québec, on utilise beaucoup le terme aménagement paysager, autant pour décrire un petit aménagement de fleurs que l'aménagement global d'une propriété ou d'un parc. En fait, les termes *aménagement paysager* et *jardin paysager* sont plus ou moins interchangeables. La plupart des concepts développés dans ce livre s'appliquent aussi bien à une petite propriété résidentielle qu'à de grands espaces verts.

La méthode qui consiste à aménager par écosystème peut aussi bien être appliquée pour les espaces verts (comme ici au Complexe Guy Favreau à Montréal) que pour les jardins résidentiels. © Michel Renaud

Signification de certains autres termes couramment utilisés dans ce livre

Indigène

Cet adjectif est utilisé pour qualifier «*un animal ou une plante originaires de la région où ils vivent*» *(Le Petit Larousse, grand format,* 2003), le territoire étant considéré comme une zone de végétation (voir le chapitre «Sélection des végétaux») plutôt qu'une région politique. Ainsi, le plus souvent, une plante originaire des Laurentides (zone de végétation de l'érablière à bouleau jaune) n'est pas indigène dans la région de Montréal (zone de végétation de l'érablière à caryer), même si les deux sont originaires du Québec.

Naturalisé

Le mot naturalisé est utilisé pour décrire une acclimatation naturelle et durable de plantes ou d'animaux dans un lieu éloigné de leur région d'origine, à la suite de leur introduction volontaire ou accidentelle. Par exemple, les lilas communs (*Syringa vulgaris*), les hémérocalles fauves (*Hemerocallis fulva*) et les salicaires (*Lythrum salicaria*) que l'on observe parfois dans des fossés ou sur de vieilles fermes abandonnées sont de bons exemples de plantes naturalisées que l'on désigne aussi par l'expression échappées de culture.

L'hémérocalle fauve (Hemerocallis fulva) *est une plante originaire de l'Europe, mais naturalisée au Québec.*

© B. Dumont/Horti Média

Cultivar

Dans ce cas, il s'agit d'une plante dont les caractères ont été modifiés par l'homme. Le plus souvent, la plante a été introduite en raison de ses qualités esthétiques, mais aussi, de plus en plus, pour des raisons environnementales (résistance aux maladies, adaptation au milieu, etc.).

Plante ligneuse

Plante indigène, naturalisée ou cultivar dont le tronc, les branches, les rameaux, ainsi que les feuilles chez les plantes à feuillage persistant survivent au climat. Ce peut être un arbre, un arbuste (y compris les rosiers), un conifère ou une plante grimpante.

Plante vivace

Plante herbacée ou ligneuse, indigène, naturalisée ou cultivar qui survit au climat et dont le développement se poursuit sur plusieurs années. Dans le langage populaire cependant, une plante vivace réfère souvent à une plante herbacée qui survit au climat, sous forme de racines (parfois de bulbes) ou de tiges feuillées. Ce peut être, dans ce cas, une plante à fleurs, mais aussi une graminée, une fougère, une plante grimpante ou bulbeuse.

Fleur annuelle

Dans la nature, les plantes annuelles sont celles qui complètent leur cycle de développement au cours d'une seule année. Le plant mère meurt après avoir produit des graines pour assurer la pérennité de l'espèce.

En aménagement paysager, les plantes dites annuelles réfèrent aussi aux végétaux non rustiques, achetés au printemps dans les centres-jardin et qui sont détruits par l'arrivée des premières gelées. Parmi elles, il y a de véritables annuelles, mais aussi des plantes vivaces «importées» de pays plus chauds en hiver.

Pesticides

De façon générale et non limitative, tous les herbicides, fongicides, insecticides et autres biocides d'origine chimique ou naturelle dont la fonction est de détruire des organismes.

Le jardin ornemental est un lieu privilégié pour comprendre les habitudes gagnantes de la Terre. Cette compréhension est la clef qui vous permet de vous insérer harmonieusement dans la nature. © Michel Renaud

Profiter des habitudes gagnantes de la Terre

DANS LA NATURE, les plantes poussent sans aucune intervention humaine. Tout fonctionne et la vie s'amplifie depuis des centaines de millions d'années, chaque bond évolutif permettant à la planète et à ses habitants d'être plus performants et prolifiques à faire grandir la vie.

Force est de constater que depuis tout ce temps la Terre a développé des habitudes gagnantes. Les observer et les comprendre est fascinant, mais surtout fort utile pour le jardinier. Dans les faits, il est incontournable de bien les assimiler pour réaliser un aménagement paysager écologique. En effet, à partir de ces connaissances, vous pourrez les reproduire dans votre jardin et profiter de ces stratégies fructueuses. C'est la base d'un jardin qui est à la fois écologique… et à entretien minimal. À vrai dire, comme vous le constaterez à la lecture de ce livre, le plus souvent, les termes «écologique» et «entretien minimal» sont synonymes.

TRUCS ET CONSEILS

Au jardin, il faut être conscient que chaque intervention peut avoir des répercussions sur d'autres éléments faisant partie intégrante de l'écosystème.

Avant de commencer à y regarder d'un peu plus près, il est essentiel de comprendre que toutes les stratégies sont interreliées. Chacune d'elles ne peut exister sans la complicité de l'autre. Chaque fois qu'une de ces stratégies subit une modification, cela entraîne une réaction en chaîne qui touche toutes les stratégies.

TRUCS ET CONSEILS

Au jardin, pour avoir du succès, il faut implanter vos plantes dans des biotopes correspondant à leurs niches écologiques.

Les plantes prospèrent dans des biotopes précis

En se promenant dans la nature, on constate que des plantes apparaissent spontanément et se reproduisent partout où des conditions minimales de chaleur, de lumière, de sol, d'eau et d'air sont présentes. Cependant, les plantes ne s'implantent pas n'importe où. Oh que non! Les végétaux sont en général très spécialisés. Un palmier, adapté au climat chaud, sec et salin, est incapable de survivre dans les climats nordiques. Une plante de milieu humide ne peut survivre dans un milieu sec. Au cours de l'évolution, les plantes ont donc développé des niches écologiques en fonction de biotopes précis.

Il faut aussi savoir que les végétaux peuvent modifier un biotope pour rendre leur expansion plus facile. Par exemple, des plantes de rivage peuvent envahir le littoral et, grâce à la matière organique qu'elles génèrent, créer un sol propice à leur avancement dans le cours d'eau. Toutefois, au-delà des diverses stratégies des plantes, il reste une constante: les plantes ne poussent pas n'importe où. La majorité d'entre elles ont des niches écologiques bien définies.

Les plantes dites «généralistes», qui s'adaptent à tous les types de sols, sont des exceptions dans la nature.

Tous les thyms, comme ici le thym serpolet, prospèrent dans des sols très pauvres et secs, en milieu ensoleillé.

© Michel Renaud

Trucs ET CONSEILS

Pour créer un écosystème fonctionnel, il est bien entendu essentiel d'éviter d'introduire des plantes génétiquement faibles dans votre jardin. Pour ne pas faire cette « erreur », consultez le chapitre : « Éviter les plantes génétiquement faibles ».

L'héliopsis scabra est constamment la proie de maladies du feuillage. Il est donc préférable de ne pas l'introduire au jardin.

© Michel Renaud

Les plantes ornementales « génétiquement faibles »

La nature est un vaste champ expérimental. La terre est toujours en train d'essayer de nouvelles combinaisons. De nombreuses mutations de plantes se produisent continuellement. Très peu de ces essais sont viables et réussissent à se créer une niche dans un environnement déjà fort occupé. Les chercheurs font aussi des essais et tentent d'introduire de nouvelles plantes dans nos environnements. Tout comme dans la nature, la plupart des expériences et des essais ne dépassent pas le champ d'expérimentation et ne sont jamais commercialisés. Malgré tout, un bon nombre de ces nouvelles expérimentations humaines franchissent le cap de la commercialisation car elles répondent à des besoins ornementaux ou alimentaires. La plupart de ces plantes introduites par les humains sont très vigoureuses et, si elles sont implantées dans le bon biotope, elles prospèrent sans problèmes.

Néanmoins, certaines plantes sont génétiquement faibles, *c'est-à-dire qu'elles ont été commercialisées même si elles présentaient des faiblesses évidentes en ce qui concerne la résistance à certains insectes et maladies nuisibles. Les pommiers MacIntosh, la plupart des magnifiques rosiers hybrides de thé, plusieurs ancolies hybrides sont de bons exemples de plantes* génétiquement faibles *mises en marché à cause de qualités particulières. Ces plantes nécessitent des soins très spéciaux pour donner leur plein potentiel alimentaire ou esthétique ou même pour survivre. Par exemple, ramasser les feuilles malades des rosiers à l'automne. Très souvent, il faut même utiliser des pesticides si on désire vraiment les cultiver.*

Les réseaux d'entraide des plantes

L'évolution a produit des plantes très bien adaptées aux conditions environnementales d'aujourd'hui, non seulement à cause de la qualité de leur mode de reproduction ou de leur structure interne, mais également à cause de la qualité de leur réseau d'entraide. Explorons brièvement celui-ci pour mieux en saisir toute l'importance.

Le réseau d'entraide des plantes dans le sol

Il est formé notamment des mycorhizes, des rhizobiums, des organismes décomposeurs, des vers de terre et d'un grand nombre de micro-organismes.

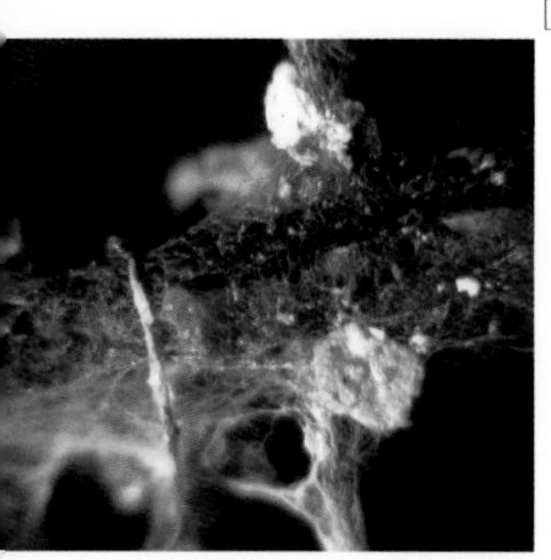

Dans la nature, les mycorhizes sont la norme plutôt que l'exception. On parle alors de la « mycorhizosphère ».

© Régine Otis, Premier Tech Biotechnologies

Trucs et conseils

Au jardin, il faut toujours avoir en tête de favoriser la symbiose plantes et mycorhizes quand on décide d'une pratique culturale.

Les mycorhizes

Dans le premier chapitre, vous avez constaté l'incontournable importance de la symbiose plantes et mycorhizes dans l'évolution de la planète. La majorité des plantes indigènes et des plantes de jardins profitent de la symbiose mycorhizienne.

Dans cette symbiose, les mycéliums (racines) des champignons s'étirent très loin dans le sol, au-delà des racines de la plante, à la recherche d'eau et d'éléments nutritifs. Ainsi, les plantes mycorhizées résistent beaucoup mieux à la sécheresse et à la chaleur. Dans son livre *Le sol, la terre et les champs*, le docteur en biologie Claude Bourguignon insiste même en affirmant que «*dans le cas des arbres, l'absorption de l'eau ne se fait que par les mycorhizes*».

Les mycorhizes, particulièrement les ectomycorhizes qui s'implantent sur les racines, forment aussi un bouclier protecteur contre les pathogènes en sécrétant des antibiotiques.

De la naissance à la mort

«Dès que la moindre plantule issue d'une graine est capable de synthétiser des sucres et autres substances organiques par ses organes verts, elle dirige certaines de ces substances vers ses racines… et stimule, par la nature de ses excrétions racinaires, le développement des souches microbiennes capables de lui fournir une alimentation répondant à ses besoins du moment. En retour, les microbes attaquent les réserves nutritives du sol, organiques et minérales, les mettant à la disposition directe des poils absorbants (des plantes). Enfin la mort et la dégradation des bactéries elles-mêmes libèrent des acides aminés et même, pense-t-on, des acides nucléiques qui peuvent être directement absorbés par la plante.»

Dominique Soltner, *Les bases de la production végétale, Tome 1, Le sol*

Les rhizobiums

L'azote est un élément essentiel pour la croissance, la vitalité et le verdissement des végétaux. L'azote se trouve dans l'atmosphère, 79% de l'air que nous respirons en étant composé. Le reste est de l'oxygène pour 19% et d'autres gaz pour 2%.

Les plantes ne peuvent capter cet azote directement de l'atmosphère. Ce gaz entre donc dans le cycle du sol par d'autres voies. Une de ces voies est l'eau de pluie qui, lors d'orages, est chargée d'azote. Toutefois, la voie principale est celle des *azotobacters*: des bactéries capables de fixer l'azote de l'air. Un des groupes d'azotobacters les plus performants se nomme

Sur un terrain pauvre, la nature implante souvent une symbiose trèfles et rhizobiums pour faire entrer de l'azote dans le sol.

© Michel Renaud

TRUCS ET CONSEILS

C'est de la symbiose bactéries rhizobiums et légumineuses dont on veut profiter quand on implante des trèfles blancs nains entre les brins de gazon sur une pelouse, ce qui permet de réduire ou d'éliminer la fertilisation.

«rhizobium». À l'instar des mycorhizes, les bactéries rhizobiums vivent en symbiose avec des plantes de la famille des légumineuses, dont font partie les trèfles et les lupins.

Répondre à l'appel

«Dès la germination, la plante (légumineuse) lance un appel chimique pour attirer les bactéries rhizobiums. Celles-ci captent et envoient à leur tour une réponse. Le processus de nodulation s'amorce. Des bouts de racines se déforment pour construire un abri où les rhizobiums viendront se loger. Là, bien protégé contre les attaques de protozoaires brouteurs, le rhizobium fournira de l'azote à la plante en retour de délicieuses substances à base de carbone.» Claude D'Astous, *À la conquête de la rhizosphère*

L'azote capté par les bactéries est dirigé, en grande partie, dans les tissus des plantes. À leur mort, lors de la dégradation de la matière organique, l'azote retourne dans le sol et le cycle recommence.

Éléphants et bactéries

«Si tous les éléphants d'Afrique étaient tués, on ne s'en apercevrait à peu près pas, mais si les bactéries fixatrices d'azote du sol étaient éliminées, la plupart d'entre nous ne pourraient survivre très longtemps parce que le sol ne pourrait plus nous soutenir.» Kevin Stuart, *A life with the soil: a conversation with Hans Jenny*

LÉGUMINEUSES FIXATRICES D'AZOTE GRÂCE AUX RHIZOBIUMS

Vivaces herbacées

Coronille (*Coronilla* sp.), lotier (*Lotus* sp.), lupin (*Lupinus* sp.), lupuline (*Medicago lupulina*), luzerne (*Medicago sativa*), trèfle (*Trifolium* sp.), vesce jargeau (*Vicia cracca*).

Plantes de potager ou agricoles

Pois (*Pisum* sp.), haricot (*Phaseolus* sp.), soya (*Glycine max*).

Annuelles

Pois de senteur (*Lathyrus odoratus*).

Arbustes

Caragana (*Caragana* sp.).

Arbres

Févier (*Gleditsia* sp.), aulne (*Alnus* sp.).

Note: Le frère Marie-Victorin rapporte dans la Flore laurentienne *qu'il existe plus de 8 000 espèces de légumineuses à travers le monde.*

Si vous observez des champignons sur votre pelouse, creusez un peu, il y a du bois dessous. Les champignons font partie des rares organismes sur Terre à pouvoir décomposer la partie coriace du bois que l'on nomme «lignine».

© B. Dumont/Horti Média

TRUCS ET CONSEILS

Au jardin, laissez les résidus organiques produits par les plantes au sol, afin de stimuler de nombreux organismes.

Les organismes décomposeurs

Dans la nature, personne ne fertilise. Les matières organiques laissées au sol par les plantes et les animaux sont dégradées et transformées par des organismes du sol (vers de terre, champignons, actinomycètes, etc.). Les débris organiques ne peuvent être recyclés en éléments assimilables sans ces précieux intermédiaires. Les organismes décomposeurs du sol font donc partie du réseau d'entraide des plantes puisque, sans eux, les plantes mourraient littéralement de faim.

Il faut savoir cependant que les organismes du sol ne font pas que décomposer la matière organique. Avec les substances organiques plus coriaces, ils créent une réserve organique dans le sol. Comme nous le verrons plus loin, cet humus joue plusieurs rôles importants dans le sol.

«Il y a plus de micro-organismes dans une demi-tasse de sol fertile qu'il n'y a d'humains sur la planète Terre.» Peter Tompkins et Christopher Bird, *Secret Life of the Soil*

Les vers de terre

Ils améliorent grandement les qualités du sol. Les galeries qu'ils creusent peuvent constituer plus de 5% du volume d'un sol fertile. Dans ces sols, l'eau se draine quatre à dix fois plus vite que lorsqu'ils sont absents. Ils peuvent littéralement tirer des matières organiques de la surface du sol vers leurs galeries où elles sont dégradées par d'autres organismes du sol. Les vers de terre peuvent aussi remonter des éléments minéraux et des matières organiques des couches plus profondes. Ils malaxent et répartissent ainsi les matières organiques et les éléments minéraux, mieux que ne le feraient les meilleurs outils aratoires. La terre qui passe par leur tube digestif se transforme complètement (voir le tableau à la page suivante). Un sol sans vers de terre est un sol beaucoup moins fertile.

On dit souvent que le fumier de vers de terre est le meilleur engrais du monde. C'est vrai!

© Michel Renaud

«Les lombrics représentent un poids de 5 à 50 kg/100 m². En 10 ans, la totalité de la couche humifère d'une prairie (10 cm) passe par leur tube digestif. Leur action sur la fertilité est complète: amélioration de la structure, enrichissement en éléments assimilables, stimulation de la flore microbienne.» Dominique Soltner, *Les bases de la production végétale, Tome 1, Le sol*

Comparaison entre la composition des excréments de vers de terre et celle du sol environnant

	Sol	Excréments de vers de terre	Augmentation due aux vers de terre
Calcium échangeable	1,990/1000	2,790/1000	40 %
Magnésium échangeable	0,162/1000	0,492/1000	204 %
Azote (nitrate)	0,004/1000	0,022/1000	366 %
Phosphore disponible	0,009/1000	0,067/1000	640 %
Potassium échangeable	0,032/1000	0,358/1000	1 019 %
pH	6,4	7	–

(Donahue, R. L., *Nature des sols et croissance végétale*)

Bon à savoir

Au jardin, un sol « vivant » favorise la germination des semences.

Les organismes nécessaires à la germination

Pour germer, de nombreuses semences ont besoin du concours de micro-organismes qui brisent l'enveloppe qui enferme l'embryon. Plusieurs graines mises en contact avec de l'eau stérile ne germeront tout simplement pas.

« La biomasse des organismes miniatures est équivalente ou supérieure à celle des forêts, des grands troupeaux de mammifères, des énormes bancs de poissons et des innombrables insectes réunis. » J. S. Gould, *Full house: The spread of excellence from Plato to Darwin*

Des protecteurs contre les maladies et les insectes ravageurs

Les organismes du sol associés aux plantes, dont les mycorhizes, défendent littéralement les plantes contre de nombreux organismes nuisibles. En échange, les plantes leur fournissent des substances nutritives. On voit donc que la relation entre la plante et les organismes associés du sol est essentielle.

« Chaque fois qu'une plante est saine, vigoureuse et résistante au parasitisme, l'examen de sa microflore rhizosphérique fait apparaître une proportion plus élevée d'organismes bénéfiques que dans la rhizosphère de plantes chétives de la même variété. On peut faire des liens entre cette réalité et celle de la microflore intestinale des humains dont l'examen permet de déceler l'état de santé ou de maladie de l'individu. » Hans Peter Rusch, *La fécondité du sol*

Bon à savoir

Au jardin, introduire des méthodes qui favorisent les organismes du sol permet une diminution significative des maladies des plantes.

Les abeilles font partie du réseau d'entraide des plantes hors sol.

© Michel Renaud

Bon à savoir

Au jardin, cette nouvelle biologie de l'évolution a une incidence directe sur les façons de concevoir, d'aménager et d'entretenir. Le jardinier conventionnel cultive des plantes, le jardinier écologique cultive des écosystèmes.

Le réseau d'entraide des plantes hors sol

Autour des fleurs et du feuillage, l'activité, qui est souvent plus facile à observer, est aussi très grande. Pour assurer leur pollinisation, plusieurs plantes ont besoin de la collaboration des colibris, des papillons, des abeilles et d'autres insectes.

De nombreux insectes, prédateurs des insectes nuisibles, protègent les plantes contre les attaques de ravageurs tout comme le font les organismes dans le sol. L'exemple de la coccinelle qui se nourrit de pucerons est bien connu, mais la nature est remplie de ces exemples heureux.

Au potager, de nombreuses études ont amené les jardiniers écologiques à positionner leurs légumes aux côtés de certains autres très spécifiques pour profiter des interactions positives entre les plantes compagnes. Une plante compagne peut émettre des substances qui repoussent des insectes ravageurs. Une plante peut aussi émettre des substances pour stimuler la croissance de sa compagne.

L'entraide comme véritable relation

La symbiose et la coopération entre les organismes vivants sont aussi, sinon plus, déterminantes dans le développement et la pérennité d'une espèce que ne l'est la compétition. Les plantes qui réussissent le mieux ne sont pas nécessairement les plus fortes, mais plutôt celles qui développent le meilleur réseau d'entraide.

Selon Richard Leakey dans *La 6e extinction*: «*Les écosystèmes fonctionnent comme des ensembles intégrés et non comme des espèces vivant à proximité, mais isolées les unes des autres. La persistance (ou stabilité) émerge de l'interaction entre les espèces de la communauté, et non de la supériorité individuelle de telle ou telle espèce.*»

Pesticides et réseau d'entraide : une mauvaise combinaison

L'utilisation répétée de pesticides chimiques, mais également naturels, entraîne souvent une diminution marquée des populations d'organismes bénéfiques. Le tableau ci-contre présente les résultats d'une recherche sur la diminution de vers de terre en présence de différents pesticides couramment utilisés dans les jardins.

Selon le biologiste André Pedneault (L'influence des pesticides sur la vie du sol), *le malathion, la perméthrine, le captan et le bénomyl, tous des pesticides de synthèse couramment utilisés dans les jardins résidentiels, inhibent fortement les bactéries rhizobiums fixatrices d'azote. Les pesticides affectent aussi les mycorhizes.*

Il faut aussi savoir que les pesticides ont des effets pervers. D'abord, les organismes nuisibles attaqués régulièrement à l'aide de pesticides développent des résistances. À la longue, les pesticides deviennent de moins en mois efficaces. Ensuite, les organismes bénéfiques non ciblés qui sont touchés par ces pesticides sont très affectés. À plus ou moins long terme, leurs rôles peuvent être fortement diminués.

Au jardin, l'utilisation de pesticides entraîne de nombreux problèmes. Le plus important, c'est qu'au lieu de vivre dans un «écosystème» vous vivez dans un «système» que vous devez supporter par de très nombreuses heures de travail.

EFFET DE PESTICIDES (COURAMMENT UTILISÉS DANS LES JARDINS RÉSIDENTIELS) SUR LA POPULATION DE VERS DE TERRE UNE SEMAINE APRÈS LEUR APPLICATION SUR UN GAZON DE PÂTURIN DES PRÉS

PESTICIDE	QUANTITÉ	DIMINUTION DE LA POPULATION DE VERS DE TERRE
Carbaryl (insecticide)	0,09 kg/100 m^2	90%
Bénomyl (fongicide)[1]	0,12 kg/100 m^2	60%
Diazinon (insecticide)	0,04 kg/100 m^2	58%
Chlopyrifos (insecticide)[2]	0,005 kg/100 m^2	32%
Dicamba (herbicide)	0,006 kg/100 m^2	4%
2-4-D (herbicide)	0,02 kg/100 m^2	0%

D'après Potter et Al J. Econ, 1990

Note : 1) Le bénomyl est rémanent trois mois dans le sol. 2) Cet insecticide est aujourd'hui complètement banni.

La coévolution

Dans un jardin, favoriser et même stimuler le réseau d'entraide des plantes est indispensable pour réaliser un écosystème fonctionnel. Concrétiser cet objectif est-il compliqué? Non! En réalité, c'est très simple. Regardons encore du côté de la nature pour voir comment elle y arrive.

Au cours des âges, les différents organismes qui se côtoient dans un même biotope ont évolué en étroite interaction. En langage écologique, cela s'appelle une coévolution. Sans celle-ci, peu de plantes pourraient survivre. Ainsi, dans la nature, les plantes et leurs organismes associés prospèrent dans des écosystèmes semblables, c'est normal et logique.

Une confédération de dépendance

«Jamais depuis le précambrien (plus de 3 milliards d'années), une chose vivante n'a évolué en solitaire. Des communautés entières ont évolué comme si elles constituaient un super-organisme. De ce fait, toute évolution est coévolution et la biosphère est aussi une confédération de dépendance.» Victor B. Scheffer, *Spire of form*

Les coccinelles, c'est bien connu, sont les prédateurs de pucerons.

© B. Dumont/Horti Média

Des cas exceptionnels

Lors de cultures en serre ou en contenant, il peut être opportun d'introduire certains organismes associés si l'on doute de leur présence. C'est le cas pour les mycorhizes, les rhizobiums et des insectes prédateurs comme des coccinelles. En effet, dans ces milieux artificiels, on cultive non pas dans de la terre, mais dans un substrat à base de tourbe de sphaigne.

Lorsqu'on crée un jardin écologique, il est très rare que l'on ait besoin de recourir à ces apports. En effet, l'aménagement se fait dans la nature et l'on cultive dans de la vraie terre. Les organismes associés y sont habituellement en grand nombre. De plus, les composts et les méthodes écologiques utilisés favorisent plusieurs de ces organismes.

Trucs et conseils

Au jardin, revenez toujours à la même règle de base. Choisissez les types d'aménagement et faites les gestes d'entretien qui favorisent le maintien d'un biotope adéquat pour une plante, favorisant du même coup la kyrielle d'organismes d'entraide qui lui sont associés... et défavorisant les ravageurs et les maladies qui prospèrent habituellement dans des biotopes différents.

Prenons un exemple pratique. Lorsque les herbes à gazon sont implantées dans le bon biotope, elles prospèrent avec vigueur et habituellement sans problèmes en étroite relation avec leurs organismes associés. Les insectes ravageurs réussissent rarement à franchir la barrière de protection des organismes protecteurs et des mécanismes de défense des herbes à gazon elles-mêmes. De plus, dans un biotope adéquat pour une plante donnée, les ravageurs et les maladies ont habituellement de la difficulté à se manifester, car ce biotope ne correspond habituellement pas à leur propre biotope optimum.

Cependant, lorsque des herbes à gazon poussent dans un biotope qui ne correspond pas à leur optimum de croissance, sur un sol trop sablonneux et trop sec, par exemple, les mécanismes de défense de la plante fonctionnent au ralenti. De nombreux organismes protecteurs des herbes à gazon ne peuvent plus

Les insectes nuisibles prolifèrent et causent habituellement des dommages aux plantes lorsque celles-ci ne sont pas implantées dans le bon biotope.

© B. Dumont/Horti Média

accomplir leurs fonctions de protection car ils ne retrouvent pas leur biotope favorable. Ainsi, les vers blancs qui se trouvent alors dans des conditions environnementales propices face à des plantes et des organismes protecteurs affaiblis peuvent se reproduire librement, ce qui peut engendrer parfois des problèmes importants.

Les rôles écologiques des plantes

Bien des jardiniers considèrent en premier lieu les rôles esthétiques des plantes et les émotions qu'elles nous procurent. Toutefois, bien que cette dimension soit incontournable, elle ne devrait jamais faire oublier les rôles écologiques.

Synthétiser le gaz carbonique et libérer de l'oxygène

Lors d'un processus que l'on appelle la photosynthèse, en utilisant la lumière solaire comme source d'énergie, les feuilles des plantes fabriquent des matières organiques à partir de l'eau et du gaz carbonique contenus dans l'atmosphère. Lors de ce processus, elles produisent et dégagent de l'oxygène qui est indispensable à la survie des espèces animales et des humains.

LE PROCESSUS DE LA PHOTOSYNTHÈSE

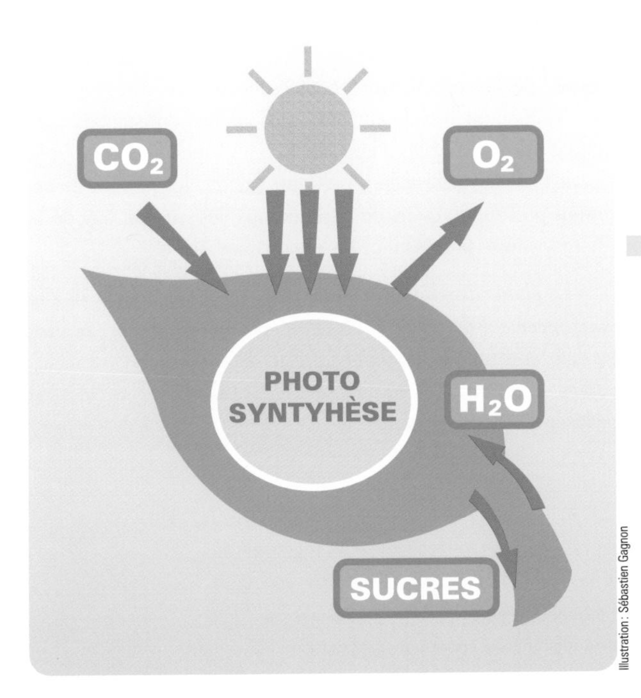

Illustration : Sébastien Gagnon

TRUCS ET CONSEILS

Au jardin, pour favoriser la photosynthèse, placez vos plantes dans le type de luminosité correspondant à leur niche écologique.

Trucs et conseils

Au jardin, évitez de laisser un sol à nu pendant de longues périodes. Privilégiez des plantations de plantes vivaces dont les racines sont présentes dans le sol toute l'année, plutôt que des plantations d'annuelles qui laissent le sol à nu pendant de longues périodes.

Trucs et conseils

Au jardin, maintenez des plantes non tondues aux abords des ruisseaux ou des fossés pour permettre une bonne filtration de l'eau.

Retenir et structurer le sol

Après un bouleversement qui laisse le sol à nu, pour éviter la dégradation des sols, la nature a comme stratégie d'implanter rapidement des végétaux. Grâce aux racines et aux radicelles des plantes, de concert avec les organismes du sol, les particules de terre sont retenues, limitant ainsi le lessivage et l'érosion. Les radicelles structurent également le sol et en améliorent ainsi la fertilité.

Filtrer l'eau

Les racines des plantes filtrent l'eau avant que celle-ci atteigne les nappes phréatiques ou les cours d'eau. Ce processus a pour but de retenir dans le sol, au niveau des racines, les différents éléments minéraux contenus dans les eaux de pluie et de les mettre ainsi à la disposition de la plante.

De nos jours, une autre dimension s'est ajoutée. Cette filtration permet de retenir les éléments polluants ou toxiques, ce qui évite notamment la prolifération d'algues dans les cours d'eau.

Nourrir les organismes du sol

Dans le jeu des symbioses et des complémentarités qui se jouent au niveau des radicelles, les plantes reçoivent beaucoup, que ce soit sous forme d'éléments minéraux ou organiques, de la communauté écologique du sol. En échange, elles redonnent aux organismes du sol des substances carbonées, indispensables à leur vie. Selon Claude D'Astous (*À la conquête de la rhizosphère*), par leurs racines les plantes investissent presque le quart du carbone qu'elles captent lors de la photosynthèse pour s'allier les organismes du sol.

« La plante dispose de la remarquable aptitude à provoquer le développement de types de bactéries correspondant à ses besoins en leur fournissant un choix précis de substances nutritives, comme le ferait un bactériologiste. » Dominique Soltner, *Les bases de la production végétale, Tome 1, Le sol*

Trucs et conseils

Au jardin, pour favoriser cet échange entre les plantes et les organismes du sol, limitez au minimum les produits toxiques, tels des pesticides et certains engrais, et utilisez des méthodes écologiques de préparation de sol, telles que proposées au chapitre « Modifier ou recréer un écosystème ».

À l'automne, laissez les tiges, les graines et les fruits des plantes sur place pour nourrir les oiseaux et les animaux.
© Michel Renaud

Nourrir la faune ailée et les insectes

Pendant la belle saison, les plantes à fleurs attirent par leurs effluves et leurs couleurs colibris, papillons, abeilles et autres insectes qu'elles nourrissent ensuite de leur nectar. En échange, ces animaux réalisent la pollinisation, essentielle à leur survie.

Certaines parties des tiges et des fleurs séchées servent aussi de matériaux pour réaliser ou compléter des nids d'oiseaux. À l'automne et à l'hiver, les fruits et les bourgeons qui restent sur les tiges sont la base de l'alimentation de nombreux oiseaux et animaux.

L'hiver, les tiges des végétaux retiennent la neige et protègent ainsi vos plantes et les organismes du sol. © Michel Renaud

TRUCS ET CONSEILS

Au jardin, à l'automne, laissez les tiges des plantes herbacées dans les plates-bandes et évitez de tailler les arbustes afin de retenir la neige. Vous enregistrerez ainsi moins de pertes. Halte au nettoyage automnal !

Retenir la neige au sol

La majorité des arbustes à feuilles caduques ou persistantes et les conifères permettent de retenir la neige au sol. Les tiges séchées de plusieurs plantes vivaces, graminées ou fougères retiennent aussi la neige. Quant aux arbres, leurs branches nues ralentissent les vents en hiver, évitant ainsi que la neige ne soit balayée.

Quand on sait que la neige est le meilleur isolant, on comprend pourquoi les plantes cherchent à la retenir, s'offrant ainsi une autoprotection et protégeant leurs organismes associés des rigueurs de l'hiver.

Voyez-vous quelqu'un ramasser les feuilles et les branches dans la nature ? Chaque printemps, les plantes percent la litière organique et s'épanouissent grâce à la présence de celle-ci. © Michel Renaud

Produire de la matière organique

Tout au long de la belle saison, et notamment à l'automne, les plantes vont produire des débris végétaux sous forme de fleurs fanées, de feuilles séchées, de tiges ou de branches mortes. C'est ce que l'on appelle la litière organique. Celle-ci recouvre le sol et se renouvelle constamment. Il ne s'agit pas de détritus, mais bien de matières organiques… de beaucoup de matières organiques.

La litière organique joue de nombreux rôles essentiels. Elle sert de nourriture de base à de nombreux organismes du sol qui la dégradent. Sans cette matière organique, ces organismes meurent tout simplement. La litière organique favorise donc de nombreux organismes du sol et, par le fait même, toutes les fonctions que ces organismes accomplissent. Dans la nature, ces débris constituent aussi une importante source de nourriture pour différents animaux.

Trucs ET CONSEILS

Au jardin, par une chaude journée d'été, tassez un peu la litière ou le paillis et touchez la terre pour sentir sa fraîcheur.

La litière organique fournit également un abri aux organismes du sol et à certains insectes utiles. Le maintien de cette litière est une des stratégies les plus efficaces pour limiter la prolifération des ravageurs car, dans un écosystème fonctionnel, les organismes bénéfiques sont toujours en plus grand nombre. Dans la majorité des cas, la prolifération de maladies et d'insectes ravageurs n'est pas favorisée par la litière organique, bien au contraire.

Les exceptions

Les plantes «génétiquement faibles», tels certains rosiers, pommiers et pommetiers, souffrent de façon chronique de maladies du feuillage. Dans ces cas d'exception, il est préférable de ramasser les débris qu'ils produisent. L'idéal consiste souvent à ne pas implanter ou à supprimer ces plantes à problèmes.

Une fois décomposée, la litière organique enrichit le sol, car celle-ci y retourne non seulement ce que la plante a puisé dans la terre, mais en plus une bonne partie de ce que la plante a puisé dans l'atmosphère et dans l'eau de pluie et qui représente plus de 90% de sa masse constitutive: un gain net très important. En laissant la litière organique au sol, le sol s'enrichit ainsi année après année.

DE PAUVRE À RICHE... EN DIX ANS

Il est facile d'observer l'évolution d'un terrain pauvre, en friche, en terrain riche. En 1992, cette parcelle est en friche.

En 2002, dix ans plus tard, sans aucune fertilisation humaine, la production de verdure a décuplé, signe que la parcelle s'est enrichie. Du lotier corniculé, une symbiose légumineuses et bactéries fixatrices d'azote s'est implantée. Aujourd'hui, la biomasse est beaucoup plus importante et plus dense grâce à la dégradation de la litière organique et au travail conjugué des racines et des organismes du sol. © Michel Renaud

Bon à savoir

Si vous voulez appauvrir un sol pour favoriser des plantes de sol pauvre, il est préférable d'enlever la litière organique.

De plus, la litière organique joue d'autres rôles :

- elle conserve l'humidité du sol, préservant ainsi sa structure et favorisant du même coup les organismes et les plantes qui y vivent. Même par temps de sécheresse, elle crée une zone de condensation entre le sol plus frais et l'air plus chaud de l'atmosphère, fournissant ainsi de l'humidité ;
- elle crée une zone tampon qui protège les racines et les organismes du sol contre les changements et les extrêmes climatiques ;
- elle ralentit l'écoulement rapide des eaux de pluie, limitant ainsi le lessivage et la déstructuration du sol ;
- elle réfrène aussi la pousse d'herbes compétitives en empêchant la lumière d'atteindre le sol. Ce faisant, les plantes existantes souffrent moins de compétition et l'écosystème est plus stable.

Tous ces rôles peuvent être joués par certains paillis commerciaux que l'on achète dans les jardineries.

La vie dans la litière organique est donc un monde en soi. Les échanges y sont innombrables. Les matières organiques qui la composent ont une influence majeure sur le type d'échanges qui s'y produit et les organismes qui sont favorisés. Les conifères produisent une litière acide et peu dégradable parfaite pour les organismes associés à leur croissance.

Les paillis commerciaux sont, la plupart du temps, composés de débris de conifères, de tourbe de sphaigne ou d'écailles, des matières organiques très coriaces, acides et difficilement dégradables. Ces paillis sont parfaits pour des conifères et d'autres plantes qui nécessitent ce genre d'apport.

Dans la nature et dans nos jardins, d'autres plantes comme les graminées et la plupart des vivaces produisent un feuillage tendre, moins acide et plus facilement dégradable. Ce type de litière stimule des organismes très différents de ceux des litières de conifères. Laisser au sol la litière organique produite par les plantes elles-mêmes est dans ce cas beaucoup plus indiqué que d'utiliser des paillis de conifères. Ainsi, très souvent, la matière organique produite par un végétal et qui tombe à ses pieds est adaptée à ce végétal, à ses organismes associés et aux fonctions que jouent la plante et les organismes dans l'écosystème.

À l'automne, si certaines tiges sont inesthétiques, coupez-les en petits morceaux et laissez les débris végétaux sur place pour fertiliser vos plantes et nourrir les organismes du sol.

© Michel Renaud

TRUCS ET CONSEILS

Au jardin, fini la fertilisation, les apports de compost annuels, l'arrosage et les corvées de nettoyage automnal et printanier. Installez vos plantes dans le bon biotope, conservez la litière organique au pied de vos végétaux et jouissez d'un véritable jardin à entretien minimal, comme la nature nous l'enseigne si bien. Essayez et vous verrez !

Rapprochez-vous de la nature

Au jardin, si vous enlevez la litière organique et ramenez des engrais, du compost et des paillis commerciaux, vous vous rapprochez de la nature. Toutefois, il est possible que certains paillis organiques ne stimulent pas les bons organismes du sol. Il se peut aussi que certains éléments nutritifs qui se trouvaient dans la litière ne se trouvent pas dans les produits commerciaux ramenés. C'est pourquoi, dans la nature comme dans votre jardin, le meilleur fertilisant pour vos plantes est la litière organique produite par les plantes elles-mêmes.

Le ramassage de feuilles, tiges et autres débris végétaux à l'automne ou au printemps est non seulement inutile, mais il est non recommandé dans une approche écologique. En effet, l'enlèvement de la litière peut déséquilibrer profondément les systèmes d'échanges complexes, dont on ne connaît pas toutes les ramifications, entre les plantes, les organismes du sol et le sol.

Conserver la litière organique, une formidable source de matières organiques, constitue une des innovations les plus intéressantes de l'aménagement paysager écologique.

Changer votre vision

Je vous surprends peut-être avec les propos que je viens de tenir. Vous avez peut-être peur d'être envahi par les insectes nuisibles et les maladies ? Observez la nature ! Est-ce que les plantes sont malades et la forêt en déperdition parce que personne ne ramasse les feuilles ? On a longtemps cru, à tort, que les ravageurs étaient favorisés par le maintien de la litière organique. Pour la majorité des plantes, c'est plutôt le fait d'enlever la litière organique qui favorise une prolifération des ravageurs. De nombreux organismes bénéfiques sont détruits et les équilibres écologiques du sol sont perturbés en l'absence de cette litière.

Vous avez aussi peut-être peur d'être submergé de matières organiques ? Soyez rassuré ! La forêt produit des masses importantes de débris organiques et elle ne s'en porte pas plus mal. Allez vous y promener et vous constaterez que la litière restante est une fine couche d'à peine quelques centimètres d'épaisseur. Les micro-organismes sont très efficaces. Si la nature n'était pas si efficace à recycler la litière organique, nous serions submergés par des kilomètres de celle-ci. Le secret des grandes forêts à « entretien minimal », c'est le recyclage de la matière organique.

La stabilité au milieu du perpétuel changement

Paradoxalement, un écosystème mature est un milieu relativement stable, mais en continuel mouvement. Promenez-vous dans une forêt où vous êtes allé il y a vingt-cinq ou trente ans. Si l'humain n'est pas intervenu et n'a pas coupé tous les arbres, vous retrouverez une forêt. Certains détails pourront être différents ; des arbres auront disparu, remplacés par d'autres de la même espèce ou par d'autres espèces ; une tornade aura peut-être couché des arbres ; mais la forêt sera toujours là en perpétuel renouvellement.

Dans un écosystème naturel, les organismes sont positionnés en fonction de leur niche écologique, mais, lorsque des changements surviennent, des plantes, des insectes, des micro-organismes, etc., dont les niches écologiques correspondaient à un écosystème donné, ne sont plus adaptés à cet écosystème. De nombreux facteurs peuvent modifier les caractéristiques de base d'un écosystème naturel. De nouveaux organismes, introduits de continents éloignés, peuvent parfois changer la donne. Le climat peut enclencher des variations importantes : tornades, pluies diluviennes, raz-de-marée, une succession d'étés avec des sécheresses prolongées, etc. Un réchauffement graduel de la température moyenne et l'abaissement de la nappe phréatique sont des phénomènes naturels qui occasionnent des changements plus subtils, mais non moins réels.

Trucs et conseils

Au jardin, il ne faudra pas se surprendre si, à un moment donné, une plante qui allait bien se met à aller mal. Cela fait partie de la nature. Nous ne percevons pas toujours les variations de conditions environnementales, d'autant plus que les plantes et leur réseau d'entraide ont une capacité à résister pendant un certain temps à un changement environnemental. Le dépérissement d'une plante peut être causé par un événement datant d'il y a quelques années.

Dans des conditions de changements environnementaux, la pérennité d'un écosystème est assurée par sa capacité à remplacer des organismes qui étaient parfaitement adaptés aux conditions préexistantes par d'autres mieux adaptés aux nouvelles conditions. Les écosystèmes sont donc en perpétuelle évolution parce que la Terre, les organismes qui l'habitent et l'univers qui l'entoure sont en perpétuel changement. Paradoxalement, ils sont stables car ils ont la capacité de s'adapter aux changements inévitables, ce que les scientifiques appellent le phénomène de «résilience» des écosystèmes.

La présence d'organismes équilibrants

La nature a très bien intégré la notion de changement et a développé des mécanismes très simples pour favoriser la vie dans un contexte de perpétuelle transformation.

«Dans la nature, les maladies sont un aspect très normal du cycle et du recyclage des éléments.» Paul D. Manion, *Tree Disease Concepts*

© B. Dumont/Horti Média

Parfois une nouvelle symbiose plantes et organismes va en remplacer une autre. Dans un jardin, par exemple, les herbes sauvages, que l'on appelle «mauvaises herbes», auront beaucoup de facilité à remplacer des plantes implantées dans un mauvais biotope. Il est facile de constater avec quelle facilité la nature envoie des pissenlits et autres herbes sauvages sur des pelouses implantées sur des sols inadaptés pour les herbes à gazon. Toutefois, la nature a aussi prévu d'autres mécanismes pour faciliter le remplacement d'une plante mal adaptée.

«La continuité de la vie implique non pas une reproduction fidèle à chaque génération, mais au contraire des changements qui garantissent l'adaptation et constituent la source de la diversité.»
Musée de l'Évolution, Paris

Blottis dans des recoins de l'écosystème, des insectes ravageurs, des virus, des champignons et des bactéries pathogènes attendent le bon moment pour se manifester. Ils prolifèrent à la faveur de conditions propices, c'est-à-dire des conditions qui abaissent la vitalité des végétaux en place et de leur réseau de protection.

Ces conditions enclenchent une réponse énergique de la nature. Des ravageurs et des pathogènes viennent alors détruire la plante faible qui n'est plus protégée par son réseau d'entraide. Ainsi, les ravageurs et les maladies détruisent des plantes pour les remplacer par d'autres végétaux plus aptes à amplifier la vie. En conséquence, on peut donc considérer les ravageurs et les pathogènes comme des organismes équilibrants dans la nature. Même s'ils semblent, d'un certain point de vue, déséquilibrer l'écosystème, ils font en fait le ménage d'organismes dysfonctionnels. L'effet de leur intervention entraînera un nouvel équilibre, une nouvelle symbiose plantes et organismes, souvent plus fonctionnelle que l'ancienne.

Si notre planète ne possédait pas de tels mécanismes, la vie telle qu'on la connaît n'existerait sans doute pas. Des organismes mésadaptés pourraient survivre, mais sans accomplir de façon efficace leurs différents rôles dans le grand jeu des écosystèmes (photosynthèse, échanges nutritifs, production de matière organique, etc.) et c'est toute la vie sur Terre qui serait en décroissance. Sans les ravageurs et les pathogènes, la vie sur Terre serait beaucoup moins évoluée qu'elle ne l'est aujourd'hui. Les insectes ravageurs et les maladies ont donc un rôle déterminant pour la survie des écosystèmes: ils en assurent habituellement le fonctionnement optimal.

Les recherches de Constantin Characas

Constantin Characas, directeur de recherche à l'Institut national de recherche scientifique (INRS) en France, a fait des études sur les causes et les mécanismes du développement des maladies chez les arbres. Il a observé les «scolytes», des insectes qui provoquent des dégâts importants dans les forêts. Ses conclusions sont étonnantes: «Pour s'installer sur un conifère vigoureux, les scolytes doivent vaincre la force de résistance de l'arbre et notamment l'odeur repoussante de substances répulsives que celui-ci émet. Chez les arbres affaiblis, au contraire, la pression osmotique, les glucides et les composés terpéniques causent des modifications indiscutables... l'arbre change de programme, certaines substances agissent alors comme un stimulus attractif pour les scolytes... La vie des scolytes dépend donc directement de l'état physiologique du végétal qui peut en interdire l'installation par sa vigueur et ses substances allélochimiques ou au contraire favoriser sa colonisation par l'attraction de divers stimuli.

D'après les chercheurs, ce sont souvent les plantes elles-mêmes, qui émettent des odeurs et des substances pour attirer les ravageurs lorsqu'elles sont en état de faiblesse. © B. Dumont/Horti Média

Les divers signaux olfactifs, gustatifs, visuels ou sonores ont tous leur signification et leur importance dans la colonisation de l'arbre par le scolyte, mais le stimulus olfactif se révèle largement prédominant au moment de l'installation de l'insecte ravageur sur la plante hôte.»

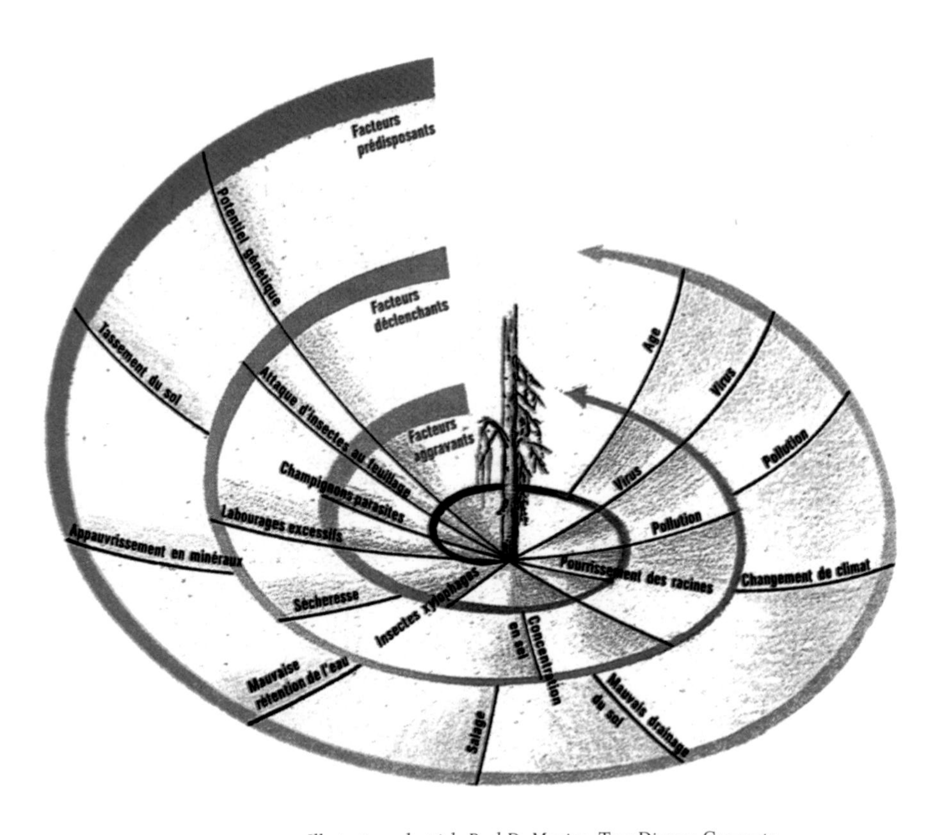

Illustration adapté de Paul D. Manion, Tree Disease Concepts

Les recherches de Paul D. Manion

L'Américain Paul D. Manion a illustré la place des insectes ravageurs dans le cycle de dépérissement des plantes par la Spirale du dépérissement des végétaux. *Dans cette spirale, les agents pathogènes attaquent le végétal lorsque des facteurs* prédisposants *sont déjà présents et l'affaiblissent.*

Une autre façon de voir les insectes ravageurs et les maladies

Cette nouvelle vision du rôle des insectes nuisibles et des maladies est un nouveau **paradigme.** L'ancienne façon de voir en agriculture et en aménagement paysager conventionnels est que les plantes malades ou attaquées seraient les victimes d'insectes ravageurs ou de maladies. Ils seraient donc les causes premières du dépérissement de ces plantes.

Paradigme

École de pensée, philosophie. Office de la langue française, 1979

Le nouveau paradigme écologique énonce plutôt que, la plupart du temps, c'est la faiblesse d'une plante et de son réseau d'entraide qui favorise les ravageurs et les pathogènes. Ce nouveau paradigme change complètement la donne lorsqu'un insecte ravageur ou une maladie se manifeste. Auparavant, le jardiner conventionnel cherchait le nom de la maladie et le remède pour guérir la maladie. Maintenant, le jardinier écologique recherche les facteurs qui prédisposent la plante aux attaques des « agents équilibrants ».

Ces facteurs prédisposants sont, dans la très large majorité des cas, de trois ordres :

- la plante peut être *génétiquement faible* ;
- la plante et son réseau d'entraide sont peut-être dans le *mauvais biotope* ;
- de *mauvaises méthodes culturales ou des événements environnementaux* peuvent affaiblir la plante et son réseau d'entraide : mauvaises tailles, surfertilisation, utilisation de pesticides, sels de déglaçage, changements climatiques, etc.

Dans des cas assez rares, un nouvel organisme introduit (insecte exotique par exemple) peut causer des problèmes sans rapport avec les trois facteurs précités, mais dans la pratique, ces cas sont assez exceptionnels.

Trucs ET CONSEILS

Au jardin, considérez les « insectes ravageurs et les maladies » comme des alliés. Ces organismes équilibrants sont des indicateurs. Ils vous signalent où se situent les problèmes ou les déséquilibres, vous permettant ainsi d'y porter une attention particulière et d'améliorer votre écosystème.

Le bon traitement

« Une personne ordinaire confrontée à un problème de plante malade recherche et s'attend à ce qu'un spécialiste (le docteur des plantes) prescrive un remède et que le centre-jardin du coin (la pharmacie) lui fournisse un pesticide qui va contrôler le pathogène. Toutefois, la majorité des problèmes de maladies d'arbres et de plantes ornementales ne peuvent être traités de cette façon. La plupart des maladies des arbres sont plus correctement traitées, non pas de façon externe avec des pesticides, mais en manipulant l'environnement de la plante attaquée. » Paul D. Manion, *Tree Disease Concepts*

Cas vécus

Il y a quelques années, j'ai acheté deux fusains européens (Euonymus europaeus)*; même calibre, même pot, identiques. Je les ai plantés côte à côte dans le même type de sol, avec le même drainage et le même pH. La seule différence était que l'un était à l'ombre et l'autre à l'ombre légère. Quelques mois après, je*

Lors de la prolifération d'insectes ou de maladies, le jardinier écologique recherche les causes qui prédisposent la plante aux attaques des agents équilibrants. © Michel Renaud

remarque la présence d'innombrables pucerons sur le fusain placé à l'ombre. L'autre, placé à seulement deux mètres (les branches se touchaient presque), était totalement sain et exempt de pucerons.

Je vérifie alors dans mes livres et je constate que, de fait, le fusain européen ne pousse pas à l'ombre. Il préfère le soleil ou l'ombre légère.

Le jardinier conventionnel aurait sans doute vaporisé un pesticide pour se débarrasser des pucerons. Il aurait aussi été très inquiet pour l'autre fusain, croyant que les ravageurs allaient sûrement sauter sur celui-ci également ; pas moi. Je savais que le fusain est un arbuste vigoureux et exempt de problèmes lorsqu'il est placé dans un environnement propice. Je savais donc que mon deuxième fusain était en mesure de repousser les ravageurs par ses propres moyens et son réseau d'entraide. J'observai la situation avec intérêt. Deux mois ont suffi pour constater que les pucerons sur le premier fusain étaient encore plus nombreux, mais que le deuxième en était toujours complètement exempt.

Je décidai alors de transplanter mon fusain malade à un endroit plus ensoleillé, mais sans vaporiser aucun produit sur les pucerons.

L'année suivante, le fusain transplanté a repris du poil de la bête et les pucerons ont disparu sans aucune vaporisation. L'autre fusain prospère sans problème.

Au cours de mes trente années d'expérience, des exemples de cette nature, j'en ai récolté beaucoup.

La biodiversité

Les écosystèmes qui n'abritent qu'une quantité limitée d'organismes, comme certaines forêts, peuvent être décimés par de grandes épidémies. Par exemple, la tordeuse des bourgeons de l'épinette fait des ravages dans des colonies presque pures de conifères.

À l'opposé, plusieurs spécialistes affirment qu'il est presque impossible pour une plante exotique de s'introduire dans la jungle amazonienne, tellement la diversité est grande. Les observations montrent qu'un écosystème fonctionnel qui abrite plusieurs types de plantes et d'organismes permet à la communauté de remplacer rapidement une plante ou un organisme inadapté par un autre, mieux adapté.

La meilleure façon de créer un aménagement paysager durable est donc de faire en sorte qu'il abrite une communauté variée. Car même si on doit s'attendre à ce qu'un écosystème soit en continuelle transformation, paradoxalement la plupart des jardiniers espèrent quand même une certaine stabilité de leur écosystème, du même type au moins que celle que l'on rencontre dans les forêts matures où le paysage ne change quand même pas du tout au tout à chaque année.

Dans un écosystème varié, si une plante envahissante ou un ravageur veulent s'y propager, ils auront fort à faire, leur prolifération étant limitée par d'autres plantes vigoureuses, des organismes prédateurs, des parasites, etc., ainsi que par le fait que toutes les niches écologiques sont déjà fort occupées. Une plante morte sera aussi rapidement remplacée par une autre toute proche.

Autre cas vécu

Il était une fois un jardinier qui avait déménagé de la ville à la campagne. Incapable de se séparer de son jardin de fleurs, il avait déménagé ses plantes avec lui sur son nouveau terrain accolé à un boisé. À l'automne, il avait préparé le sol et planté ses fleurs au milieu d'un océan de pelouse. Son terrain et celui de ses deux voisins immédiats étaient couverts de 6 000 m^2 de pelouse, sans aucune fleur à part celles qu'il avait déménagées.

Au printemps, le jardinier attendait ses premières floraisons avec impatience. Quelle ne fut pas sa déception de constater qu'une marmotte qui vivait par là avait fait son régal de ses boutons de fleurs qu'il ne verrait donc jamais fleurir. Le premier réflexe du jardinier fut d'attraper la marmotte avec une cage et de la transporter au loin. Ce qui s'avéra plus difficile à faire qu'il ne l'avait cru.

Il avait repéré, de plus, d'autres marmottes et des chevreuils aux alentours. La chasse aux animaux sauvages risquait de devenir son passe-temps. Lui qui était venu pour se rapprocher de la nature sentait qu'il était en train de lui livrer bataille.

Épervières © Michel Renaud

Le jardinier se mit donc à observer les us et coutumes des animaux sauvages de son territoire. Ce qu'il constata le ravit. Les marmottes préféraient de beaucoup les fleurs sauvages qui poussaient le long de son boisé à ses fleurs ornementales. Le problème, c'est qu'il n'y avait pas assez de ces fleurs sauvages parce que l'ancien propriétaire les coupait toutes avec sa tondeuse. Le jardinier cessa donc de tondre une section très pauvre de sa pelouse à l'arrière de sa maison. Il y poussa naturellement des épervières, fleurs dont les marmottes raffolent. Il laissa aussi pousser dans son jardin quelques plantes sauvages que la marmotte adorait.

Depuis ce temps, les marmottes ont délaissé ses cultivars pour les fleurs sauvages qu'elles préfèrent. Le jardinier a laissé pousser et découvert de magnifiques fleurs sauvages qu'il admire de sa maison et qui agrémentent depuis ses nombreux bouquets de fleurs. Le jardinier et la marmotte vivent en harmonie. Ainsi, la diversité du milieu a permis à tous de vivre en équilibre.

Au fait, cette histoire c'est la mienne.

Vous vous demandez comment faire pour aménager et gérer la biodiversité dans votre jardin sans être submergé par l'entretien ? Pour cela, il faut observer les *stratégies de la biodiversité* ou *comment la nature aménage les plantes*. Ces observations sont cruciales pour réaliser des jardins écologiques, mais aussi des aménagements paysagers à entretien minimal.

L'implantation primaire

C'est le premier stade de la nature. Il survient après un bouleversement (tornade, glissement de terrain, etc.) qui met le sol à nu. Après ces évènements, de multiples végétaux, le plus souvent issus de graines, essaient de s'implanter. Un sol contient toutes sortes de semences provenant des plantes bien adaptées au milieu et d'autres apportées là par hasard par le vent, des écureuils et des oiseaux. Toutes ces graines germent et les nouvelles plantes « s'essaient » même si certaines sont plus ou moins adaptées au milieu.

La forme d'aménagement du jardinier débutant est très semblable. Celui-ci expérimente souvent dans ses plates-bandes différentes plantes qui ont plus ou moins de rapport avec les biotopes de son site. Ainsi, la forme d'aménagement que l'on observe souvent chez ce jardinier est très proche du stade primaire de l'organisation de la nature.

Style pizza

Plusieurs plantes individuelles, ne partageant pas nécessairement les mêmes besoins en termes de biotope et de communauté, aménagées côte à côte dans un espace restreint.

Je l'appelle affectueusement le **style pizza,** non pas pour tourner en dérision la phase d'exploration du jardinier débutant mais pour créer une image forte de ce que je veux représenter.

Dans la nature, comme dans un jardin, la présence d'organismes équilibrants (maladies et insectes ravageurs) et la compétition font rapidement disparaître les plantes moins bien adaptées ou moins vigoureuses. Ainsi, l'aménagement « style pizza » est un système primaire instable qui évolue rapidement vers quelque chose de mieux adapté et de plus stable.

Ce type d'aménagement est parfait pour découvrir les plantes, mais pour atteindre le stade d'un écosystème à entretien minimal relativement stable, le jardinier doit intégrer le concept de colonie.

Une évolution indispensable

Une erreur traditionnelle du jardinier débutant (mais aussi de certains jardiniers plus avancés) est de tenter de conserver de façon statique et dans le temps, une plate-bande de vivaces « style pizza ». S'il persiste et fait alors de l'acharnement horticole, l'entretien intensif et parfois l'utilisation de pesticides occupent une place importante. Le jardinier trouve alors que le jardinage exige beaucoup de travail.

L'implantation par colonies

Dans la nature, après le stade primaire, très rapidement, certaines plantes s'adaptent bien, se multiplient et forment des **colonies.** Il y a stabilisation de l'écosystème par le développement de colonies vigoureuses et l'élimination d'individus mal adaptés qui avaient tenté leur chance.

Colonie

« Groupe d'organismes d'une même espèce, ou de quelques espèces, occupant, d'une façon pratiquement exclusive et plus ou moins permanente, un espace nettement délimité. » Glossaire de botanique

Dans nos pays nordiques, même s'il est possible de rencontrer des individus isolés dans un écosystème mature, ce ne sont pas habituellement des plantes individuelles qui se côtoient. En fait, la norme est plutôt des colonies bien adaptées à leur milieu qui se voisinent. Dans les zones tropicales, la situation

Dans la nature, au stade d'implantation primaire, de nombreuses plantes tentent leur chance...

TRUCS ET CONSEILS

Au jardin, ayez l'humilité de laisser partir les plantes mal adaptées et de multiplier celles qui s'y plaisent. C'est une des clefs principales de l'entretien minimal.

... mais après un certain temps, quelques colonies de plantes vigoureuses et adaptées prennent toute la place. Ici des verges d'or et des coronilles, à l'avant, ont envahi la parcelle. © Michel Renaud

En produisant une litière très acide et repoussante pour les autres plantes, les pins développent souvent des colonies pures. © Michel Renaud

est un peu différente, puisqu'on rencontre souvent une plus grande variété de plantes dans un même écosystème et pour une même surface.

Dans nos pays nordiques, la nature développe principalement (il existe plusieurs étapes intermédiaires) deux formes de colonies : la colonie *pure* et la colonie *mixte*. Chacune a son importance.

Les colonies pures

Dans la nature, lorsqu'une plante prend toute la place, on parle de colonie ou de peuplement purs. On observe de bons exemples de colonies pures avec les espèces suivantes : pins, épinettes, hêtres ou vinaigriers. La plupart des espèces de colonies pures créent une litière organique toxique peu « invitante » pour les autres espèces de végétaux.

Dans la nature, des colonies pures peuvent se côtoyer. Sur cette photo, une colonie d'eupatoires maculées, à l'arrière, côtoie, à l'avant, une colonie de verges d'or qui vont fleurir bientôt. © Michel Renaud

Les colonies mixtes

La nature a aussi le génie de faire pousser ensemble deux ou quelques colonies, intercalées de façon intime et qui vont se succéder au cours de la saison.

On peut fréquemment observer des colonies mixtes, ou associations dans le language scientifique, dans des champs en friche qui n'ont pas été touchés depuis six ou sept ans. Ces écosystèmes sont à des stades intermédiaires entre la régénération et la forêt. Dans de tels champs, la nature implante des colonies pures qui vont se côtoyer, mais une observation plus poussée permet de constater que certaines colonies vont aussi s'insérer intimement les unes dans les autres. Les espèces intercalées dans les colonies mixtes le sont de façon si intime qu'à certains moments de la saison, on ne perçoit qu'une seule des espèces présentes. Ces différentes colonies intercalées vont se succéder les unes après les autres durant la saison.

La succession de colonies intercalées de fraisiers sauvages, d'épervières, de marguerites et finalement d'asters d'automne dans un même biotope est un exemple de colonies mixtes.

Trucs ET CONSEILS

Au jardin, la colonie mixte permet de faire se succéder sur une petite parcelle plusieurs floraisons. De plus, si cette colonie fonctionne bien, l'entretien est minime.

Une colonie mixte de lupins qui fleurissent plus tôt au printemps et de marguerites dont la floraison se prolonge à l'été. © Michel Renaud

UNE PLATE-BANDE QUI REQUIERT TRÈS PEU D'ENTRETIEN

Dans mon jardin, à l'avant, une colonie pure de géraniums odorants à fleurs roses et au milieu, un peu vers la gauche, les lychnis à fleurs blanches (que ma marmotte préfère aux autres plantes), constituent la première succession de cette colonie mixte…

… au milieu de l'été, les monardes 'Cambridge Scarlet' ont remplacé les lychnis qui ont disparu. La vigueur des monardes (qui attirent les colibris) est contenue par un petit sentier qui les ceinture. © Michel Renaud

À droite sur la photo, des lis jaunes et des crocosmies 'Lucifer' rouges prospèrent ensemble au début de l'été.

En observant de plus près, on remarque une petite touffe d'herbe à l'avant des plantes en fleurs : c'est une graminée d'automne (Calamagrostis brachytricha) *qui pousse à leur pied.*

À la fin de l'été, la petite touffe a pris de l'ampleur et les calamagrostides prennent la place des crocosmies et des lis. On remarque le feuillage des crocosmies qui est mêlé à celui des calamagrostides.

© Michel Renaud

Dans mon jardin, trois petites colonies se côtoient : à l'arrière des eupatoires maculées, au milieu des anémones vitifolia *'Robustissima' et à l'avant des verges d'or. Je conserve ces dernières, même si elles sont envahissantes, en pratiquant un léger désherbage (en arrachant quelques tiges) tous les deux mois pour restreindre leur expansion.* © Michel Renaud

C'est en essayant de reproduire des peuplements mixtes intercalés que l'on s'aperçoit du génie et surtout de l'expérience de la nature. Pour le jardinier, il n'est pas évident d'intercaler intimement à la même place des associations fructueuses. Un des secrets de la réussite, c'est de sélectionner des plantes qui nécessitent le même type de biotope et qui sont de vigueur égale. Dans le cas contraire, une colonie prendra le dessus sur l'autre. Créer une colonie mixte est tout un art, que possède très bien la nature et qui vient avec l'expérience pour le jardinier.

L'effet de bordure

Dans la nature mais également dans un jardin, notamment quand celui-ci est petit, si les «forces» en présence sont inégales, on assiste à un effet de bordure. *Ce phénomène est en fait l'influence réciproque qu'ont deux communautés végétales l'une sur l'autre, à leur point de jonction. Une communauté plus forte risque alors d'envahir l'autre.*

Une colonie pure d'échinops dont l'expansion est limitée par un sentier: entretien... zéro. © Michel Renaud

C'est là que le jardinier, qui, rappelons-le, fait partie de l'écosystème, peut intervenir en exerçant un certain contrôle des colonies. Lorsque l'une d'entre elles devient envahissante, le jardinier peut restreindre son invasion en bordant celle-ci d'un sentier, d'une bordure, en l'installant dans un pot sans fond, en intervenant manuellement, ou en tondant les plantes qui veulent envahir la pelouse, par exemple. L'idéal étant, bien sûr, de placer côte à côte des colonies de forces égales.

Vous trouverez d'autres informations sur ce sujet passionnant au chapitre: « Sélectionner des végétaux adaptés ».

La diversification des biotopes

Dans la nature, la formation de colonies mixtes favorise la biodiversité. Un autre phénomène y concourt également, c'est la diversification des biotopes. Sous nos latitudes, lorsque les conditions environnementales d'un milieu changent, la plupart du temps les colonies qui s'y implantent varient. Par exemple, le long d'un fossé, plusieurs colonies peuvent se côtoyer sans se nuire. La raison en est bien simple, les variations d'humidité et de types de sols attirent des colonies différentes qui sont accolées les unes aux autres sans pouvoir s'envahir, car chaque colonie est parfaitement adaptée à son biotope particulier.

Le long d'un fossé, l'humidité et le type de sol varient. Plusieurs colonies se côtoient dans un espace relativement restreint sans s'envahir.

© Michel Renaud

Trucs ET CONSEILS

Au jardin, même si celui-ci est petit, en multipliant les biotopes, vous créez un aménagement diversifié, donc un écosystème moins fragile et avec moins de problèmes de ravageurs. En effet, la diversité des biotopes entraîne la diversité des plantes et des organismes protecteurs associés, limitant la tâche des organismes équilibrants.

Dans un jardin écologique, il est avantageux de diversifier vos biotopes. En les variant, vous multipliez vos possibilités d'implantation écologique de végétaux. Si votre jardin abrite une plate-bande au sol pauvre et sec, vous pouvez cultiver des thyms serpolets, des pavots d'Islande ou des iris des jardins nains, mais si vous avez une autre plate-bande au sol riche et humide vous pourrez aussi maintenir facilement des astilbes d'Arends, des ligulaires, des primevères denticulées (pour autant que votre zone de rusticité soit adéquate). Lorsque toutes les plates-bandes sont réalisées à partir d'un même type de sol riche, les possibilités d'implantation sont plus limitées.

Dans une même plate-bande, il est possible d'avoir deux types de sols, d'humidité ou de luminosité.

L'attitude écologique

Vous connaissez maintenant les principales habitudes gagnantes de la Terre. Pour réaliser un jardin écologique, il est important de bien les mémoriser (quitte à relire ce chapitre de temps en temps).

De ces connaissances, vous devriez retenir une leçon : le rapport entre les organismes vivants n'est pas uniquement une « compétition » où les plus forts gagnent. Pour les organismes vivants, les réseaux d'entraide, les symbioses et les complémentarités sont, en définitive, autant, sinon plus importants, que le processus de compétition.

Si vous avez compris cela, vous avez la bonne « attitude écologique » pour maintenir des aménagements paysagers écologiques fonctionnels. Les jardiniers écologiques s'appuient sur la croyance profonde que dans la nature et dans la vie en général, la stratégie la plus fructueuse est, en définitive, la coopération.

Une méthode qui fonctionne

L'expérience de milliers de jardins écologiques au Québec et à travers le monde prouve qu'il est possible de reproduire un écosystème fonctionnel dans sa cour, en milieu urbain ou rural.

Un jardin aménagé par colonies, réparties de façon naturelle dans des biotopes variés, est très esthétique, puisqu'il reproduit la façon naturelle dont la nature aménage elle-même. Les couvre-sol aux fleurs bleues sont des bugles (Ajuga reptans). *Les plantes vivaces sans fleurs à droite et au haut des escaliers sont des pattes-de-lion* (Alchemilla mollis). © Michel Renaud

Un apport pour toute la planète

Le genre humain récupère pour ses besoins plus de 40% de la photosynthèse produite sur les terres émergées et est responsable de la sixième extinction qui s'y déroule (Richard Leakey, La 6e extinction). *Toutefois, de par le monde, les jardiniers écologiques contrebalancent les effets perturbateurs sur la biosphère, qui mettent en péril notre propre survie et celle de millions d'autres espèces. Dans les milieux humanisés, ils contribuent à maintenir et à amplifier les fonctionnalités du super-organisme Terre. L'apport des millions de jardiniers et responsables d'espaces verts écologiques à travers le monde est important et essentiel. Les jardiniers écologiques font partie de la nouvelle toile de coopération qui se tisse sur Terre.*

L'attitude écologique est ce qui différencie le plus le jardinier écologique du jardinier conventionnel.

Le jardin paysager écologique est en fait un écosystème fonctionnel. © Michel Renaud

Comment s'entourer d'un écosystème fonctionnel?

À PARTIR DES CONNAISSANCES accumulées dans les trois premiers chapitres, vous pouvez maintenant comprendre comment entourer votre résidence d'un écosystème fonctionnel. Il y a en fait trois grandes façons de le faire. Les deux premières méthodes sont les plus faciles à mettre en place. Elles consistent à vous insérer dans un écosystème naturel déjà existant ou à laisser la nature reconstruire elle-même un écosystème fonctionnel dans un milieu perturbé. La troisième approche consiste à créer vous-même un écosystème paysager fonctionnel. Explorons plus en détail ces trois façons de faire.

S'insérer dans un écosystème fonctionnel

Certains propriétaires ont la chance de construire leur résidence dans un écosystème fonctionnel existant. Celui-ci bénéficie déjà des «habitudes gagnantes» de la nature. Il ne demande aucun entretien. Conserver les fonctionnalités d'un écosystème naturel est simple, il suffit d'intervenir au minimum ou de le faire avec un maximum de conscience écologique. Il faut donc comprendre et observer, avant d'intervenir et de créer.

Si vous aménagez dans une forêt, la première année il est sage de s'en tenir à dégager des chemins pour accéder au monde fascinant de l'écosystème. Ce tas de bois mort qu'on aurait brûlé rapidement abrite peut-être un couple d'oiseaux attachant? Cet autre grand arbre mort resté sur pied est peut-être la maison de chouettes?

Observations, prudence et patience ne devraient cependant pas vous empêcher d'intervenir éventuellement dans l'écosystème. Vous faites partie de la nature et, comme tout autre animal, vous pouvez la modifier pour en faire votre nid. Le tout est dans la façon de le faire.

En milieu forestier, la nouvelle maison est déposée au milieu de l'environnement, plutôt qu'implantée avec fracas. Dans cette optique, une bonne planification s'impose. De nombreuses visites sur le site, parfois avec un professionnel de l'implantation écologique de maisons, permettront de localiser la résidence au meilleur endroit tout en conservant le maximum des fonctionnalités de l'écosystème.

Allez-y par étapes. Dans un écosystème fonctionnel, observez le résultat de vos premières interventions avant d'intervenir plus avant. Vous êtes en présence d'une « unité écologique » qui a plus d'expérience que vous. © Michel Renaud

Il importe de définir, avant la construction, les mesures de protection des arbres et la façon de disposer de la terre d'excavation et des déchets de construction. À l'aide de clôtures temporaires ou de rubans de couleur, on délimite les espaces de stationnement, d'entreposage, les lieux de passage de la machinerie lourde, etc.

La terre d'excavation est gérée avec conscience écologique. La terre de surface fertile est récupérée pour des usages futurs. La terre d'excavation infertile du sous-sol, après avoir servi à combler les fondations ou des dépressions sous la route d'accès, est évacuée du site. Cette terre de sous-sol ne doit pas être épandue sur la terre fertile. Une telle pratique détruit d'un seul coup des milliers d'années de patiente évolution du sol et les organismes qui y vivent.

Il faut aussi éviter de « nettoyer » le sous-bois avec trop d'empressement. La plupart des éléments qui le composent ont habituellement un rôle à jouer. Les arbustes du sous-bois protègent le sol contre l'érosion, ils nourrissent et abritent une foule d'animaux et, lorsqu'ils sont en lisière de la forêt, ils protègent les racines des arbres contre les coups de soleil et l'assèchement. Les arbres morts, mais toujours debout, que les biologistes appellent les « maisons de la forêt », abritent une foule d'animaux utiles. Lorsqu'ils tombent, ils fournissent au sol et aux organismes qui y vivent un type de matière organique unique et dans les pentes, ils atténuent l'érosion. Les feuilles et les branches mortes qui se décomposent au sol font partie du cycle vital de la forêt. Si ce n'est déjà fait, je vous invite à réviser votre notion de *bois mort*. Dans une forêt, le bois mort abrite et favorise la vie.

Trucs et conseils

Remplacez dans votre vocabulaire des mots tels que mauvaises herbes ou « fardoches » par herbes ou végétaux sauvages, ce qui est moins péjoratif.

Dans un écosystème naturel, la plupart des éléments ont un rôle à jouer: les arbres morts debout ou couchés, un tas de roches, les ronces, les arbustes en lisière de forêt, la litière organique au sol, etc.

© Michel Renaud

Dans un écosystème existant, vous pouvez favoriser des végétaux que vous aimez et défavoriser ceux que vous aimez moins. Cependant, prenez le temps de vous interroger sur le rôle possible de ce que vous détruisez. Par exemple, les ronces, en lisère de la forêt, font de l'ombre au pied des arbres et régénèrent le sol perturbé avec leurs racines puissantes. Si on les détruit, il faudra trouver une stratégie, ou installer d'autres végétaux, pour jouer ces rôles ou encore laisser faire la nature. Après avoir arraché les ronces, il est probable que la nature réimplantera d'autres ronces, mais d'autres plantes auront peut-être eu le temps de s'implanter et, avec un peu de désherbage pendant quelques années, vous aurez alors peut-être droit à de magnifiques floraisons de fleurs sauvages.

En résumé, il faut prendre le temps d'observer l'effet de ses premières interventions sur une période de quelques années avant d'intensifier ses actions. Les humains ont encore beaucoup à apprendre dans la façon de s'intégrer harmonieusement dans un écosystème fonctionnel existant, il est donc préférable d'y pénétrer avec des gants blancs, du moins au début. Toutefois, la récompense est immédiate, car si on l'observe attentivement, un écosystème fonctionnel est une source inépuisable d'émerveillement.

Laisser la nature recréer elle-même un écosystème fonctionnel

Vous aménagez dans un nouveau développement domiciliaire conventionnel. Les plantes originelles ont été détruites et le sol bouleversé. Qu'arrive-t-il si vous ne faites rien et laissez faire la nature?

Sur un sol nu, la nature implante rapidement des plantes pionnières qui enrichissent le sol. © Michel Renaud

S'il n'y a pas trop d'érosion, la nature enverra rapidement une série de plantes pionnières. Celles-ci enrichissent le sol en générant de la matière organique, en ouvrant le sol compacté avec leurs fortes racines et en remontant à la surface des minéraux bloqués dans le sol. Ce faisant, les plantes favorisent le développement et la création d'un réseau d'entraide. Elles créent ainsi les conditions propices pour de nouvelles successions de plantes qui enrichissent à leur tour le sol et le réseau d'entraide et permettent la venue éventuelle de plantes plus exigeantes et l'établissement d'une forêt mature.

Le déroulement de cette transition est un monde fascinant. La nature choisit habituellement la stratégie la plus appropriée pour la situation. Si le sol est très perturbé, la nature envoie des plantes comme des herbes à poux ou certains trèfles. Lorsque le sol est moins perturbé ou lorsqu'il s'est un peu enrichi, grâce au travail des premières plantes pionnières et des symbioses fixatrices d'azote, d'autres plantes sauvages, souvent très florifères, prendront place comme des marguerites, par exemple. Les sols pauvres produisent très souvent de magnifiques prés fleuris sans avoir rien à faire. Tondez alors des allées et des sentiers pour accéder à votre pré et cueillir des bouquets. Ne fertilisez pas, car vous favoriseriez alors la pousse du foin vert et défavoriseriez les vivaces sauvages florifères.

S'il y a des problèmes d'érosion, ou si vous voulez accélérer la couverture du sol, vous pouvez dérouler des rouleaux de gazon en plaques ou semer un mélange à gazon. Vous pouvez aussi semer un mélange de mil et de trèfle, que les fermiers utilisent pour leurs champs de foin. L'avantage de ce mélange est que le mil est économique et qu'il pousse dans presque tous les sols, de riche à pauvre et d'humide à sec. Il nécessite cependant un milieu ensoleillé. La symbiose trèfle et rhizobium, elle, fixe l'azote de l'air et enrichit ainsi le sol. Une fois que vous avez réalisé cette opération, vous pouvez laisser faire la nature et admirer les plantes sauvages florifères qui s'y implantent. Vous aurez ainsi accès à un pré fleuri gratuit.

Cessez de tondre et, si votre sol est pauvre, vous aurez un beau pré fleuri sans effort. © Michel Renaud

Cependant, avec le temps, le travail des plantes pionnières porte fruit, la matière organique s'accumule, le sol se modifie et devient plus riche. Certaines graminées, le foin dans le langage populaire, deviennent alors plus présentes. Au bout de quatre à cinq ans dans des conditions normales, les arbustes et les arbres pionniers apparaissent (saules, aulnes, sureaux, bouleaux, peupliers, érables à Giguère, etc.).

Pour conserver un pré fleuri naturel, il faut alors le faucher une fois tous les trois ou quatre ans. Vous empêcherez ainsi la végétation ligneuse de s'implanter. Si le pré devient trop riche et produit trop de graminées et pas assez de plantes à floraison colorée, fauchez votre pré chaque automne et ramassez la litière organique pour appauvrir le sol et favoriser les plantes à fleurs.

En résumé, on peut donc, en laissant faire la nature, observer celle-ci recréer un écosystème. Les interventions seront minimales. Par exemple, vous pourrez semer du mil, favoriser telle ou telle plante par une tonte, un fauchage ou un désherbage ou créer des sentiers pour accéder à ces jardins naturels gratuits.

Créer un écosystème paysager fonctionnel

Laisser faire la nature n'est pas toujours possible. Dans les milieux urbains, par exemple, la réglementation exige parfois d'« aménager » sa devanture. Même dans les cas où l'on s'intègre dans un écosystème existant, il y a très souvent un peu d'aménagement à réaliser autour de sa maison.

Que vous vouliez créer un nouvel aménagement ou bien réaménager un jardin existant, les stratégies sont assez similaires.

Voici quelques éléments qui doivent vous guider lors de la mise en place d'un écosystème fonctionnel.

Déterminer votre niche écologique

Identifiez vos rôles écologiques dans votre jardin et les besoins que vous cherchez à combler. Pour vous aider, consultez le chapitre : « Observer les communautés qui vous entourent ».

© B. Dumont/Horti Média

© B. Dumont/Horti Média

Considérer les rôles écologiques des organismes qui vivent dans le jardin

Par exemple, lors de la sélection d'une plante, prenez en compte ses rôles écologiques : attirer et abriter les oiseaux et la faune, faire de l'ombre aux racines des arbres, retenir la terre et limiter l'érosion, etc.

Éviter de planter des plantes génétiquement faibles

Lors de la sélection des végétaux pour un nouveau jardin, on évite de choisir des plantes génétiquement faibles. Dans un jardin existant, soit on s'en débarrasse, soit on est créatif. Pour plus d'information sur ce sujet, lisez le chapitre : « Éviter les plantes génétiquement faibles ».

© B. Dumont/Horti Média

© B. Dumont/Horti Média

Installer les plantes dans un biotope approprié

Les végétaux ne prospèrent pas n'importe où. Il est important de bien définir les biotopes qui sont présents sur votre terrain. Prenez le temps d'identifier les zones de soleil et d'ombre, les différentes composantes du sol ou encore les quantités d'eau disponibles sur le sol. Pour vous aider dans votre démarche, consultez le chapitre : « Identifier vos biotopes ».

Employer, si nécessaire, des fertilisants naturels

© Michel Renaud

Lors de la préparation des sols, si vous évaluez que cela aura l'effet recherché, incorporez des composts et des engrais naturels de la bonne façon. Pour plus d'information, reportez-vous au chapitre : « Modifier ou recréer un écosystème ». En général, ces produits favorisent les plantes, mais également les organismes bénéfiques du sol. Rappelez-vous que ce n'est pas l'engrais qui est écologique, mais la façon de l'utiliser.

© Michel Renaud

Favoriser la biodiversité, en variant les biotopes

Par exemple, si vous devez ajouter du sol, ne mettez pas le même type de sol dans toutes les plates-bandes. Une plate-bande peut recevoir un sol riche, alors qu'un autre espace peut recevoir du sable pour diversifier le choix des plantes.

© Michel Renaud

Aménager les plantes en colonies

Multipliez les plantes qui s'adaptent bien dans votre jardin. L'aménagement par colonies permet de créer un jardin d'allure naturelle agréable à regarder tout en privilégiant un entretien minimal. Plantez les plantes dans leurs biotopes de prédilection par trois, cinq, sept, neuf… En fait, l'importance des colonies devrait être en relation avec les dimensions du jardin. Plus le jardin, ou l'espace à aménager, est grand, plus les colonies devraient être importantes et vice versa.

Considérer avec respect les organismes équilibrants

Les insectes ravageurs et les maladies ont aussi leur rôle. Ils vous indiquent, la plupart du temps, que vous avez introduit une plante génétiquement faible ou que votre écosystème fonctionne mal (mauvais biotope, mauvais traitements, mauvaise fertilisation, etc.). Ces «organismes équilibrants» sont vos indicateurs. Ils vous aident à identifier des plantes mal adaptées, au besoin à les éliminer ou les déplacer, et à développer un écosystème fonctionnel.

Dire non à l'acharnement thérapeutique

Si une plante est malade ou attaquée, consultez vos livres. La plante est-elle génétiquement faible? Est-elle dans le bon biotope? Si, à la suite de vos interventions écologiques, la plante ne recouvre pas la santé, si possible, débarrassez-vous-en, laissez la nature le faire ou encore donnez-la à une personne qui a un biotope correspondant à celui de la plante. Ne vous acharnez pas, surtout si cela signifie que vous devez utiliser des pesticides ou des produits polluants.

© B. Dumont/Horti Média

Éviter l'emploi de pesticides

La plupart des pesticides ont des effets dommageables sur les organismes bénéfiques et les équilibres écologiques au jardin. Limitez leur emploi aux cas très exceptionnels. Par exemple, un rosier *patrimonial* qui vous avait été donné par votre mère. Dans ces cas exceptionnels, privilégiez des pesticides à faible impact, moins dommageables pour votre santé et celle des organismes bénéfiques au jardin.

Laisser la litière organique au pied des plantes

Cette technique est primordiale. Exception faite des plantes qui souffrent de maladies du feuillage, laisser la litière organique permet de restituer au sol les éléments que la plante s'est évertuée à fixer et de nourrir et abriter le réseau d'entraide de la plante.

© Michel Renaud

© B. Dumont/Horti Média

Tailler correctement

Les feuilles sont littéralement des panneaux solaires disposés de la façon la plus efficace possible pour capter la lumière. Les supprimer a donc d'importantes conséquences sur la plante. Avant toute chose, il faut s'assurer que la taille est réellement nécessaire. Par la suite, il est de la plus haute importance de choisir la période et la technique de taille la plus appropriée. Bien s'informer sur le sujet doit être une priorité pour le jardinier écologique.

Accepter le changement

Il est tout à fait normal, voire sain, qu'un écosystème soit en perpétuel changement. Ne tentez pas de conserver un écosystème paysager statique une fois qu'il est réalisé. Acceptez que les choses évoluent. En dix ans, les conditions climatiques, les zones d'ombre et de lumière et la communauté peuvent se modifier. Des plantes parfaitement adaptées à un moment donné peuvent ne plus l'être éventuellement.

© Michel Renaud

© B. Dumont/Horti Média

Procéder par étapes

Rome ne s'est pas créée en un jour, un écosystème non plus. La nature elle-même a besoin d'un certain temps pour s'équilibrer. Observez puis intervenez, puis... observez à nouveau les effets de vos interventions. Jardiniers débutants, considérez vos plates-bandes comme des parcelles expérimentales pendant les premières années où vous acquérez ces connaissances de base.

ÉCOSYSTÈME : LES ERREURS À ÉVITER

Planter des plantes génétiquement faibles

Tenter de conserver des plates-bandes de style «pizza»

Retirer la litière organique au pied des plantes

Tailler les plantes sans connaître les règles de base

Faire de l'acharnement thérapeutique

Détruire les réseaux d'entraide de l'écosystème, entre autres en utilisant des pesticides

Refuser l'évolution naturelle de l'aménagement

© Marie-Odile Landel

Observer

Comme pour tous les autres organismes dans la nature, c'est en jouant vos rôles écologiques dans votre écosystème que vous vous entourez d'un environnement propice à votre épanouissement. © Michel Renaud

Identifier votre niche écologique

AU JARDIN, combler vos besoins est essentiel. Vous nourrissez votre jardin et il vous apporte de la joie en retour. Si cet aller-retour ne se fait pas, un jour ou l'autre vous allez délaisser votre jardin. Il est temps maintenant de vous intéresser à vous en tant qu'organisme dans la confrérie des organismes qui vivent dans votre jardin et à vous comme organisme qui a des besoins à combler. Vous allez donc vous préoccuper de votre niche écologique.

Lors de la lecture de ce chapitre, prenez le temps de réfléchir à vos véritables besoins et aspirations ainsi qu'aux valeurs qui vous animent au jardin. La rencontre de votre sensibilité et de votre créativité avec la terre peut créer un monde d'enchantements et vous apporter de profondes satisfactions.

Pour bien identifier votre niche écologique, vous devez, en premier lieu, prendre conscience des rôles écologiques que vous jouez dans votre jardin et ensuite définir quel est l'environnement-jardin qui est le plus propice à votre épanouissement.

Dans une perspective écologique, vous devriez vous assurer que les rôles que vous jouez sont en accord avec les objectifs de développement harmonieux que vous recherchez.

Ce qu'il est aussi essentiel de saisir avant de commencer, c'est que la nature est encore une fois un guide exceptionnel. Les habitudes gagnantes de la Terre ne se limitent pas aux interactions écologiques dans un écosystème, mais incluent également la création de la beauté. Identifier les habitudes gagnantes de la Terre en ce qui a trait à la beauté vous aidera à aménager le jardin de vos rêves.

Quels sont vos rôles écologiques au jardin?

De tous les organismes qui vivent dans votre jardin, vous êtes celui qui a le plus d'influence. Vous avez un droit de vie ou de mort sur la plupart des êtres qui l'occupent. Vos interventions peuvent amplifier le phénomène de la vie ou au contraire détruire les équilibres écologiques.

Les voleurs de nectar

Beaucoup d'insectes entrent dans les fleurs pour y récolter le nectar et polliniser du même coup les plantes. Cependant, certaines guêpes et abeilles possèdent une langue trop courte pour atteindre le nectar des plantes. Elles ont toutefois développé différents stratagèmes, par exemple, celui de percer des trous à la base des fleurs. Ces façons de faire sont parfaites pour ces organismes qui réussissent ainsi à survivre, mais le succès de ces stratégies met en péril la reproduction des plantes, puisqu'il n'y a plus alors de pollinisation.

Qu'arriverait-il si ces «voleurs de nectar» éliminaient les autres insectes grâce à la supériorité de leurs stratégies? Paradoxalement, la survie même des voleurs de nectar serait en péril à cause de leur succès, car les plantes ne pourraient plus se reproduire. Heureusement, la prolifération de ce type d'insecte est limitée par d'autres facteurs et il reste suffisamment d'insectes pollinisateurs pour assurer la reproduction des plantes.

© B. Dumont/Horti Média

Toutefois, dans la nature, un super-organisme, l'être humain, est capable de court-circuiter les stratégies écologiques de la nature avec tellement d'intelligence qu'il met ainsi en péril la survie des autres espèces et sa propre survie. De façon contradictoire, à cause de leur «intelligence» et du succès de leurs stratégies, certains êtres humains sont en train de détruire les conditions mêmes qui assurent leur survie sur la planète. L'utilisation de l'intelligence par les êtres humains, sans qu'ils prennent conscience des rôles écologiques qu'ils ont à jouer, est un des éléments déterminants qui ont enclenché la sixième extinction.

L'intelligence et la position de «**superprédateur**» *font des êtres humains de redoutables organismes qui mettent en péril les équilibres écologiques.*

Au jardin, cette faculté de comprendre, de connaître, de saisir par la pensée permet aussi de court-circuiter les mécanismes de la nature. Cela fait souvent des jardiniers les organismes les plus perturbateurs du milieu.

Superprédateur

Prédateur au sommet de la chaîne alimentaire qui n'est la proie d'aucune autre espèce.

Par exemple, vous pouvez retirer la litière organique et faire croître les plantes à l'aide d'engrais minéraux solubles, communément appelés « engrais chimiques », et ainsi court-circuiter le travail des organismes du sol. Ce faisant, vous détruisez par le fait même le réseau d'entraide des plantes.

Par contre, comme le font si bien de nombreux autochtones des Premières Nations où le rôle des humains sur Terre est, la plupart du temps, bien défini dans leurs traditions, si les êtres humains greffent à leur intelligence la conscience de leurs rôles écologiques, il s'ensuit une amplification du phénomène de la vie.

Le jardin est un lieu merveilleux pour expérimenter vos rôles et votre nouvelle conscience écologique. La conscience de votre niche écologique est la clef de votre réussite au jardin écologique car, comme pour tous les autres organismes, c'est en jouant vos rôles écologiques que vous réussirez à vous entourer d'un environnement épanouissant et à vivre en harmonie avec la nature.

Voici donc les rôles écologiques qu'il vous faut jouer au jardin écologique pour vous entourer de votre jardin de rêve.

Superviseur d'écosystème

En tant qu'être humain, vous êtes doté d'une intelligence qui vous permet de percevoir et de faciliter les interactions dans vos écosystèmes. Vous pouvez ainsi œuvrer d'une manière tout à fait unique à l'amélioration de la qualité de ces interactions. Vous êtes non seulement un acteur dans votre écosystème, mais vous êtes aussi, et peut-être surtout, un superviseur, un coordonnateur et un facilitateur. En jouant pleinement ce rôle, tout en gardant en tête que vous désirez favoriser la nature plutôt que la détruire, vous trouverez, ou retrouverez, ainsi votre place et votre rôle dans le concert des espèces vivantes.

© B. Dumont/Horti Média

Chercheur d'informations

Rappelez-vous que l'écologie, c'est l'étude des écosystèmes. En aménagement paysager comme dans d'autres domaines, l'amour et la bonne volonté sont certes des qualités essentielles pour réussir un jardin écologique, mais ils ne sont pas suffisants. Un minimum de connaissances est également essentiel. Félicitations ! Vous remplissez cette partie de votre rôle écologique en lisant ce livre sur le jardinage écologique.

Observateur des signaux de la nature

Si, dans votre jardin, les plantes sont en santé et que vos besoins sont satisfaits, alors votre écosystème fonctionne normalement. C'est un signe que votre approche et vos pratiques fonctionnent.

Par contre, si plusieurs de vos plantes sont malades, attaquées ou dépérissent, il est possible qu'elles soient génétiquement faibles ou ne soient pas implantées dans un écosystème correspondant à leurs besoins. Les insectes ravageurs et les maladies sont des signaux que vous devez apprendre à décoder.

Votre rôle consiste donc à prendre en considération les agents équilibrants et à sélectionner les bonnes approches pour régler le problème en améliorant la fonctionnalité de votre écosystème. Utiliser des pesticides de façon systématique pour «éteindre» les messages de la nature vous entraîne dans un cercle vicieux de dépendance très éloigné du cercle heureux d'une approche écologique et de votre rôle bénéfique au jardin.

Protecteur d'écosystème et des organismes qui y vivent

Votre rôle inclut aussi celui de protéger votre écosystème et ses habitants. Par exemple, des gens viendront chez vous pour réaliser des travaux: refaire la toiture, changer une canalisation d'eau, peindre votre maison, tondre la pelouse... Malgré leur bonne volonté, très peu de gens ont conscience des réalités écologiques de votre jardin.

© B. Dumont/Horti Média

Patiemment, vous devez expliquer à chaque personne qui doit intervenir dans votre écosystème les mesures qu'elle doit prendre pour y limiter au minimum les dommages. En langage professionnel, on appelle cela des *mesures de mitigation*.

Pour minimiser les impacts, vous devez établir un échéancier, identifier des procédures (qui harmoniseront les impératifs économiques des travailleurs à vos impératifs écologiques), les faire accepter par les parties et jouer un rôle de surveillance dans l'application de celles-ci.

Sensibilisateur à votre cause

Sensibiliser les personnes autour de vous (conjoint, enfants, amis, voisins, etc.) aux réalités de votre écosystème est un très bon investissement. Vous risquez ainsi de les entraîner avec vous dans votre aventure et d'obtenir alors leur aide et leurs bonnes idées. De plus, en pénétrant dans le jardin sans un minimum de respect envers votre écosystème, ils risquent de déséquilibrer ce dernier. La sensibilisation permet de prévenir plutôt que d'avoir à guérir, ce qui est toujours plus coûteux en termes de temps, d'argent... et d'écologie.

Porteur d'un message de vie, de beauté et d'amour

Le jardin écologique est une histoire d'amour avec la Terre. Jardiner dans le respect de la Terre, c'est créer de l'amour, une ressource essentielle à l'épanouissement de la vie chez les êtres humains.

J'ai visité et créé assez de jardins paysagers écologiques et de projets de naturalisation écologique pour me convaincre également que les humains, comme tous les autres organismes sur la planète, ont le potentiel d'amplifier la vie et la beauté sur la Terre.

En créant un jardin écologique, vous protégez et multipliez une partie du patrimoine de beauté, d'amour et de biodiversité de la planète Terre.

Créateur d'environnement approprié

Finalement, prenez le temps de réfléchir à vos motivations, vos besoins et à votre rêve de jardin. En effet, la satisfaction de vos besoins profonds est la source d'énergie qui vous permet de participer pleinement à votre projet de jardin.

Quel est votre environnement propice?

Maintenant que vous avez pris conscience de vos rôles, posez-vous la question suivante: «*Quelles sont les conditions environnementales propices à mon épanouissement?*»

À titre de consultant, je suis souvent amené à rencontrer de nombreuses personnes qui désirent réaliser des projets d'aménagement paysager écologique. Peu importe l'ampleur du projet, le cheminement que je prends pour identifier et répondre à leurs besoins est toujours le même.

Je cherche d'abord à connaître les personnes, leurs rêves, leurs motivations. J'essaie ensuite de connaître l'atmosphère et l'émotion qu'ils souhaitent ressentir en se promenant dans leur jardin. Enfin, je m'efforce d'identifier leurs besoins précis, les activités qui se dérouleront dans leur jardin, leur budget, la façon dont ils comptent réaliser et entretenir l'aménagement et leur échéancier. Dépendant de l'ampleur du projet, ce cheminement logique peut se faire en une quinzaine de minutes ou en plusieurs heures.

Je vous invite à faire ce cheminement à l'aide d'un papier et d'un crayon. Cette auto-analyse pourrait vous éviter bien des travaux et dépenses inutiles et augmenter votre satisfaction vis-à-vis de votre jardin.

Il est cependant souvent plus facile d'observer les autres que soi-même. C'est pourquoi je vous invite à faire ce cheminement avec votre conjoint ou les autres personnes engagées dans ce projet, ou encore à vous associer à un autre jardinier.

Vous devez chercher à identifier vos rêves, vos motivations, vos besoins et votre budget pour créer un environnement propice à votre épanouissement.

© Michel Renaud

Une nouvelle voie pour gérer vos problèmes

Au jardin, on est souvent tenté de trouver rapidement une solution à un problème donné sans prendre la peine d'en identifier la source. On évite ainsi de déterminer la raison pour laquelle on veut éliminer ce problème. Cela a pour conséquence que, dans la plupart des cas, les solutions sont souvent incomplètes et insatisfaisantes. Au bout de quelques années, le jardin risque de ressembler à un collage dont les éléments ont plus ou moins de liens entre eux.

Tout comme dans la vie, certains éléments de votre aménagement peuvent être modifiés pour s'intégrer harmonieusement dans un ensemble. Pour certains autres, c'est impossible. Il faut se résoudre à les éliminer, ou les accepter si on ne peut ni les modifier ni les éliminer. En prendre conscience fait partie de l'apprentissage du bonheur du jardinier.

Je vais donc vous suggérer des pistes de réflexion pour vous aider à mieux voir et même ressentir votre jardin, vos aspirations et vos attentes. Pour un instant, mettez de côté votre recherche de solutions rapides et, tout en observant votre jardin, essayez d'identifier ce que vous ressentez vraiment quand vous faites face à un problème de jardinage. Vous serez surpris de constater que des solutions faciles, voire emballantes, émergeront au fil de vos lectures, de vos visites de jardins et de vos réflexions. Ces solutions, auxquelles vous n'auriez peut-être pas pensé de prime abord, répondront à vos réelles aspirations.

Quel type de jardinier êtes-vous ?

Pour que vous soyez satisfait de votre jardin, votre niveau d'attentes doit s'ajuster au type de jardinier que vous êtes.

Êtes-vous un jardinier néophyte ou expérimenté ? Êtes-vous collectionneur ou vous passionnez-vous plutôt pour l'harmonie de l'ensemble ? Jardinez-vous une heure ou vingt heures par semaine ?

Si vous êtes jardinier débutant, il est possible qu'il vous soit difficile de réaliser de belles plates-bandes comme on peut en admirer dans les revues. En premier lieu, il faut se demander si ces beaux aménagements sont véritablement écologiques, et s'ils sont donc de véritables objectifs à atteindre. Si oui, en général, l'apprenti ne possède pas encore suffisamment de bagage horticole écologique pour y arriver. Il est à l'étape de l'expérimentation horticole. Tout comme certains peintres

Trucs et conseils

Au jardin, ajustez vos attentes en fonction de votre niveau d'apprentissage horticole, tout en sachant que chaque personne a une capacité d'apprentissage différente. Votre satisfaction n'en sera que plus grande. La nature vous remettra au centuple la patience dont vous faites preuve.

expérimentent leurs sujets dans des cahiers ou font des esquisses avant de réaliser l'œuvre finale, la plupart des jardiniers néophytes doivent faire des expérimentations avec les plantes pendant quelque temps avant de les agencer en belles plates-bandes fleuries.

Il ne viendrait pas à l'idée de quiconque de demander à un étudiant du primaire de faire des calculs mathématiques de niveau universitaire ou à quelqu'un qui n'a jamais chaussé les patins d'exceller au hockey sur glace. Pourtant, certains jardiniers débutants sont déçus et se sentent dévalorisés s'ils ne créent pas, dès les premières années, de belles plates-bandes fleuries comme dans les vieux jardins.

Personnellement, je considère que, pour aménager une belle plate-bande fleurie écologique, il faut connaître au moins 70 % des plantes avec lesquelles on réalise cet aménagement. Ainsi, après les premières années, il est normal que le jardinier débutant réorganise sa plate-bande. C'est une étape usuelle de l'apprentissage du jardinage écologique. Celle-ci permet aussi au jardinier de trouver son style, d'ajuster celui-ci au temps dont il dispose ou aux objectifs qu'il s'est fixés et de « s'accorder » avec la nature.

© Michel Renaud

L'histoire de Claire

Claire est une jardinière passionnée qui a évolué vers un niveau d'apprentissage plus avancé de façon tout à fait organique. *Voici son histoire.*

Lorsque Claire a acheté sa maison en banlieue, il y a sept ans, le terrain était déjà minimalement aménagé, il n'y avait donc pas d'urgence à agir. Elle décida alors de réaliser elle-même son jardin paysager. Elle possédait peu de connaissances, mais beaucoup de bonne volonté et une passion.

Sa première préoccupation consista à découvrir le monde merveilleux des plantes. Elle se mit à acheter des plantes et à les planter. Ses critères de sélection étaient alors peu élaborés. La plante devait être de la bonne hauteur et de la bonne couleur par rapport à la situation, être rustique (elle habite en zone 5) et s'acclimater à la luminosité de sa plate-bande, mais avant tout, elle devait l'aimer. Elle se mit donc à planter divers végétaux et fut enchantée de voir ceux-ci s'épanouir. Cette période d'apprentissage qui consista à mettre en terre principalement des plantes vivaces dura quelque temps.

Très rapidement, la première plate-bande fut insuffisante pour accueillir les nouveaux achats de Claire. Celle-ci ouvrit donc deux nouvelles plates-bandes. Comme la plupart des jardiniers débutants, elle aménagea ses plates-bandes dans un style que je qualifie affectueusement de «pizza», c'est-à-dire implanter beaucoup de variétés de plantes dans une même plate-bande.

Après avoir expérimenté quelques échecs et quelques difficultés avec certaines plantes, Claire décida d'acheter quelques livres et d'assister à des conférences de la Société d'horticulture du coin. Elle commença ainsi à acquérir les connaissances de base en horticulture écologique: préparation des sols, paillage, taille des végétaux, etc. Elle développa aussi son sens de l'observation par rapport aux plantes qui poussaient bien dans certaines situations et d'autres moins. Ainsi, la jonction d'une meilleure connaissance et de l'observation l'amena tout naturellement à imiter ce que fait la nature, c'est-à-dire diviser et multiplier des plantes sans problèmes qu'elle aime et qui s'adaptent bien dans son jardin, et déplacer ou éliminer celles qui vont moins bien. Elle ouvrit alors une «pépinière», une petite plate-bande «hôpital-coin observation». Dans cette pépinière, Claire place maintenant ses plantes malades, de nouvelles plantes achetées dont elle veut analyser le comportement et des plantes que des amies lui donnent et qu'elle ne sait où mettre.

Ses plates-bandes sont d'ailleurs de plus en plus belles, car les plantes qui y restent sont très bien adaptées et s'épanouissent pleinement. L'entretien est donc très réduit. Comme les plantes bien adaptées ont été multipliées, ce ne sont pas seulement des spécimens, mais bien de petites colonies de trois, cinq ou dix plantes du même cultivar qui fleurissent en même temps. L'effet est spectaculaire. Claire est ravie.

Maintenant qu'elle a compris comment réaliser de belles plates-bandes à entretien minimal, elle réaménage progressivement ses premières plates-bandes et en ouvre de nouvelles pour introduire de nouvelles colonies de plantes. Aujourd'hui, elle pense en termes de colonies, plutôt que d'individus. Elle a vraiment compris comment fonctionne la nature.

Claire, à l'aide de mes conseils, a identifié les caractéristiques de ses biotopes. Ainsi, de nouveaux critères pour la sélection de plantes se sont ajoutés à ses quatre premiers critères. Désormais, elle achète ses plantes en tenant compte de la fertilité, de la texture, du pH et de l'humidité du sol. Elle inclut aussi le critère de

Bon à savoir

Pour réaliser un beau jardin paysager écologique, aux apprentissages horticoles doivent se greffer des connaissances sur le design et une vision globale du jardin.

la vigueur de la plante par rapport aux plantes qui l'entourent. Elle évite aussi de se procurer des plantes génétiquement faibles.

Sur son terrain, Claire laisse aussi la nature lui proposer des plantes sauvages qui poussent spontanément sur des parcelles un peu en retrait de ses lieux plus aménagés. Même si son sol est assez pauvre, elle y voit fleurir de belles populations de plantes à fleurs, ce qui la ravit.

La surface de sa pelouse diminue au profit d'une grande variété de plantes. Comme elle cultive la biodiversité, il y a plus d'oiseaux, de papillons, d'insectes et de micro-organismes bénéfiques qui concourent à l'équilibre écologique. Aujourd'hui, son jardin fonctionne comme un véritable écosystème, il est de plus en plus facile à entretenir. Claire peut alors créer de nouveaux massifs dont l'entretien est minimal, ce qui a pour effet d'augmenter encore la biodiversité et de rendre l'écosystème encore plus fonctionnel. Claire et son jardin sont entraînés dans un cercle heureux.

Tout naturellement encore, Claire aborde maintenant l'étape ultime du jardin paysager. Elle désire intégrer ses diverses plates-bandes et autres occupations du lieu dans un tout cohérent et harmonieux et ressentir une émotion plaisante le plus possible partout où son regard se pose dans son jardin.

Claire est maintenant habitée de nouvelles questions. « Quelles sont les règles qui permettent d'améliorer la beauté de mon jardin ? » « Quelles sont les erreurs de design que je dois éviter ? » « Est-ce que les divers éléments de mon jardin s'harmonisent bien ? »

© Michel Renaud

Quels investissements (en temps ou en argent) suis-je prêt à faire pour réaliser mon rêve de jardin?
© B. Dumont/Horti Média

Jusqu'où êtes-vous prêt à aller?

Créer un aménagement écologique harmonieux exige parfois un investissement en temps et en argent. Il est donc pertinent que vous preniez un peu de recul pour réfléchir et pour établir jusqu'où vous êtes prêt à vous engager, et ce avant de vous lancer dans l'aventure. Idéalement, au moins une fois par an, faites un bilan des actions posées pour établir la manière dont vous souhaitez aller plus avant dans l'expérience.

Quelles sont vos motivations?

Il est aussi important de vous poser des questions sur les motivations qui vous amènent à jardiner. Par exemple: «*Pourquoi suis-je prêt à investir temps et argent dans un projet d'aménagement ou de jardin écologique?*» «*Pourquoi est-ce que je préfère créer des plates-bandes, plutôt que de recouvrir de grands espaces du site de pavés?*» La réponse peut vous sembler évidente, mais sachez qu'elle est sans doute différente pour chaque jardinier. Prenez donc le temps de faire l'exercice.

Question!

Qu'est-ce qui motive mon envie de jardiner et d'aménager avec des plantes?

Priorisez trois motivations et rattachez à chacune une question. Celles-ci pourront vous servir de phares lorsque vous vous sentirez un peu perdu et que vous aurez des décisions à prendre. À titre d'exemple, je vous livre mes propres motivations à m'investir dans mon jardin et les questions que j'y rattache pour me servir de repère.

MOTIVATIONS	QUESTIONS
M'entourer de beauté	Est-ce que l'aménagement projeté sera beau selon mes critères?
Approfondir ma relation avec la nature	Est-ce que l'aménagement projeté améliorera mon contact avec la nature?
Apprendre	Est-ce que j'apprendrai quelque chose au cours de cette activité?

Quel est votre jardin de rêve?

Après la rationalité, la créativité. Visualisez votre jardin de rêve sans censure, mais toujours dans une vision écologique. Ne vous dites surtout pas que votre rêve est irréalisable. Laissez aller votre fantaisie. Dites-vous que les beaux jardins que vous admirez aujourd'hui sont le fruit des rêves de leurs créateurs.

Si vous hésitez, vous pouvez vous aider dans ce processus en consultant des photographies dans des magazines ou des livres sur des jardins, mais pas seulement. Votre inspiration peut venir de toutes les formes d'art.

Quand vous parcourez les différentes publications, sélectionnez les images qui vous ravissent et marquez-les (à l'aide d'un autocollant, par exemple). Si vous en avez la possibilité, collez ces photographies sur un grand carton, l'exercice sera encore plus efficace. Une fois votre tri terminé, observez les photos sélectionnées une à une et en groupe. Faites des liens. Identifiez le style et les éléments particuliers qui reviennent souvent. Vous aurez ainsi de bonnes indications sur le style et sur des éléments que vous aimeriez trouver dans votre aménagement. Montrez vos photos à d'autres personnes pour observer leurs réactions et favoriser votre réflexion.

Question!

Dans mon jardin écologique, est-ce que le style que je veux créer me rapproche de mon jardin de rêve?

Toujours à l'aide de photos, identifiez un ou deux mots clefs qui exprimeront bien l'atmosphère de votre jardin de rêve.

QUELQUES EXEMPLES DE MOTS CLEFS POUR DÉFINIR UN JARDIN	
urbain, contemporain, moderne	champêtre, naturel
symétrique, ordonné, organisé, formel	asymétrique, désordonné, désinvolte, informel
simple, dépouillé, sobre	complexe, fourni, surchargé
ouvert, public	intime, privé
classique	romantique

Il faut cependant savoir qu'un jardin écologique est plus facile à réaliser dans un style champêtre, naturel, asymétrique ou informel que dans un style symétrique, ordonné ou formel. Les formes que l'on retrouve dans la nature s'accordent mieux de la liberté que procure le style dit à l'anglaise que de la contrainte du style plus formel et contrôlant dit à la française.

Quelles émotions voulez-vous ressentir?

La plupart des jardiniers, quand ils créent un jardin, sont à la recherche d'une émotion. Lorsque vous visualisez votre jardin de rêve et observez vos photos de rêve, posez-vous la question suivante: «*Quelle émotion est-ce que je ressens?*»

Le jardin formel à la française cherche à imposer à la nature des formes qui ne sont pas les siennes pour bien montrer que l'humain domine la nature.

© B. Dumont/Horti Média

Le jardin à l'anglaise cherche à imiter la nature et à recréer l'effet produit par celle-ci.

© B. Dumont/Horti Média

TRUCS ET CONSEILS

Il est possible que vous soyez attiré par plusieurs types d'émotions. Vous pouvez alors, soit identifier l'émotion prioritaire et la créer au jardin, soit reproduire les différentes émotions en aménageant différents lieux.

Essayez de l'identifier le mieux possible. Au besoin, vous pouvez vous y reprendre à plusieurs fois. Ensuite, cherchez à reproduire cette émotion dans votre jardin plutôt que l'image que vous voyez. Tenter d'imiter un aménagement ou un arrangement glané dans un magazine ou dans un autre jardin, plutôt que rendre l'émotion ressentie, est souvent source d'insatisfaction. Le plus souvent, l'aménagement semble n'avoir aucun lien avec l'environnement où il est placé.

Trouver des inspirations dans les magazines, les jardins qu'on visite ou dans la nature est une bonne chose. Toutefois, pour que vous soyez satisfait, il est indispensable que vous adaptiez les images qui vous plaisent à votre situation. Seul un jardin adapté à votre contexte, donc nécessairement unique, sera le reflet de vos aspirations profondes. © B. Dumont/Horti Média

Question!

Au jardin, posez-vous la question à savoir si les interventions que vous faites vous rapprochent de l'émotion que vous recherchez?

QUELQUES EXEMPLES DE MOTS CLEFS QUI EXPRIMENT L'ÉMOTION QU'ON PEUT RESSENTIR DANS UN JARDIN ÉCOLOGIQUE

Enchantement	Tranquillité	Excitation
Fascination	Sécurité	Animation
Ressourcement	Protection	Intimité
Relaxation	Inspiration	Humilité
Accueil	Bonheur	Etc.
Calme	Stimulation	

Quels sont vos besoins spécifiques?

Une fois les ambiances et les émotions définies, il faut maintenant déterminer vos besoins plus «terre-à-terre». Avez-vous besoin d'une remise, d'une niche à chien, d'une corde à linge? Inscrivez le tout sur une feuille de papier en mettant en premier lieu les besoins que vous trouvez prioritaires et incontournables et ensuite les besoins plus accessoires.

QUELQUES EXEMPLES DE BESOINS SPÉCIFIQUES

Un endroit pour ranger les outils	Un potager
Des jeux pour enfants	Un stationnement fonctionnel
Un site de compostage	Un abri à bois
Une corde à linge	Une niche à chien
	Etc.

Question !

Avez-vous fait la liste des besoins spécifiques que vous aimeriez éventuellement combler ?

Vous pensez installer une piscine ? Pourquoi ne pas créer plutôt un étang baignable sans chlore aux allures plus naturelles et doté d'un marais filtrant avec des plantes.

© B. Dumont/Horti Média

En jardinage écologique, la sélection de ces besoins spécifiques doit se faire en tenant compte de l'objectif environnemental que l'on s'est fixé. Par exemple, il est peu écologique de recouvrir les deux tiers de la façade d'un stationnement en pavé si on n'en a l'utilité que quelques jours par année.

Vous devez toujours inscrire vos choix dans une logique écologique. On peut même aller plus loin en choisissant des matériaux dont la fabrication est moins dommageable pour l'environnement. Par exemple des chaises de bois (une ressource renouvelable), ou mieux en matériaux recyclés, produits localement plutôt que des chaises en plastique (issues des produits du pétrole, ressource non renouvelable) produites à l'autre bout du monde.

Quelles activités prévoyez-vous ?

Il n'y a pas que le jardinage à faire dans un jardin. Bien des activités peuvent s'y dérouler. De la simple sieste à la réception des amis autour d'un barbecue, il est important de prévoir les principales activités qui auront cours au fil des saisons. Encore une fois, il ne faut pas essayer de toutes les prévoir, mais bien prioriser celles qui vous semblent les plus importantes. Les types d'activités que vous privilégiez font partie intégrante de vos besoins particuliers. Même si vous ne réalisez pas tout de suite ces projets d'aménagements reliés à des activités (terrasse, spa, étang baignable, etc.), il est intéressant de commencer à prévoir où et comment vous allez réaliser votre rêve pour que, le moment venu, tous les éléments que vous mettez en place dans votre jardin s'emboîtent les uns dans les autres comme dans un puzzle.

Quelques exemples de besoins spécifiques

- Jardiner
- Faire de l'exercice physique
- Jouer au ballon en été
- Circuler
- Recevoir des amis
- Manger à l'extérieur
- Cueillir des bouquets tout au long de la saison
- Faire une patinoire en hiver
- Etc.

Ici aussi, le choix des activités doit se faire en harmonie avec vos objectifs écologiques.

Souhaitez-vous créer un jardin à entretien minimal?

Pour plusieurs jardiniers, la nécessité de réaliser un aménagement à entretien minimal fait partie de leur niche écologique propice. Certaines formes d'aménagement ne demandent aucun ou très peu d'entretien. Un boisé, un groupe d'arbres ou d'arbustes, par exemple, demandent peu de soins. Un aménagement de pavés et d'asphalte non plus. Cependant, lorsque l'on implante des vivaces ou des annuelles, la situation peut être différente. L'entretien peut devenir très important si l'on n'y prend garde.

C'est principalement aux bordures que celui-ci est le plus important. L'interface entre la plate-bande et le gazon par exemple demande souvent beaucoup d'attention. Mais l'interface entre les différentes plantes à l'intérieur des plates-bandes et leur envahissement par les herbes sauvages sont d'autres aspects qui nécessitent souvent votre intervention. Je vais revenir sur ces sujets dans les prochains chapitres. Pour l'instant, prenez simplement conscience des activités et des lieux dans votre jardin qui requièrent beaucoup d'entretien. Inscrivez vos observations sur papier. Cette simple constatation vous rendra plus réceptif aux diverses suggestions qui sont proposées dans ce livre et ailleurs.

Quel est le cadre de réalisation?

Ce cadre comprend trois paramètres qu'il est difficile de dissocier.

1) Le budget

Il est utile d'établir votre budget à court (1 à 2 ans), moyen (2 à 5 ans) et long terme (5 ans et plus). Vous pourrez ainsi mettre en place une planification et un échéancier des travaux qui respecteront votre budget.

2) La réalisation du projet

La différence entre réaliser vous-même les travaux ou les confier à un entrepreneur paysagiste a une grande influence sur le budget et l'échéancier. On considère que les coûts de l'autocréation d'un jardin sont de 50% inférieurs à ceux encourus lorsqu'on fait faire le travail par un professionnel. Toutefois, certains travaux peuvent être donnés à contrat, alors que vous pouvez en réaliser certains autres.

Si vous faites affaire avec un professionnel, n'oubliez pas de vérifier son intérêt pour les pratiques écologiques de création d'un jardin.

3) Les travaux d'entretien

Si vous décidez de réaliser vous-même, avec votre famille, l'entretien du jardin, vous devez tenir compte du nombre d'heures que vous pouvez allouer à cette tâche par semaine. Par contre, si vous donnez l'entretien à contrat, vous devez prévoir un budget et vous assurer que le professionnel exécute des tâches compatibles avec votre jardin écologique. Évaluer l'entretien et faire l'autoévaluation de votre capacité d'entretien avant d'entreprendre de nouveaux aménagements est toujours souhaitable.

TRUCS ET CONSEILS

Des cours de photo ou de peinture figurative sont excellents pour apprendre à voir, une grande qualité en design de jardin. De plus, dans les cours de peinture, vous êtes initié au monde complexe des couleurs et de leurs mélanges.

Comment atteindre ce qui est pour vous synonyme de beauté dans votre jardin?

La recherche d'un beau milieu de vie, agréable et sain, est souvent la motivation première qui incite les gens à mettre en marche un projet d'aménagement paysager. Cependant, la notion de ce qui est beau est différente pour chaque personne. Si vous démarrez votre jardin, vous devez donc vous demander: «*Comment créer un jardin qui reflétera la beauté telle que je me la représente?*» Si votre jardin est déjà existant, vous pouvez vous poser la question: «*Est-ce que la beauté que j'ai créée dans mon jardin me satisfait?*»

Dans les deux cas, il y a bien entendu une bonne dose de subjectivité. En effet, comme pour tous les autres aspects de la création d'un jardin écologique, les compositions permettant de créer de la beauté s'appuient sur une aptitude à la créativité. Cependant, il existe quelques observations qui vous permettront de faire une autoévaluation de ce qui, pour vous, est la beauté.

Même si plusieurs des éléments qui le composent sont le fruit du hasard, la beauté globale et l'atmosphère générale qui se dégagent d'un jardin le sont rarement. © Michel Renaud

Question!

Dans votre jardin, ressentez-vous une unité de style?

Quel est votre style?

Quand vous avez répondu à la question «*Quel est votre jardin de rêve?*», vous avez choisi le type d'atmosphère que vous souhaitiez créer. Le plus souvent, ce choix implique la sélection d'un style, en accord avec votre vision écologique.

Donc, une fois que vous avez défini l'atmosphère que vous voulez créer et identifié le style qui en découle, il est préférable de conserver cet objectif. Tout comme dans la nature, il est plus facile de créer la beauté dans une unité de style. Les jardins où on fait un amalgame de styles sont souvent source d'insatisfaction.

Toutefois, il est possible d'explorer deux styles dans un même jardin. Par exemple, un jardin d'inspiration champêtre pourrait abriter un jardin de style zen. Dans ce scénario, il est important de séparer visuellement les deux jardins afin qu'un observateur ne puisse arrêter son regard sur les deux styles simultanément. En fait, plus les jardins sont grands, plus ils peuvent accueillir de styles différents, car il est possible «d'isoler» chaque style de jardin.

Profitez-vous des beaux paysages environnants?

En jardinage écologique, votre jardin, même s'il est unique, s'inscrit dans une perspective plus globale. Votre écosystème s'insère dans un écosystème plus large. Le relier au paysage environnant, sentir qu'il fait partie d'un ensemble est un aspect à privilégier, lorsque c'est possible.

Un magnifique arbuste (un tamarix rose) «emprunté» à la cour du voisin semble faire partie de la plate-bande à l'avant-plan. On réalise cet effet en implantant une gradation de plantes de différentes hauteurs qui dirigent le regard vers la plante «empruntée». Ici, en avant-plan, les fleurs sont d'un rose semblable à celui du tamarix.

© Michel Renaud

Question!

Dans votre jardin, avez-vous «emprunté» les éléments extérieurs en lien avec le style et l'atmosphère que vous souhaitez créer?

Question!

Dans votre jardin, quelle est la qualité de votre toile de fond?

Tout comme le fait la nature qui offre des «percées» sur d'autres éléments du paysage, vous pouvez créer l'impression que des éléments intéressants ou dramatiques du voisinage font partie de votre aménagement. On peut créer cette illusion en implantant dans son jardin quelque chose qui fait le lien avec le paysage. Par exemple si une ouverture dans la toile de fond donne sur une talle de bouleaux, vous pourriez installer un bouleau, ou un élément blanc, dans votre jardin pour créer le sentiment de prolongement. Intégrer les éléments extérieurs qui vous semblent le plus en lien avec le style et l'atmosphère de votre jardin fait partie du design de jardin réussi.

Comment est votre toile de fond?

Observez bien les photos de magazines qui vous enchantent; la toile de fond met toujours en valeur les «vedettes» du jardin. Le fond de scène montre rarement des éléments disgracieux mal intégrés à l'ensemble ou qui distraient l'observateur. Nul jardin, si beau soit-il, ne pourrait faire oublier un fond de scène laid et omniprésent comme dans la photo ci-dessous. Il devient alors indispensable d'établir une stratégie pour cacher ces intrusions visuelles déplaisantes et de créer un fond de scène qui dirige le regard vers les vedettes du jardin: plantes ou ornements.

Dans ce jardin, la plate-bande est aménagée sans toile de fond adéquate. Malgré le fait que celle-ci soit relativement réussie (à part l'arbuste du milieu), l'ensemble est raté à cause de la présence visuelle de la maison voisine et de l'antenne.

© Michel Renaud

La toile de fond ne doit pas être en compétition avec les éléments clefs du jardin. Au contraire, elle doit les mettre en valeur. © Michel Renaud

Pour réussir sa toile de fond, la règle est simple : à moins de pouvoir profiter d'un *paysage emprunté* intéressant en fond de scène, l'arrière-scène doit s'effacer au profit des éléments que l'on veut mettre en valeur. Il gagne donc à être le plus simple possible, le plus souvent uniforme et même monotone pour conserver toute l'attention de l'observateur sur le spectacle. Les poteaux de téléphone, les cabanons, les maisons avoisinantes, les lumières de sécurité, etc., sont autant d'irritants qui gâcheront votre plaisir.

À cette étape, identifiez votre toile de fond et prenez conscience de son importance. Des haies, des arbres, des bosquets d'arbustes, des plantes grimpantes, une clôture esthétique pourront cacher ces intrusions visuelles.

TRUCS ET CONSEILS

Lorsque vous regardez un paysage ou un jardin, tout ce que votre regard embrasse est enregistré par votre cerveau, incluant les poteaux, les lignes droites, les éléments construits, la lumière et les éléments bizarres. Il est donc important de masquer ces intrusions visuelles pour réduire vos tensions psychologiques négatives et vous permettre ainsi de goûter pleinement aux beautés de votre jardin.

Favorisez-vous les liens ?

Dans un jardin, si on aménage un patio en bois, une clôture en PVC, un cabanon en revêtement de vinyle, un sentier en pavé uni et des marches en ciment, le cerveau sera très sollicité pour intégrer tous ces éléments. Pour éviter cela, et la fatigue qui y est associée, il faut unifier le choix des éléments inertes. Idéalement, la clôture, le revêtement de votre cabanon et votre patio doivent être composés du même matériau ou de matériaux qui s'harmonisent. Un autre exemple, si vous introduisez de nouvelles pierres de rocaille, posez-vous la question suivante : « *Est-ce que les pierres que j'ai choisies s'intègrent bien aux formes, aux couleurs et aux textures des autres pierres et des autres éléments présents dans mon jardin ?* » En fait, elles doivent se fondre dans le paysage des pierres existantes, plutôt que devenir un élément vedette qui attirera vos yeux. Le bel exemple de la photo ci-dessous parle de lui-même.

Sur cette photo, il est difficile de remarquer la différence entre le paysage existant à l'arrière et le nouveau paysage aménagé à l'avant. L'unité de formes et de couleurs qui existe entre la grosse pierre et la grande vivace mauve (Lythrum salicaria) *au devant (qui vient tout juste d'être implantée) et la pierre et la vivace de derrière (qui sont là depuis longtemps) favorise le sentiment d'unité et de simplicité ressentie.*

© Michel Renaud

Les éléments qui composent le jardin sont-ils bien positionnés ?

Quand on admire un magnifique paysage naturel, on oublie le plus souvent que la nature a mis plusieurs milliers d'années à le réaliser. Il est bien sûr impossible de faire de même dans un jardin. On doit donc utiliser un petit stratagème : la planification.

Les différents éléments (constructions, plantations, occupations, etc.) qui composent votre jardin doivent avoir leur place bien à eux, ils doivent s'harmoniser entre eux, s'intégrer les uns aux autres pour former un tout. Plus ils nécessitent une infrastructure importante, plus leur positionnement doit être évalué avec soin. Il est facile de réduire ou d'agrandir une plate-bande. Il est difficile de déplacer un arbre planté depuis dix ans.

Si votre jardin n'est pas encore aménagé, prenez tout le temps qu'il faut pour étudier minutieusement le positionnement des différents éléments. Un plan à l'échelle est d'une aide précieuse.

Question !

Dans votre jardin, les différents éléments de soutien volent-ils la vedette à cause du contraste qu'ils créent ?

Si votre terrain est aménagé et que vous êtes insatisfait de la dynamique actuelle, il peut être opportun de vous demander si les éléments sont bien positionnés. Après étude, par exemple, vous devrez peut-être changer le cabanon de place, modifier l'accès à l'escalier de votre galerie, ou encore enlever un ou deux arbres. Vous n'êtes pas obligé de le faire tout de suite. Cependant, le fait de le savoir apaise vos angoisses et vous permet de prendre les bonnes décisions d'aménagement qui vont dans le sens de ce changement. Là encore, un plan à l'échelle est fort utile.

Un plan à l'échelle permet de visualiser les différents éléments (existants ou futurs). Il vous fournit une perspective exceptionnelle, comme si vous observiez à vol d'oiseau. À l'aide de cette vision, vous pouvez prendre conscience de certaines forces et lacunes de votre aménagement qu'il vous est impossible de voir du sol.

Avant d'établir de nouvelles constructions, commencez par en implanter les formes sur le terrain pour en vérifier l'impact.

© B. Dumont/Horti Média

Comment faire un plan à l'échelle

Réaliser un plan à l'échelle est facile, mais demande un peu de minutie. Vous avez besoin d'un ruban à mesurer, d'une grande feuille de papier, d'une règle, d'un crayon à mine et d'une gomme à effacer.

Commencez par vous familiariser avec la notion d'échelle. L'échelle d'un plan est tout simplement le rapport entre les dimensions que l'on observe sur le terrain et celles de sa représentation sur le plan. Ainsi, dans une échelle où 1/4 de pouce = 1 pied, chaque fois que sur votre terrain vous mesurez un pied, celui-ci équivaut à 1/4 de pouce sur votre plan. Un objet de 8 pieds sur votre terrain sera représenté sur votre plan par un trait de 2 pouces (8 x 1/4 de pouce). Si vous choisissez une échelle métrique de 1 cm = 1 m, un mètre au jardin correspondra à un centimètre sur le plan. Il faut éviter les échelles difficiles à calculer comme 3/8 " = 1' ou 1 cm = 1,5 m.

Pour vous familiariser, entraînez-vous sur une feuille blanche en traçant des lignes qui reproduisent à l'échelle différentes mesures, tels 5 pieds, 17 pieds, 26 pieds ou encore 2 m, 3,80 m, etc.

Une fois que vous avez choisi une échelle, à l'aide de votre certificat de localisation dessinez les limites de votre terrain ainsi que la maison. Prenez une feuille assez grande pour y représenter toute la surface de terrain. Par exemple, si votre terrain mesure 66' et que votre échelle est 1/4" = 1', vous aurez besoin au minimum d'une feuille un peu plus longue que 14" (soit 66' x 1/4").

Une fois votre fond de plan préparé, vous pouvez commencer à reporter les éléments qui composent votre jardin. Pour cela, à l'aide du ruban à mesurer, calculez sur le terrain la distance entre un élément et un coin de votre maison. Puis calculez la distance entre ce même élément et l'autre coin de votre maison. Reportez ensuite ces deux mesures sur votre plan. L'endroit où ces deux points se rencontrent est la représentation exacte sur le plan d'où se trouve cet élément sur le terrain.

Si, par exemple, l'élément a quatre coins, comme un cabanon, recommencez cette opération quatre fois (soit huit mesures au total). En fait, vous devez le faire autant de fois que nécessaire pour vous permettre de bien positionner l'élément sur le plan.

Limitez-vous aux éléments vraiment importants, arbres particuliers, patio, escalier, entrée de garage, clôtures, plates-bandes, etc. Ensuite, prenez plaisir à voir votre site à vol d'oiseau.

Conservez intact ce plan de base en utilisant du papier calque (papier transparent) que vous déposerez sur celui-ci pour analyser et dessiner des propositions d'aménagement.

Question!

Dans votre jardin, les différentes constructions et plantations sont-elles bien positionnées?

Les formes créées par vos chemins sont-elles harmonieuses?

Dans la nature, les chemins et les sentiers sont créés par les animaux et les humains. Le plus souvent, ils épousent les formes du terrain, ils contournent les obstacles, mènent d'un point à un autre habituellement en toute sécurité et font partie intégrante du paysage.

Dans votre jardin, les espaces délimités par vos sentiers ont-ils des formes harmonieuses et plaisantes? Si oui, vous êtes sur la bonne voie. Sinon, il vous reste de la réflexion à faire. © B. Dumont/Horti Média

Au jardin, les chemins et sentiers devraient avoir les mêmes caractéristiques. Toutefois, ils ont aussi comme particularité de structurer l'espace, aussi sûrement que le font les clôtures et les lignes de propriété. Ils sont la charpente, l'épine dorsale qui crée la dynamique de tout votre jardin. C'est pourquoi la délimitation des chemins et sentiers mérite une certaine réflexion.

Pour prendre la mesure de l'importance du rôle de vos chemins, cessez de les regarder et portez plutôt votre attention sur les formes intérieures qu'ils créent dans votre jardin. Vous découvrirez alors une autre dimension.

Pour visualiser l'interrelation entre les différents éléments d'un jardin et les formes que créent les chemins et les sentiers, le travail en plan facilite énormément la tâche. En fait, ce n'est véritablement que vu d'en haut que l'on peut saisir d'un seul coup d'œil le réseau de chemins et les formes intérieures.

Est-ce que ce sont vos pieds, plutôt que vos fleurs, que vous observez en vous promenant dans votre jardin?

Question!

Dans votre jardin, la promenade est-elle fluide ou au contraire laborieuse?

En général, vos chemins doivent être suffisamment éloignés de votre maison pour vous donner assez d'espace pour planter des végétaux, mais pas trop pour éviter que le chemin ne vous fasse faire un trop grand détour pour arriver au but.

Une bonne manière de tracer des chemins efficacement est de partir des portes principales de votre résidence et de marcher de la façon la plus simple et la plus naturelle possible pour vous rendre aux différents endroits de votre jardin. À l'aide de piquets ou de peinture, ou sur votre plan, marquez le trajet ainsi établi. Ajustez au besoin le tracé, il ne vous reste plus alors qu'à construire votre sentier.

Comme ici au Jardin des Quatre Vents, de larges marches permettent d'accéder au jardin en regardant les fleurs plutôt que ses pieds. Celles-ci peuvent aussi servir pour s'asseoir et admirer.

© Michel Renaud

Votre réseau de chemins principaux doit être facile d'accès et favoriser un contact facile avec le jardin. Pour vérifier la fluidité de l'accès de vos chemins au jardin, faites l'expérience suivante : prenez une tasse à café (ou à tisane) et remplissez-la presque à ras bord. Ensuite, promenez-vous dans vos sentiers. Si vous êtes capable de marcher en toute sécurité sans regarder vos pieds et d'admirer vos fleurs sans renverser le liquide contenu dans votre tasse, c'est que vos sentiers sont bien faits. Sinon apportez les correctifs nécessaires. Adoucissez vos courbes, vos tournants et vos jonctions de sentiers.

Question !

Dans votre jardin, avez-vous aménagé vos plantations de façon à créer des gradations, comme le fait la nature ?

Vos plantations sont-elles graduées ?

Dans la nature, tout est succession. Un plan horizontal, par exemple une prairie, passe rarement directement au plan vertical. Il y a habituellement une transition d'arbustes entre la prairie et la forêt mature.

Imitez la nature en étageant les plantations. Toutefois, cela ne veut pas dire que tous les étages doivent être sur une même ligne ou tous de la même hauteur, ce qui ne serait pas naturel. Variez les hauteurs et les volumes des différents étages tout en conservant des lignes harmonieuses naturelles.

Il est recommandé d'installer des arbustes pour créer une transition entre une construction (maison, clôture, pavillon, cabanon, etc.) et les plantes herbacées (annuelles, vivaces, bulbes, etc.) qui sont généralement basses). © B. Dumont/Horti Média

La nature québécoise mature offre de belles courbes harmonieuses. © Michel Renaud

Créer des courbes harmonieuses

Une promenade dans une nature mature procure souvent un sentiment d'apaisement et de relaxation. Cette sensation est favorisée par le fait que dans une telle situation, les plantes se développent souvent en colonies. Toutefois, la sensation d'apaisement est aussi engendrée par le fait que les lignes sont la plupart du temps des courbes harmonieuses.

Au jardin, en reproduisant ce modèle naturel pour créer la forme de vos plates-bandes au sol, vous vous rapprochez de l'harmonie naturelle des paysages environnants. Ce modèle naturel de courbes harmonieuses ondulantes doit aussi se reproduire entre les différentes hauteurs de vos plantations ou de vos autres éléments. En fait, les courbes doivent être appliquées aux trois dimensions. Ainsi, vous inscrivez votre écosystème dans une autre habitude gagnante de la Terre, celle-là en lien avec la création de la beauté. Observez bien les belles photos de plates-bandes dans ce livre et ailleurs, et prenez conscience de l'harmonie des lignes et des ondulations que l'on y observe.

Question!

Dans votre jardin, vos courbes ont-elles un aspect naturel?

Question!

Dans votre jardin, votre regard se pose-t-il naturellement et sans effort sur vos éléments vedettes ou sur un endroit agréable? S'il y a des «trous» dans votre paysage qui attirent l'œil, sont-ils occupés par des éléments vedettes?

Votre regard se pose-t-il au bon endroit?

De manière naturelle, dans la plupart des cas, le regard est attiré par la beauté. Il en va de même au jardin. Le regard est attiré en premier par un beau massif bien équilibré, un accessoire de jardin bien intégré et mis en valeur, un banc positionné de façon accueillante. Cette situation est rarement le fruit du hasard. C'est la conjonction d'un bon sens de l'observation et d'une bonne planification.

Lors de votre planification, gardez en tête les endroits où vous désirez que l'œil de l'observateur se dépose. Implantez-y des éléments vedettes qui attirent l'œil et entourez ces vedettes d'éléments plus sobres qui les soutiennent sans leur porter ombrage.

Profitez si possible d'éléments naturels ou fabriqués qui attirent l'œil pour y positionner vos vedettes. Dans ce jardin, la forme des deux branches crée une petite niche qui attire le regard. © Michel Renaud

Au jardin, votre regard est attiré par les «trous» ou brisures de la courbe harmonieuse. Une ouverture qui attire l'œil, mais donne sur un élément quelconque ou disgracieux est à éviter. © Michel Renaud

À la recherche de l'harmonie

Placez-vous à un endroit stratégique de votre jardin, un endroit d'où vous aimeriez vous emplir de calme et de sérénité. Fermez les yeux quelques instants. Détendez-vous et respirez profondément. Puis ouvrez les yeux et observez simplement où votre regard se pose ou est attiré. Ressentez-vous une émotion plaisante? Vous sentez-vous en équilibre avec cet espace? Votre regard se dépose-t-il tranquillement sur un point d'intérêt? Si vous répondez oui à toutes ces questions, vous avez réussi à créer l'harmonie sur votre petit bout de terre. Faites cet exercice de divers endroits de votre terrain et suivez bien votre regard.

Dans un contexte résidentiel, il est assez rare que l'on atteigne la perfection. La proximité des voisins, de la rue, certains éléments de votre propre maison, etc., font en sorte qu'il est parfois difficile d'atteindre cet idéal. Toutefois, il est très intéressant d'y tendre.

Question!

Notez-vous le nom latin et le biotope propice des plantes que vous aimez?

Dressez-vous une liste des plantes que vous aimez?

C'est une bonne idée qu'au fil de vos lectures et de vos visites vous dressiez une liste des plantes que vous aimez. N'oubliez pas de noter comme il faut et au complet les noms français et surtout latins qui vous permettront de trouver rapidement toutes les informations sur ces plantes. Notez les caractéristiques de leur biotope optimum de façon à savoir où les implanter dans votre jardin.

Ainsi, que ce soit pour créer un aménagement ou simplement pour combler un «trou» dans une plate-bande, vous aurez toujours cette liste qui vous sera fort utile.

Les leçons de la nature, encore et toujours

Au jardin, jouer vos rôles et combler vos besoins sont essentiels, comme pour tous les autres organismes qui l'habitent. Lors de la lecture de ce chapitre, vous vous êtes donc préoccupé de votre niche écologique.

Vous devez considérer celle-ci sous deux aspects. Il y a d'abord les rôles que vous avez à jouer dans votre écosystème, puis les conditions propices à votre épanouissement. Les deux étant en fait synonymes puisque c'est en jouant vos rôles écologiques que vous pouvez vous entourer d'un environnement propice.

Vous vous êtes peut-être aussi donné l'opportunité de réfléchir sur vos véritables besoins et aspirations et sur les valeurs qui vous animent au jardin. La rencontre de votre sensibilité et de votre créativité avec la Terre peut créer un monde d'enchantements et vous apporter de profondes satisfactions.

Les émotions plaisantes sont aussi créées par la mise en œuvre des mécanismes esthétiques fructueux de la nature. Vous en inspirer pour définir votre niche écologique est ainsi essentiel. © Michel Renaud

Trolles © Michel Renaud

Observer la terre et le sol

UN JOUR, je faisais le tour de mon jardin avec un ami qui me demanda le nom d'une plante qui l'attirait particulièrement. Je lui dis que c'étaient des trolles (*Trollius* sp.). Il ne demanda rien de plus et le contexte de son départ imminent ne me permit pas de lui en dire plus. Une fois qu'il fut parti, je me demandai quelles étaient ses chances de réussite du fait qu'il ne connaissait que le nom de la plante. Planter une plante sans y rattacher un minimum de questions, c'est un peu comme jouer à la loterie : il est possible que l'on gagne, mais le plus souvent on perd.

Cependant, il est aussi vrai qu'il n'est pas toujours nécessaire de connaître le sol. Par exemple, si jouer à la loterie vous amuse, vous pouvez introduire différentes plantes au jardin, laisser aller celles qui ne fonctionnent pas bien et conserver celles qui vont bien. C'est une façon un peu longue et pas très économique de réaliser un jardin fonctionnel, mais il est possible que ça marche (tout comme il est possible de gagner à la loterie).

Vous pouvez aussi, comme je l'ai présenté dans le chapitre précédent, vous insérer dans un écosystème naturel, une forêt ou un champ, et ne pas intervenir. Dans ces conditions, vous n'avez pas besoin de connaître la nature de votre sol.

Vous pourriez aussi créer des jardins uniquement avec des plantes qui s'adaptent à tous les types de sols, tels les hémérocalles fauves (*Hemerocallis fulva*) ou les sureaux du Canada (*Sambucus canadensis*). Ces plantes sont cependant des exceptions et votre choix est alors plus limité. Je vous présente ces exceptions au chapitre : « Sélectionner des végétaux adaptés ».

En fait, si vous êtes plutôt du style *jardinier ordinaire* et que vous aimez vous entourer de plantes comme des astilbes, des pivoines, du thym, des rosiers, des lilas, etc., vous devez connaître la nature du sol de votre terrain, parce que ces plantes ne poussent pas dans n'importe quelles conditions. Le thym, une plante de sol très pauvre et sec, ne peut prospérer aux côtés des astilbes qui nécessitent un sol riche et humide.

Ce chapitre s'adresse donc au *jardinier ordinaire* qui aime s'entourer de plantes de jardin.

En jardinage écologique, il faut bien faire la différence entre la terre et le sol. © B. Dumont/Horti Média

La terre et le sol : une différence appréciable

Dans une perspective écologique, la terre n'est qu'une partie du sol. On peut dire qu'elle est formée par des constituants physiques (sables, limons, argiles, débris organiques et humus) ainsi que des éléments minéraux. Pour qu'elle devienne sol, il faut lui ajouter tous les aspects de l'intense vie biologique (bactéries, organismes vivants, mycorhizes, etc.). Le sol est en fait le lieu de rencontre entre les mondes végétal, animal et minéral. Il est beaucoup plus qu'un substrat qui soutient les plantes et un pourvoyeur d'éléments nutritifs. C'est un écosystème, lieu de vie et d'échanges intenses.

En écologie, on considère toujours la fertilité d'un sol (c'est-à-dire sa capacité à faire vivre des espèces spécifiques) en tenant compte simultanément de trois aspects :

- de la texture et de la structure du sol ;
- de la qualité de l'activité biologique ;
- de la disponibilité des éléments nutritifs.

Un monde complexe

Même les spécialistes sont loin d'avoir mis au jour tous les mécanismes du sol. À ce jour, ils n'ont pas encore découvert toutes les subtilités des rôles de chacun des organismes du sol et des multiples échanges physico-chimiques qui s'y déroulent. Ainsi, toute tentative d'expliquer le sol est en fait une théorie. Il est donc important de prendre les informations présentées ici comme une tentative d'explication de ce qui se passe dans le sol et non comme une vérité absolue.

« Il est difficile de trouver deux scientifiques qui s'entendent sur la signification du mot "sol". Une partie du problème vient du fait que les processus dans le sol fonctionnent de façon orchestrale. C'est-à-dire qu'ils concernent non seulement la complexité infinitésimale de la chimie, de la physique et de la biologie, mais aussi l'interaction de ces différentes réalités qui forment l'orchestre qui compose la vie du sol... » William Bryant Logan

Prendre quelques dizaines de pages pour résumer la dynamique des sols entraîne, nécessairement, des simplifications. Pour une bonne compréhension du texte par des non-professionnels, des précisions et certains aspects sont volontairement passés sous silence. Les informations présentées ici sont suffisantes pour que les jardiniers écologistes amateurs puissent aménager un écosystème.

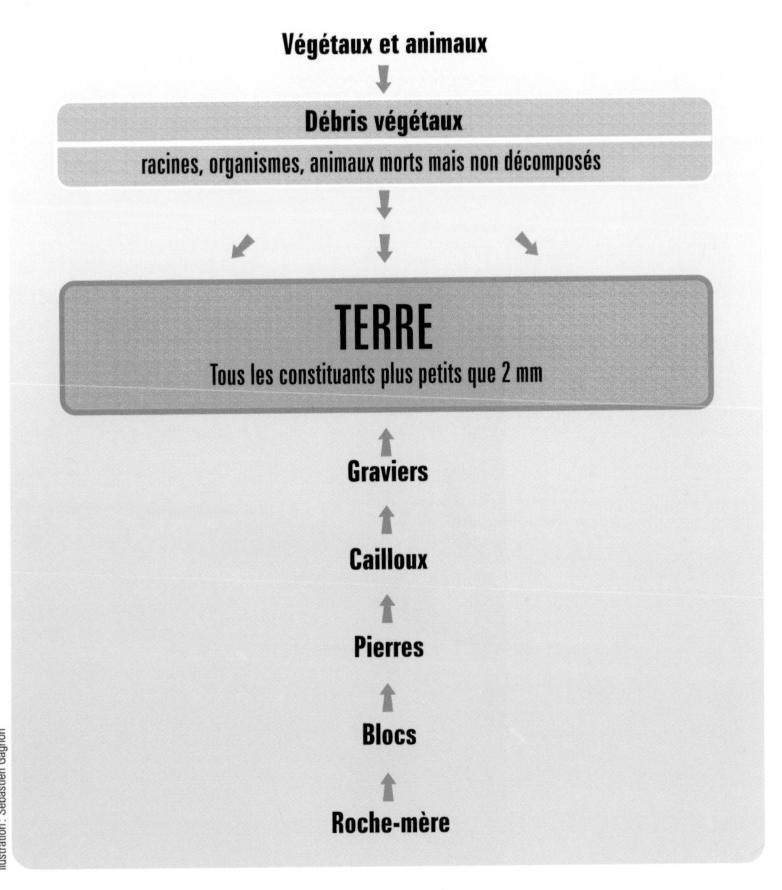

Illustration : Sébastien Gagnon

Le but poursuivi dans ce chapitre est de vous transmettre la passion des sols. Si une fois la lecture (et peut-être même la relecture, car ce chapitre gagne à être lu plusieurs fois) terminée vous prenez conscience de l'importance du sol dans un aménagement paysager écologique, j'aurai gagné mon pari.

Bienvenue donc dans le monde fascinant des sols!

Les constituants de la terre ou la texture

La terre est composée de constituants minéraux qui sont issus de la roche-mère et de constituants organiques qui proviennent des matières organiques produites par les plantes et les animaux.

Les constituants minéraux

Par l'action du climat (gel, dégel, pluie, érosion, glaciation, etc.), d'acides et de diverses réactions chimiques, la roche-mère se fragmente et s'altère. Sur une très longue période de temps, elle se morcelle d'abord en gros blocs, puis en pierres, en cailloux, en graviers, et finalement en sables, en limons et en argiles.

«La roche-mère peut être dure (granit...), tendre (craie, argile...) ou meuble (sable, éboulis)...» Dominique Soltner, *Les bases de la production végétale, Tome 1, Le sol*

© B. Dumont/Horti Média

Par convention, c'est la grosseur des constituants qui détermine leur nom. Ainsi un *sable*, s'appelle *sable* parce que sa grosseur est comprise entre 2 mm et 0,02 mm et un bloc s'appelle bloc parce que sa grosseur est de 600 mm et plus. Par convention toujours, la terre est constituée de toutes les particules fines d'une grosseur de moins de 2 mm.

DIMENSION DES CONSTITUANTS MINÉRAUX DU SOL

Blocs	plus de 600 mm
Pierres	600 mm à 250 mm
Cailloux	250 mm à 75 mm
Graviers	75 mm à 2 mm
Sables	2 mm à 0,02 mm
Limons	0,02 mm à 0,002 mm
Argiles	moins de 0,002 mm

Cette classification par la grosseur des particules minérales du sol est très pratique. Elle ne rend cependant pas justice à la fantastique diversité des sols à travers la planète. Deux constituants du même nom, par exemple deux argiles, provenant de deux régions différentes et de roches-mères différentes, peuvent détenir des propriétés différentes. Ainsi, il est plus juste de parler des sables, des limons ou des argiles, comme on parle des peuples latins, des alcools ou des fromages.

Des milieux de vie bien différents

Les plantes peuvent s'implanter dans le sol à tous les stades de son évolution. Certaines peuvent infiltrer leurs racines entre les blocs, les pierres ou les cailloux. C'est notamment le cas de plusieurs plantes de montagne. D'autres poussent dans un milieu où la quantité de gravier est plus présente. D'autres encore poussent dans le sable, comme les plantes du bord de mer. Finalement, plusieurs poussent dans les limons ou les argiles. C'est le cas de celles qui poussent près des rivières.

Il faut aussi savoir que beaucoup de plantes poussent dans une terre qui est un mélange des différents éléments. C'est l'élément dominant qui caractérise le sol.

Quand on a compris cela, il n'y a plus de bons ou de mauvais sols. Il y a plusieurs types de sols qui peuvent recevoir diverses espèces de plantes.

Il est important de bien connaître les particularités et la façon dont les différents constituants qui forment la terre influencent la dynamique du sol.

© Michel Renaud

Les sables

Plus petits que les graviers, les grains sont toutefois beaucoup plus gros que les limons et les argiles. De ce fait, les sols sableux ont de gros **macropores.**

Macropore

Espaces de grande taille qui ne peuvent retenir l'eau par **capillarité.**

Capillarité

« Phénomène par lequel un liquide est retenu dans le sol, malgré les forces gravitationnelles. » Kingsley Stern

C'est pourquoi ils se drainent très rapidement et que la plupart des éléments nutritifs sont lessivés en même temps que l'eau qui est évacuée par les macropores. Un sol sableux est donc plutôt pauvre. Le manque d'eau et de nourriture a pour effet de réduire de façon importante l'activité biologique. Par contre, l'air, essentiel aux organismes du sol, y est habituellement en quantité plus que suffisante. Les sables sont donc des constituants qui, en mélange avec d'autres constituants, favorisent le drainage et l'entrée d'air.

Un sol qui contient une très grande proportion de sables (+ 75 %) a peu d'activité microbienne et est pauvre. À l'inverse, un sol qui ne contient aucun sable, se draine mal, laisse entrer peu d'air, ce qui a pour effet de ralentir l'activité microbienne. Dans les deux cas, il existe des plantes qui poussent dans ces types de terres.

Il faut aussi savoir qu'un sable grossier est quarante fois plus gros qu'un sable fin. Ce qui fait qu'entre deux sables, il peut y avoir de grandes différences de drainage et d'aération.

La couleur des sables est très souvent plus claire que celle des limons, des argiles et des matières organiques, mais on rencontre des sables rouges, jaunes et même noirs. Les sables grossiers drainants se réchauffent plus vite que les terres glaiseuses qui retiennent l'eau, car l'air se réchauffe plus vite que l'eau.

Au Québec, les sables sont en général très stables et, de ce fait, se dégradent très lentement. Ainsi, le jardinier ne peut habituellement compter sur les sables pour se fragmenter et apporter des éléments nutritifs de façon significative.

© Michel Renaud

Les limons

Ce sont des particules de terre d'une grosseur de 0,02 à 0,002 mm, mitoyenne entre celle des sables et des glaises. De ce fait, leurs propriétés sont souvent à mi-chemin entre celles des sables et des glaises.

Les limons sont des particules très fines qui peuvent être transportées très loin par les eaux. On trouve souvent des limons dans le lit fertile des rivières ou sur leurs abords où ils ont été déposés par de fréquentes inondations. Ils peuvent retenir et libérer des éléments minéraux, ainsi ils sont souvent synonymes de richesse du sol.

Il est relativement facile de se représenter du sable et de la glaise, car il existe des gisements purs de ces deux constituants. Ce qui n'est pas le cas pour les limons du Québec qui sont très souvent mélangés à des argiles, des sables ou de la matière organique et qui sont donc difficiles à différencier.

On a longtemps décrit les limons du Nil comme les terres les plus fertiles au monde. De fait, les sols limoneux sont souvent des sols très riches. La principale difficulté que l'on rencontre avec les limons, c'est que les particules sont beaucoup plus petites et qu'elles peuvent ainsi occuper tous les espaces du sol entre les gros grains, si celui-ci est mal structuré, et empêcher la formation de macropores et le drainage de l'eau.

Un sol limoneux mal structuré est donc un sol qui se draine mal, dont l'activité microbienne est réduite et qui se travaille plus difficilement. Toutefois, il est possible de structurer ces sols et ainsi profiter des grandes qualités des sols limoneux (consulter à ce sujet le chapitre: «Modifier ou recréer un écosystème»).

Les limons fins libèrent lentement, mais constamment, des éléments nutritifs dans le sol par le simple fait de leur fragmentation et de leur altération.

© Michel Renaud

Hydrophile

Qui attire l'eau

Bon à savoir

À cause de l'eau qui y est retenue, les sols glaiseux se réchauffent moins vite au printemps.

Les argiles

On les appelle aussi glaises. Un grain d'argile est 1 000 à 2 000 fois plus petit que le plus petit grain de sable. Il ne peut être vu à l'œil nu.

L'argile est **hydrophile,** elle peut retenir jusqu'à quatre fois son poids en eau. Elle peut aussi retenir et relâcher des éléments nutritifs du sol. Elle a aussi la capacité de s'unir à l'humus pour former une structure de sol très stable qui libère constamment des éléments nutritifs. L'argile, tout comme les limons, est donc souvent synonyme de sols riches et stables.

Si le sol est déstructuré, les minuscules grains d'argile occupent alors tous les pores et empêchent l'entrée d'air et la circulation de l'eau. Les racines et les organismes de la majorité des plantes (mais pas toutes) ont alors beaucoup de difficulté à s'y développer.

Ainsi, malgré les nombreuses qualités des glaises, elles ont très souvent mauvaise réputation. Le profane associe souvent argiles et terres lourdes, mal drainées, qui collent agressivement aux chaussures lors de pluies. De tels sols sont souvent des terres de sous-sols desquelles on a retiré la couche fertile ou encore des terres d'excavation épandues sur des sols fertiles lors de travaux de construction. Ces terres de sous-sol ne sont pas vraiment des sols, puisque les argiles de sous-sols ne sont pas associées à des matières organiques. Telles quelles, ces terres glaiseuses de sous-sols sont, à de rares exceptions près, impropres à la plupart des cultures.

Toutefois, lorsque l'on y réintroduit de l'humus et des sables, les propriétés bénéfiques des glaises, et elles sont nombreuses, réapparaissent alors et les sols sablo-argileux en résultant deviennent alors des sols très riches.

C'est une erreur écologique de dénigrer les glaises, car beaucoup de types de plantes y poussent. Elles sont nombreuses à préférer la structure stable et la richesse des terres sablo-argileuses bien structurées, plutôt que les terres sablo-organiques commerciales qui n'ont pas ces belles caractéristiques.

En aménagement paysager écologique, les sables, limons et argiles forment les constituants minéraux de la terre.

Types de constituants	Grosseur	Drainage	Rétention en éléments nutritifs	Autres caractéristiques
Sables	2 à 0,05 mm	Excellent	Très faible	Ils se réchauffent vite et se travaillent facilement.
Sables très fins ou limons grossiers	0,05 à 0,02 mm	Variable	Très faible	Ils peuvent se compacter, s'ils sont mal structurés.
Limons fins	0,02 à 0,002 mm	Variable dépendant de la structure	Très bonne	Certains limons fins peuvent libérer lentement des éléments nutritifs. Les sols limoneux structurés sont riches.
Argiles ou glaises	Moins de 0,002 mm	Variable dépendant de la structure	Excellente	Ils se réchauffent lentement. Les sols argileux structurés sont riches.

Illustration : Sébastien Gagnon

Les constituants organiques

La décomposition des débris organiques que produisent continuellement les plantes et les animaux est au cœur du processus de la vie. Imaginez un instant que la terre n'ait pas trouvé une recette pour décomposer la matière organique produite par les êtres vivants. Nous serions ensevelis sous des kilomètres de débris organiques, phénomène qui rendrait très difficile la vie sur Terre.

Il y a trois prémisses essentielles à saisir dans la dynamique des matières organiques. Premièrement, même si les phénomènes physiques et chimiques participent indirectement à la dégradation des débris organiques, *les matières organiques se dégradent parce qu'elles sont littéralement mangées par les organismes du sol,* vers de terre, bactéries, champignons et autres.

Deuxièmement, *les matières organiques ne sont pas toutes semblables.* Des brins de gazon et du paillis de cèdre sont très différents et produisent des effets fort différents dans le sol, même si ce sont deux matières organiques.

Troisièmement, *les conditions du milieu influencent énormément la transformation, ce qui a pour effet de produire des matières organiques différentes, ayant des effets différents dans le sol.* Le climat, le drainage, le pH du sol, etc., peuvent orienter dans des directions opposées des matières organiques qui sont identiques au départ.

Les phénomènes climatiques (pluie, gel, dégel, etc.) fragmentent les débris et les rendent plus tendres. Toutefois, pour se décomposer, les débris organiques ont absolument besoin d'être décomposés par les organismes du sol qui s'en nourrissent.

© Michel Renaud

Pour les plantes, la photosynthèse est la source majeure d'énergie. Pour la plupart des organismes du sol, la décomposition des matières organiques est la source principale d'énergie. © Michel Renaud

Pour bien assimiler le rôle fascinant joué par les matières organiques dans le sol, il est primordial de garder en tête ces trois prémisses.

Les conditions environnementales qui favorisent l'activité biologique du sol favorisent ainsi la dégradation des débris organiques. Ce sont, notamment, la présence d'air et d'eau dans le sol, un bon drainage, une température chaude, un pH autour de la neutralité et la disponibilité de minéraux.

Inversement, les facteurs qui nuisent à l'activité biologique, ralentissent et peuvent même arrêter la dégradation des débris organiques sont : un mauvais drainage, un climat froid, la compaction du sol, un sol acide, la présence de pesticides ou d'autres produits toxiques ou le manque de certains éléments minéraux.

Des débris organiques aux matières organiques

Les trois types de débris organiques

Les débris organiques, ces constituants non décomposés, sont formés par la litière organique et les différentes autres matières organiques non décomposées (racines, organismes morts, etc.). On peut les regrouper en trois catégories de matières organiques qui transitent dans le sol :

- les débris organiques facilement dégradables ;
- les débris organiques coriaces ;
- les débris organiques très stables.

Bien entendu, comme pour toutes les classifications, il y a des zones grises. Certaines matières organiques peuvent se retrouver à cheval entre deux classes.

Principales matières premières qui composent les débris organiques

- ***Matières azotées:*** *protéines et chlorophylle (brins de gazon et feuilles vertes) et chitine (carapaces d'insectes, crustacés, acariens, araignées, etc.).*
- ***Matières cellulosiques:*** *celluloses (fibres des végétaux servant à confectionner des textiles: lin, coton, etc.), hémicelluloses (provenant des parois cellulaires des végétaux) et de pectines (abondantes dans la pomme [17%], l'écorce d'orange [25%], la feuille de tilleul [20%]).*
- ***Matières ligneuses:*** *lignines provenant principalement des tiges et des matériaux coriaces des végétaux. Les lignines incrustent et cimentent les fibres cellulosiques du bois et de nombreuses autres plantes. Leur dégradation est lente; elles libèrent des composés phénoliques (les phénols sont employés comme antiseptiques en pharmacie), des tanins et des essences difficilement dégradables.*
- ***Matières minérales:*** *minéraux primaires dissous ou combinés avec des substances organiques et oligo-éléments.*

Les débris organiques facilement dégradables

Il s'agit des rognures de gazon, des jeunes feuilles tendres de végétaux, des laitues vertes, des pelures de patates fraîches, des pommes, des grains de maïs frais, des fumiers, des biosolides (boues d'égouts), des farines de plumes et de sang (ingrédients des engrais 100% naturels), des bouts de branches vertes gorgées de sève ramassées au printemps, des trèfles verts, du jeune foin vert, etc. Ces débris sont décomposés par les organismes du sol, sur une période de quelques jours à quelques mois, tout dépendant des conditions du milieu. Par exemple, des rognures de gazon vert sont dégradées, dans de bonnes conditions, en une semaine seulement. Cette décomposition libère rapidement de l'**azote** et les autres éléments minéraux qui les composent. Ces éléments nutritifs sont alors assimilables rapidement par les plantes et les organismes du sol… et le cycle repart.

Azote

« Gaz incolore et inodore, chimiquement peu actif, présent dans l'atmosphère terrestre et dans les tissus vivants, animaux et végétaux. » Le Petit Robert

Au jardin, les feuillages verts des végétaux et des herbes sauvages (mauvaises herbes) gorgés d'eau, de sève, de chlorophylle, de sucres et d'azote sont facilement dégradables. © Michel Renaud

Il faut savoir que toutes les matières contenant un fort pourcentage d'azote stimulent les organismes qui les décomposent. La chlorophylle, grande responsable du verdissement des plantes, est une substance azotée. C'est pourquoi les rognures de gazon vert, les feuilles vertes, le foin vert, les laitues, etc., sont très facilement dégradables par les organismes du sol.

Les débris organiques coriaces

Il s'agit de la paille, des foins âgés et séchés, des feuilles mortes, des petites branches ramassées à l'automne ou à l'hiver, des épis de maïs sans leurs grains, des tiges de maïs ou de tournesols, etc. Parce qu'ils sont plus coriaces, ces débris constituent une source d'énergie moins accessible pour les microorganismes. Dans certains cas, les organismes du sol devront même puiser à même l'azote disponible dans le sol pour compenser le manque d'azote de ces débris ligneux coriaces et pouvoir les dégrader.

Au jardin, les feuilles mortes, les tiges coriaces des végétaux, la paille, le vieux foin sec sont des débris coriaces parce qu'ils contiennent plus de **lignine** *et beaucoup moins d'azote.*

© B. Dumont/Horti Média

Lignine

Substance organique imprégnant les parois cellulaires de certains tissus végétaux (en particulier le bois) et qui confère à ceux-ci une résistance mécanique accrue, mais limite leur élasticité.

Au jardin, la litière organique des plantes qui contiennent de fortes essences comme les thyms, les romarins, les eucalyptus, les monardes, les achillées et les verges d'or produit des débris très stables. Les paillis commerciaux d'écorces de conifères et la tourbe de sphaigne sont aussi des débris organiques très difficilement dégradables.

© Michel Renaud

Les débris organiques très stables

Certains débris sont plus coriaces et sont, de ce fait, extrêmement difficiles à dégrader. Il s'agit du bois de cœur d'un arbre mature, de la plupart des bois, des écorces et des aiguilles de conifères, de la sciure de bois de cœur, de la sciure de bois de conifères, des plantes aromatiques: thym, lavande, achillée, etc. Ces débris, comme, par exemple, le bois de cœur d'un arbre mature ou des écorces de conifères contiennent une bonne quantité de lignine. Les débris de conifères, de chênes, de hêtres contiennent en plus des tanins et des essences qui repoussent les micro-organismes rendant encore plus difficile leur dégradation.

Les tanins de certaines écorces de chêne et de châtaignier, par exemple, ont longtemps été utilisés dans les *tanneries* pour rendre les peaux d'animaux imputrescibles. Rappelez-vous aussi qu'il y a 350 millions d'années, les conifères ont développé la stratégie de repousser les organismes décomposeurs avec des tanins pour conserver leurs matières organiques à leur pied et pouvoir ainsi progresser sur les sols rocheux en altitude. Dans une forêt de pins, observez la litière d'aiguilles sous vos pieds. Rien n'y pousse, l'activité microbienne y est tellement réduite que la litière s'accumule sans se décomposer. Les feuilles de chêne produisent le même effet. Les débris organiques très stables le restent très longtemps. Des dizaines d'années dans des conditions de dégradation propices et des milliers d'années dans des conditions impropres à la dégradation comme dans les tourbières par exemple.

TRUCS ET CONSEILS

Représentez-vous une garde-robe en cèdre, utilisée pour conserver les vêtements à l'abri des insectes et des décomposeurs, et vous aurez une bonne idée de ce qu'est une matière organique très coriace. Sur votre sol, le paillis de cèdre est un débris organique très stable.

© Michel Renaud

Tourbe de sphaigne : un cas bien particulier

Tous les jardiniers connaissent la fameuse tourbe de sphaigne, appelée à tort « mousse de tourbe », un anglicisme qui vient de « peat moss *». Cependant, ils n'ont pas toujours conscience de la façon dont cette tourbe se comporte dans le sol.*

Les tourbes de sphaigne proviennent de tourbières. Au Québec, les premières tourbières, toujours existantes, ont commencé à se former dans la plaine du Saint-Laurent, il y a environ 10 000 ans, soit 2 000 ans après le retrait des glaciers. Les dernières ont commencé leur formation il y a environ 3 000 ans.

Dans les tourbières, l'accumulation d'eau, l'acidité extrême, le froid et l'accumulation de débris organiques très stables (les sphaignes entre autres) empêchent la dégradation de la litière organique. Celle-ci s'accumule ainsi à des degrés divers de décomposition. Il en résulte des amoncellements de débris partiellement décomposés qui s'accumulent pendant des milliers d'années. Il est fréquent de retrouver dans les tourbières des restes d'arbres non décomposés datant de milliers d'années tellement les conditions qui y règnent sont peu propices à la dégradation des matières organiques. Cette accumulation de matières organiques plus ou moins décomposées peut facilement atteindre quatre, six, huit et même dix mètres d'épaisseur. Parfois ces débris coriaces se dégradent enfin, après des périodes extrêmement longues. Ils forment alors un humus très stable de couleur plus foncée que l'on appelle tourbe noire ou « terre noire » et que vous achetez en sac dans les jardineries.

L'utilisation de la tourbe de sphaigne en horticulture

À son état naturel, la tourbe de sphaigne peut contenir, en volume, 5 % de matières solides, 2 % d'air et 93 % d'eau (Göttlich et al., 1993). C'est d'ailleurs cette faculté étonnante de rétention de l'eau qui rend la tourbe de sphaigne si populaire dans la culture en serre et pour la culture des végétaux en contenant dans les jardineries.

Les Amérindiens connaissaient la tourbe de sphaigne pour ses vertus absorbantes et l'utilisaient comme couches pour les enfants et comme serviettes hygiéniques pour les femmes.

De plus, la tourbe de sphaigne, de par sa composition grossière et partiellement décomposée, donne du volume (on dit parfois aussi du «corps») à la terre. C'est la deuxième raison pour laquelle on l'utilise.

Ombrotrophe

Qui contient peu de minéraux.

La tourbe de sphaigne, utilisée en aménagement paysager, soit pure, soit en mélange, est récoltée dans des tourbières **ombrotrophes,** *c'est-à-dire des tourbières extrêmement pauvres et très acides, que les chercheurs classent parmi les écosystèmes les plus pauvres de la planète (A. W. H. Damman, 1986).*

De nos jours, la plupart des terres à jardin et des mélanges de plantation commerciaux vendus en sac en contiennent.

Au jardin, la tourbe de sphaigne est un débris organique très difficilement dégradable. D'autant plus difficilement dégradable qu'au cours des milliers d'années d'accumulation, de multiples réactions chimiques ont créé des assemblages moléculaires extrêmement coriaces, quasi indestructibles durant la vie d'un jardinier, et ce, même si ces débris sont en fines poussières. Celles-ci peuvent se mélanger à la terre du jardin, mais cela n'en fait pas pour autant des débris facilement dégradables. Les tourbes de sphaigne sont donc des débris organiques très difficilement dégradables. Elles ne fourniront aucun, ou très peu d'éléments minéraux aux plantes et aux organismes normaux *du sol durant toute la vie d'un jardinier. Elles ne stimulent que des organismes du sol très spécialisés pour ce type de matières organiques.*

Même si les tourbes de sphaigne retiennent l'eau, une bonne quantité de cette eau et les éléments nutritifs qu'elles contiennent y sont retenus fermement. Ce qui fait que lors d'une sécheresse, même si le sol renferme encore de l'eau, celle-ci n'est plus disponible.

La mousse de tourbe vendue dans les jardineries est en fait de la tourbe de sphaigne plus ou moins décomposée et vieille de milliers d'années.

© B. Dumont/Horti Média

Une autre caractéristique de la tourbe de sphaigne, et dans une moindre mesure des terres noires et des mélanges de plantation qui en contiennent, est que lorsqu'elle sèche, les débris et l'humus très stable qui la composent sont très difficiles à humidifier à nouveau. On parle alors de mouillabilité, *c'est-à-dire l'«* aptitude d'un sol, ou de l'un de ses constituants, à se laisser pénétrer par l'eau, après avoir été desséché». *(Office de la langue française, 1985). En fait, la tourbe de sphaigne, pour être humectée à nouveau, doit déjà contenir un fort pourcentage d'humidité. Si vous avez déjà essayé d'humidifier de la tourbe de sphaigne sèche, vous avez sûrement remarqué que celle-ci flotte pendant quelques minutes avant d'absorber l'eau.*

La dégradation des débris organiques

Les trois types de débris organiques décrits ci-dessus se décomposent de façon différente dans le sol. De plus, les conditions, propices ou défavorables, auront une influence sur le type d'humus que l'on obtiendra en fin de processus.

La dégradation de débris facilement dégradables sous de bonnes conditions

Lorsque ce type de débris est dans des conditions d'aération, de chaleur, de drainage, d'humidité, pH neutre, etc., propices à sa dégradation, cette dégradation se produit très rapidement et de manière complète.

On observe d'abord une activité biologique intense suivie d'un retour rapide des matières organiques à l'état minéral. En fait, la majorité des éléments minéraux puisés dans le sol et dans l'atmosphère par les êtres vivants (plantes et organismes) au départ sont remis en circulation dans le sol, sous des formes assimilables. C'est ce que l'on appelle la *minéralisation*, puisque la matière organique retourne sous forme minérale. De nombreux éléments minéraux sont alors libérés tels le fer, le calcium, le potassium, le phosphore, l'azote et de nombreux autres micro-éléments, ainsi que des molécules organiques assimilables.

Cette minéralisation rapide de la matière organique facilement dégradable favorise d'abord les organismes du sol. Les plantes sont également favorisées puisqu'elles ont accès à des éléments nutritifs assimilables et que leur réseau d'entraide est fortement stimulé. Finalement, la structuration du sol est aussi fortement favorisée à cause de l'activité des organismes du sol (dans la mesure, comme nous le verrons plus loin, où le sol contient suffisamment d'humus).

LA DÉGRADATION DE DÉBRIS FACILEMENT DÉGRADABLES SOUS DE BONNES CONDITIONS

Dégradation de débris facilement dégradables sous de bonnes conditions

→ **Activité très intense des organismes du sol**

→ **Minéralisation**

Restitution au sol d'éléments minéraux et de molécules organiques assimilables: fer, calcium, potassium, phosphore, etc.

→ **Amplification de la plupart des effets positifs des organismes du sol**

→ **Le développement et la vigueur des plantes sont fortement favorisés**

→ **Les organismes du sol sont très intensément favorisés**

→ **La structuration du sol est très fortement favorisée (dans la mesure où les autres composantes nécessaires à la structuration sont présentes)**

Illustration : Sébastien Gagnon

Les tiges vertes des végétaux, sous de bonnes conditions, se dégradent rapidement.

© B. Dumont/Horti Média

Au jardin, la décomposition des débris facilement dégradables sous de bonnes conditions produit de nombreux effets. Notamment, les éléments minéraux retournés au sol sont à nouveau disponibles pour le développement des plantes et des organismes du sol. Cela a pour effet de stimuler toutes les fonctions et les rôles qu'ils ont à jouer dans un écosystème, entre autres, la structuration du sol et les échanges d'éléments nutritifs avec les plantes.

L'effet retard

*Une fois le travail des premiers micro-organismes de décomposition terminé, la majorité de ceux-ci meurent faute de rencontrer des conditions propices à leur survie. Ces organismes morts dans les stades initiaux de la décomposition sont immédiatement recyclés par d'autres organismes qui seront eux aussi recyclés par d'autres organismes. C'est un cycle continuel où différents organismes vont se relayer pour terminer la décomposition des débris organiques et des différents organismes qui y ont participé. L'effet de la décomposition des débris organiques se fait donc sentir longtemps après la décomposition primaire de cette matière. C'est l'*effet retard *qui prolonge et décuple l'effet bénéfique des débris organiques sur le sol. L'effet des débris organiques dépasse ainsi de beaucoup leur simple teneur en éléments minéraux.*

La dégradation de débris organiques coriaces dans de bonnes conditions

Ce processus s'échelonne sur quelques mois à quelques années. Toutefois, au cours de cette dégradation, une série de transformations non plus seulement biologiques, mais aussi physico-chimiques va aboutir à l'édification de nouvelles molécules assemblées différemment. Une fois réorganisées ainsi, ces molécules organiques plus ou moins stabilisées sont beaucoup moins facilement dégradables. Elles forment une *réserve organique* dans le sol que de nombreux spécialistes appellent **l'humus**.

Humus

Le terme humus est un terme controversé. Les anciens confondaient le terme humus *avec celui de* terre *ou de* sol fertile. *Au XVIII*[e] *siècle, on a commencé à définir l'humus comme* la matière organique décomposée du sol. *De nos jours, les pédologues (spécialistes de l'étude des sols) préfèrent souvent le terme* réserve organique *au terme humus pour décrire les matières organiques du sol non décomposées. Ils réservent le terme humus pour décrire une forme particulière de réserve organique qui se forme en contact intime avec l'argile.*

En horticulture et en agriculture, la majorité des communicateurs utilisent le mot humus pour décrire les différentes réserves organiques du sol. Je vais moi aussi utiliser ce terme général pour faciliter votre compréhension, même si, du point de vue des pédologues, cela représente une inexactitude.

Il existe sur Terre autant de types d'humus que de types d'alcools ou de fromages. En effet, les différentes combinaisons d'organismes, de conditions du milieu et des débris organiques sont infinies et les humus qu'elles produisent le sont aussi. Je me bornerai dans ce livre à les regrouper en deux grandes catégories: les humus actifs, *produits principalement par des débris coriaces sous de bonnes conditions de dégradation, et les* humus très stables *produits principalement par des débris organiques très stables.*

Toutes les formes d'humus sont hydrophiles, c'est-à-dire qu'ils peuvent retenir de dix à quinze fois leur poids en eau et les éléments nutritifs que cette eau contient. De plus, l'humus actif, lui, a différentes autres qualités fort intéressantes qui le rendent indispensable dans la composition de sols riches.

Lors de la dégradation de débris organiques coriaces dans de bonnes conditions, l'activité biologique est favorisée, même si elle est moindre qu'autour des débris facilement dégradables. Il en est de même pour la plupart des fonctions bénéfiques que jouent ces organismes dans le sol. Les débris coriaces sont alors transformés en humus actifs. Cette réserve ou cet humus reste *actif*; les éléments minéraux qui y sont contenus, tels le calcium, le potassium, l'azote, etc., ainsi que des molécules organiques assimilables sont retournés au sol, mais cette fois à un rythme très lent. Les chercheurs d'Europe mentionnent de 1 à 3 % par année. Au Québec, sous un climat plus froid, cette dégradation de l'humus est sans doute un peu plus lente. La minéralisation continue de l'humus actif se nomme *minéralisation secondaire*. Celle-ci fournit moins d'éléments minéraux que la minéralisation des débris facilement dégradables, mais elle le fait de façon continue sur une très longue période de quinze, vingt, vingt-cinq ans… Cet apport n'est donc pas négligeable.

La dégradation de débris organiques coriaces dans de bonnes conditions s'échelonne sur quelques mois à quelques années.
© Michel Renaud

Aussi longtemps que cet humus actif est dans le sol, cette réserve accessible favorisera les plantes et les organismes grâce à la rétention et à la restitution d'eau et d'éléments nutritifs et à la minéralisation secondaire de ces humus. La structure du sol est aussi grandement favorisée, car les humus actifs sous de bonnes conditions forment des agrégats et des complexes dans le sol; un sujet que nous verrons plus loin. De plus, l'humus actif a la capacité d'attirer à lui, par attractions électriques, les éléments minéraux libres du sol et de les remettre dans la solution du sol au besoin. Dans des conditions favorables, les apports d'azote dégagés par les humus actifs sont suffisants pour faire prospérer les plantes de jardin qui aiment ces conditions. Cependant, plus les humus évoluent dans le temps, plus ils se dégradent difficilement et au bout de dix ans, la vitesse de minéralisation est moindre.

Calcul d'expert

En supposant que dans un sol riche, il y a environ une tonne d'humus actif par 100 m^2, en supposant que cet humus contient 5 % d'azote, on calcule qu'il y a donc 50 kg d'azote par 100 m^2 retenus dans cette réserve. Ainsi, la dégradation de 2 % de l'humus actif annuellement peut fournir jusqu'à 1 kg d'azote assimilable par année par 100 m^2, suffisamment pour des plantes de jardin exigeantes. Cela peut aussi représenter un apport excessif pour des plantes qui préfèrent des sols pauvres. (Adapté de Soltner Dominique, *La production végétale, Tome 3, Le sol*)

LA DÉGRADATION DE DÉBRIS ORGANIQUES CORIACES DANS DE BONNES CONDITIONS

Débris organiques coriaces sous des conditions de dégradation favorables → Activité moyenne des organismes du sol → Amplification légère de la plupart des effets positifs des organismes dans le sol / Formation d'humus actifs qui captent les éléments minéraux libres du sol → Présence pendant de nombreuses années d'humus actifs / Minéralisation secondaire → La rétention d'eau et d'éléments minéraux fixés dans et sur les humus est favorisée. / Les plantes et les organismes du sol sont favorisés. → La structuration du sol est favorisée (formation d'agrégats et de complexes, donc sol plus riche).

Illustration : Sébastien Gagnon

Au jardin, la dégradation dans des conditions favorables de feuilles mortes, de vieux foin, de paille, de petites branches et de compost de ferme produit des humus actifs qui favorisent les organismes, la structuration du sol, la rétention et la disponibilité des éléments minéraux et la croissance des plantes. En écologie, l'humus actif est une composante incontournable des sols riches.

La dégradation de débris organiques très stables dans de bonnes conditions

Lorsque j'ai acheté ma maison, il y a douze ans, il y avait derrière chez moi un gros tronc de conifère tombé là depuis déjà plusieurs années. Douze ans après, le tronc du conifère commence à peine à s'effilocher et à se fragmenter. La décomposition n'a pas encore vraiment commencé. C'est un bon exemple de l'évolution des débris organiques très stables dans le sol.

La dégradation de débris organiques très stables dans de bonnes conditions se fait très lentement.

© B. Dumont/Horti Média

Les débris et l'humus très stable produisent un effet similaire à ces fibres synthétiques que l'on introduit dans les terrains sportifs. Ils donnent du corps à la terre, mais en ne s'alliant à aucun autre constituant, ils ne structurent pas le sol.

© Michel Renaud

Pour ceux qui s'en souviennent, les premiers paillis commerciaux d'écorces de l'Ouest pratiquement indestructibles perduraient dans l'environnement pendant des années et des années. C'est un autre bon exemple de l'évolution extrêmement lente des débris organiques très stables.

Même dans des conditions propices de dégradation (bonne aération, bon drainage, pH près de la neutralité), l'activité biologique qui entoure les débris organiques très stables est faible. C'est pourquoi ils peuvent prendre facilement des dizaines d'années avant de se dégrader. Cela est dû au fait qu'ils recèlent des tanins ou des arrangements moléculaires qui inhibent les organismes décomposeurs. Au bout de cette longue période, ces débris sont alors réorganisés sous forme d'*humus très stables*. Une forme de réserve organique qui mettra des dizaines, voire des centaines d'années, à se minéraliser sous de bonnes conditions. De la vie du jardinier, il n'y aura donc pas de minéralisation secondaire significative.

Les humus très stables représentent donc habituellement le stade final des transformations qui affectent les débris très stables. Par exemple, si vous épandez un paillis de cèdre ou de pruche, ces résidus très stables formeront probablement au bout de quelques dizaines d'années des humus très stables qui ne se minéraliseront pas de votre vivant.

Le fait qu'ils soient petits ou mêmes minuscules ne change pas les arrangements moléculaires et leur contenu en phénols, tanins et essences repoussantes pour de nombreux organismes *normaux* du sol. Même petits, les *débris organiques très stables* et les *humus très stables* qui en résultent prennent des dizaines d'années à se minéraliser.

L'effet des débris organiques et des humus très stables dans le sol est donc purement mécanique. Leur présence donne du corps à la terre, car, comme tous les humus, ils peuvent retenir de l'eau et les éléments nutritifs que contient cette eau. Leur incapacité de s'allier aux argiles ou aux limons, ou même entre eux, fait que les humus très stables restent isolés et dispersés dans le sol et qu'ils peuvent même être lessivés. Ils n'ont donc aucun pouvoir structurant et n'ont d'autre effet que d'aérer la terre et de retenir l'eau dans leurs tissus.

LA DÉGRADATION DE DÉBRIS ORGANIQUES TRÈS STABLES DANS DE BONNES CONDITIONS

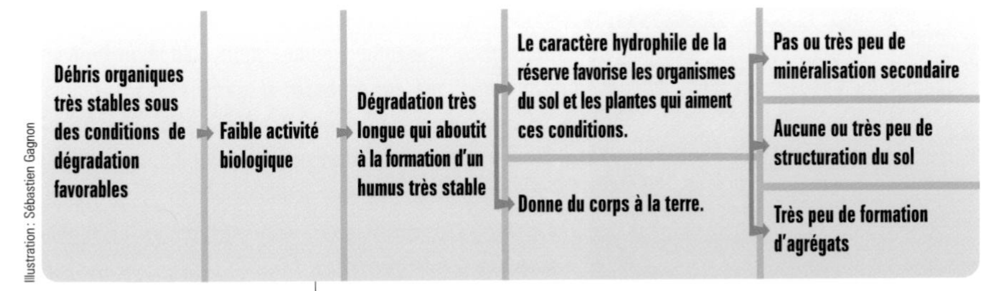

Illustration : Sébastien Gagnon

Au jardin, l'apport en excès de débris ou d'humus très stables, comme de la tourbe de sphaigne ou de la terre noire, peut avoir des effets négatifs, et pour les plantes, et pour leurs organismes associés habitués à vivre entourés de matières organiques plus actives. Cependant, lors de la plantation de nombreuses plantes tels des conifères, des bruyères, des hortensias, des rhododendrons et des azalées, etc., l'apport de débris et d'humus très stables est recommandé, si ces matières organiques ne sont pas déjà présentes dans le sol.

Le cas de la terre noire

Lorsque l'on parle de terre noire, *on s'aventure sur un terrain très glissant puisqu'il n'existe pas de protection ou de véritable définition légale de ce terme. Il peut ainsi exister de grandes différences entre les terres noires vendues en sac et celles vendues en vrac.*

*On peut affirmer, sans trop se tromper que les terres noires vendues en sac proviennent la plupart du temps de tourbières. La terre noire, c'est souvent de la tourbe qui a amorcé son processus d'*humification *ou de mise en réserve. Lorsque la tourbe amorce ce processus d'humification, elle vire au noir. La succession est souvent celle-ci : tourbe blonde, tourbe brune, tourbe noire.*

L'humification de la tourbe peut être favorisée par différents phénomènes. Dans une tourbière de sphaigne, par exemple, au cours des âges, des événements climatiques (période prolongée de sécheresse ou de chaleur, etc.) ont pu provoquer une accélération de la dégradation de la tourbe, donc de la formation de tourbe noire. Après des milliers d'années, la tourbe finit aussi souvent par amorcer un processus d'humification. Ainsi, dans une tourbière, plus on descend en profondeur, plus on rencontre de la tourbe noire qui peut être vendue sous l'appellation terre noire. *Les terres noires peuvent aussi provenir de tourbières dont les végétaux qui s'y implantent et les conditions du milieu sont plus propices à leur dégradation que pour des tourbières de sphaigne. Finalement, de nombreuses tourbières ont été drainées et mises en culture par des agriculteurs. Ces activités ont accéléré la dégradation et l'humification de la tourbe. Les terres noires vendues en sac peuvent donc provenir de tourbières* ombrotrophes *très pauvres en éléments nutritifs ou de tourbières* minérotrophes, *beaucoup plus riches que les tourbières de sphaigne.*

© B. Dumont/Horti Média

Si la terre noire que vous achetez ressemble beaucoup à la tourbe de sphaigne ou en a la même texture, vous êtes probablement en présence d'un humus très stable plus pauvre et moins dégradé. Les terres noires qui ressemblent plus à de la terre fine sont probablement plus minéralisées et peuvent contenir une certaine quantité d'azote minéralisable. Cependant, les entreprises qui vendent de la tourbe de sphaigne peuvent tamiser finement une tourbe noire moins décomposée et lui donner l'apparence d'une terre noire fine. Il est donc préférable de considérer que les terres noires que vous achetez en sac sont pauvres et qu'elles sont également très acides, à moins que le fabricant y ait ajouté de la chaux. Vous aurez ainsi plus de chance d'être près de la vérité.

Les terres noires en vrac et que vous pouvez vous faire livrer par camion peuvent être similaires aux terres noires de tourbières que vous achetez en sac. Cependant, elles peuvent être aussi très différentes. Elles peuvent provenir :

- *des mêmes tourbières que les terres noires vendues en sac ;*
- *d'anciennes tourbières mises en cultures agricoles après un épandage de sable ;*

- *d'anciennes tourbières peu profondes labourées profondément pour faire remonter à la surface la terre minérale sablonneuse, limoneuse ou argileuse ;*
- *d'une terre minérale à laquelle le vendeur a mélangé de la terre noire ;*
- *ou d'autres sources.*

En fait, il existe sans doute presque autant de types de terres noires que de vendeurs de terre en vrac. Faites-en l'expérience lorsque vous êtes en voyage à travers le Québec. Visitez les vendeurs de terre et observez le produit qu'ils vendent sous l'appellation terre noire. *Dans certains endroits des Cantons de l'Est, les terres noires vendues contiennent plus de 50 % de sables et de limons. En Montérégie, près des anciennes tourbières, les terres noires vendues sous cette appellation contiennent presque exclusivement de la matière organique de tourbières. Vous serez surpris des différents produits vendus, surtout à mesure que vous vous éloignez des zones de tourbières. Dans ces cas, il faut évaluer l'ensemble des composantes minérales et organiques avant de porter un jugement sur la qualité de cette terre. Vous trouverez des trucs pour réaliser une bonne évaluation au chapitre : « Identifier vos biotopes ».*

Cependant, une chose est probable : quand vous achetez de la terre noire, vous achetez de la terre qui contient une bonne proportion d'humus très stable et très peu d'humus actif et cette terre est habituellement pauvre et acide.

La terre noire peut provenir des toubières. Dans ce cas on parle de tourbe noire.

© Michel Renaud

La dégradation de débris organiques dans de mauvaises conditions

Dans des conditions particulièrement défavorables, comme un sol inondé et acide, un climat froid, etc., la dégradation des débris organiques est fortement ralentie, parfois même stoppée. Par exemple, dans les tourbières où l'on récolte la tourbe de sphaigne, cette dégradation a souvent été stoppée pendant des milliers d'années. Lorsque la dégradation est très longue, différentes réactions chimiques se produisent avant que les organismes puissent terminer leur travail de décomposition. Ces réactions chimiques soudent ensemble très solidement les molécules organiques. Plus les conditions de dégradation sont défavorables et plus le temps de cette décomposition est long, plus les débris et l'humus formé sont stabilisés. Des débris simplement coriaces peuvent alors se transformer en humus très stables au lieu de devenir des humus actifs.

De façon générale au Québec, contrairement à d'autres parties du monde, à cause du climat et de l'acidité du sol présente dans de nombreuses régions, la matière organique a souvent tendance à prendre le chemin de l'humus très stable, et ce, même à partir de débris coriaces.

Une façon simple de classifier les débris organiques

Comment savoir si des débris sont facilement dégradables, coriaces ou très stables? *Vous pouvez observer ce qui se passe, quand vous faites un tas de débris de 30 cm de hauteur par 60 cm de largeur, sur le gazon ou sur une plate-bande.*

Cas n° 1

1) *Les matières présentes attirent rapidement des insectes, des mouches et des organismes décomposeurs.*
2) *Le tas dégage rapidement une odeur désagréable.*
3) *En quelques jours, la température au milieu du tas peut même s'élever.*

Vous êtes en présence de débris organiques facilement dégradables.

Cas n° 2

1) *Il faut quelques semaines pour que les insectes et les décomposeurs entrent en action.*

2) *Au bout de plusieurs jours, le tas ne dégage toujours pas d'odeur.*

3) *Au bout de quelques semaines, la couleur et la texture intérieure du tas changent lentement, sans production importante de chaleur.*

Vous êtes en présence de débris organiques coriaces.

Cas *n*° 3

1) *Aucun insecte n'est attiré et il n'y a que très peu d'activité dans le tas.*

2) *Aucune odeur n'est perceptible.*

3) *La température à l'intérieur du tas reste stable.*

4) *Ce n'est qu'après quelques mois, voire quelques années, que vous pouvez à peine percevoir un léger changement de couleur du tas.*

Vous êtes en présence de débris organiques très stables.

Il est souvent nécessaire d'identifier le type de débris organiques auxquels on a affaire.

© Michel Renaud

Sans les tanins contenus dans leur litière organique, ces chênes ne pourraient sans doute pas pousser à cet endroit. © Michel Renaud

Un monde diversifié

À la lecture des informations qui précèdent, vous avez pu prendre conscience que les constituants organiques et minéraux qui forment un sol existant, ou encore qu'on apporte (sables, argiles, compost, tourbe de sphaigne, terre noire, etc.), présentent une grande diversité.

Les classifications des constituants minéraux, des débris organiques et des humus que je vous propose doivent être prises comme des tendances, pas comme une vérité statique.

En écologie, il n'y a pas de «bonnes» ou de «mauvaises» terres ou matières organiques. Beaucoup de plantes poussent sur des litières acides et des débris et des réserves organiques très stables. Les chênes rouges que l'on observe près des sommets escarpés de plusieurs montagnes et collines québécoises en sont un bon exemple. Plusieurs graminées prospèrent sur des débris simplement coriaces et des humus actifs. Un sol contenant beaucoup de matières organiques très stables est propice pour les sphaignes, les mélèzes, les rhododendrons, etc.

Un sol contenant un excès d'humus actif, comme du fumier peu décomposé, favorise les courges, les concombres, les tomates et les aubergines. Sans cette variété de matière et d'humus, la vie sur Terre serait moins performante.

Encore une fois, on constate que la stratégie la plus simple au jardin consiste à laisser la litière organique produite par les plantes au pied de celles-ci. Ainsi, on est presque certain que c'est la bonne matière organique pour cette plante.

© Michel Renaud

Les différentes appellations pour la texture des terres

Dans la documentation horticole, vous trouverez différentes appellations se rapportant à la texture d'un sol, c'est-à-dire à la proportion des différents constituants que l'on peut y observer. Il est pratique de les connaître. Ces appellations réfèrent au pourcentage en poids des divers constituants.

On distingue d'abord TROIS GRANDS TYPES DE TERRES*:*

- ***terre minérale****: contient au moins 85% de constituants minéraux, sables, limons ou argiles, et pas plus de 15% de matières organiques (toutes formes confondues, humus stables, humus très stables et débris organiques de moins de 2 mm);*
- ***terre humifère****: contient entre 85 et 70% de constituants minéraux et entre 15 et 30% de matières organiques;*
- ***terre organique****: contient moins de 70% de constituants minéraux et donc plus de 30% de matières organiques.*

Il faut noter que le pourcentage de matières organiques des sols humifères et organiques peut varier légèrement selon les auteurs.

Parmi les terres minérales, on peut en distinguer quelques types.

Par la FACILITÉ DE TRAVAIL*:*

- ***terre légère****: presque synonyme de terre sableuse. Une terre légère ne forme pas d'agrégats, ses particules sont grossières, elle est facile à pénétrer pour les racines et à travailler;*
- ***terre franche****: terme surtout utilisé en agriculture pour décrire une terre constituée d'un mélange de sables, de limons et d'argiles dans des proportions où les propriétés de ces trois*

constituants se confondent plus ou moins; de 30 à 50% de sables, 30 à 50% de limons et 15 à 25% d'argiles et plus de 3% de matières organiques. Le travail du sol est relativement facile;

- ***terre lourde**: presque synonyme de terre argileuse. Une terre lourde est plus difficile à travailler lorsqu'elle est trop humide ou trop sèche.*

Par la COMPOSITION:

- ***terre caillouteuse ou graveleuse**: on y observe une forte proportion de graviers ou de cailloux;*
- ***terre sableuse**: plus de 70% de sables;*
- ***terre limoneuse**: plus de 50% de limons;*
- ***terre argileuse**: plus de 40% d'argiles. Aussi appelée terre glaiseuse.*

Par la PRÉSENCE DE LIMONS:

- ***terre limono-sableuse**: mélange des trois constituants minéraux, avec une prédominance de sables;*
- ***terre limoneuse**: mélange des trois constituants minéraux, avec une prédominance de limons;*
- ***terre limono-argileuse**: mélange des trois constituants minéraux, avec une prédominance d'argiles.*

Il faut noter que les spécialistes peuvent utiliser plusieurs dizaines de termes pour décrire les terres. C'est pourquoi on voit parfois apparaître les notions de terre sablo-limono-argileuse ou encore de terre argilo-sableuse. Aussi, parfois, au Québec, on utilise le mot loam *à la place de limoneux.*

L'assemblage des constituants ou la structure

Dans le sol, la façon dont les différents constituants sont reliés ensemble, la structure est aussi importante que les constituants eux-mêmes.

Les divers constituants peuvent en effet s'assembler de plusieurs façons et orienter la dynamique du sol dans une direction ou une autre. Certains constituants ne se relient que de façon purement mécanique grâce aux forces de cohésion et de capillarité entre les molécules d'eau, ce qui crée une structure de sol plus fragile. D'autres, en plus, sont attirés et soudés ensemble grâce à des forces électriques, tout comme le fer est attiré et retenu fortement par un aimant.

Dans le sol, d'un point de vue écologique, la différence entre les constituants qui se comportent comme des aimants, les **particules chargées,** et les autres, est importante.

Particule chargée

Sur Terre, toutes les matières portent des charges électriques, mais la plupart du temps, ces charges sont neutralisées par différents phénomènes physicochimiques. Toutefois, dans certains cas, des matières portent des charges vives. C'est pourquoi on ressent parfois un choc en ouvrant une porte. Dans le texte, j'utiliserai le terme chargé *pour décrire des matières qui, dans le sol, portent des charges libres et peuvent ainsi s'attirer et se retenir ou se repousser comme des aimants.*

Dans le sol, les particules chargées sont les suivantes: les limons fins, les argiles et les humus actifs. Les éléments minéraux libres dans la solution du sol sont également chargés.

Les particules non chargées sont les suivantes: les sables, les limons grossiers, les humus très stables et les débris organiques très stables. Ceux-ci ne portent pas de charges électriques libres et ne peuvent s'attirer ou se retenir mutuellement.

Les constituants non chargés

Les *sables,* les *limons grossiers* et les *humus très stables* de par leur structure et leur genèse ne peuvent s'unir par des attractions électriques, ils ne sont pas chargés. Leur force de cohésion est donc très faible. On peut constater par exemple qu'un mélange de sables et de terres noires, comme pour certaines terres de plantation commerciales, est très léger et constitué de fines particules. Il n'y a pas de grumeaux (appelés «mottons» dans le langage populaire) dans cette terre. Pour certains, le fait que ces terres de plantation commerciales aient une belle couleur noire, soient légères et aérées et ne contiennent pas de grumeaux est synonyme de bon sol, par extension de sol riche.

En fait, c'est souvent l'inverse. D'un point de vue écologique, la conjonction du sable, un constituant minéral très pauvre, et de la terre noire, un constituant organique souvent pauvre également, crée un mélange lui aussi très pauvre. Ces terres fines sont déstructurées, et le fait qu'elles contiennent peu de grumeaux ne fait que confirmer leur pauvreté.

Bon à savoir

Au départ, les humus très stables portent des charges libres, tout comme les humus actifs, mais l'acidité et les conditions particulières de leur humification font que les charges libres des humus très stables sont très rapidement neutralisées. Les humus stables n'agissent donc plus comme des aimants dans le sol.

Dès que l'on y incorpore des constituants aimantés des limons fins, des argiles et des humus actifs (comme du fumier), on constate la formation de grumeaux, qu'on nomme **agrégats.** On est alors en présence de terres plus riches.

Agrégat

«Assemblage de fines particules du sol dont la cohésion est assurée par la matière organique colloïdale (particules d'humus actif microscopiques).» Office de la langue française, 1986

Les constituants chargés favorisent la formation des agrégats. © B. Dumont/Horti Média

Les constituants chargés

Dans le sol, les constituants chargés sont les suivants: *humus actifs*, *limons fins* et *argiles*. De ces constituants chargés se détachent constamment des éléments minéraux assimilables par les plantes et les organismes du sol. Dès le départ, donc, une terre qui contient une certaine proportion de ces constituants est plus riche qu'une autre qui n'en contient pas.

Toutefois, c'est surtout le fait qu'ils soient aimantés qui rend ces constituants si intéressants pour la richesse et la dynamique du sol. Cela fait en sorte qu'ils peuvent se relier ensemble et former des *agrégats* ou *grumeaux* (des boulettes de terre friable) grâce au concours de certains éléments minéraux comme du calcium (Ca). En se structurant en agrégats, les constituants chargés dégagent les pores de la terre et permettent à l'eau de s'évacuer et à l'air d'y circuler. Cependant, en même temps, une certaine quantité d'eau est retenue dans les espaces lacunaires de ces grumeaux pour nourrir les organismes du sol et fournir de l'eau aux racines des plantes.

De plus, grâce à leurs charges, les constituants chargés peuvent attirer des éléments minéraux de la solution du sol et les retenir jusqu'au moment où la solution du sol ou les plantes en manquent.

TRUCS ET CONSEILS

Au jardin, si vous voulez transformer un sol pauvre en sol riche de façon écologique, il faut lui apporter des constituants chargés, principalement des humus actifs, mais souvent, également et idéalement, des limons fins et des argiles.

Bon à savoir

Les agrégats fournissent abri, nourriture et eau de façon constante aux organismes du sol.

REPRÉSENTATION SOMMAIRE DU COMPLEXE ORGANO-MINÉRAL DANS LE SOL

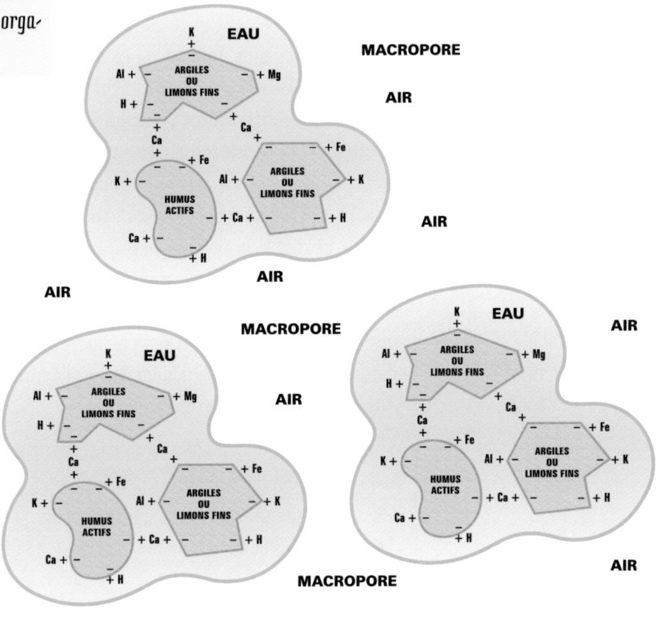

Pour simplifier l'illustration, les organismes du sol ne sont pas dessinés et les éléments minéraux (K, Mg, Al, etc.) portent une seule charge, à l'exception de ceux qui font le lien entre les humus, les argiles et les limons.

La structure grumeleuse des constituants chargés est la plus intéressante pour certaines plantes plus exigeantes et leur réseau d'entraide, comme des graminées à pelouse, des pivoines (ici le cultivar 'Felix Crousse'), et beaucoup de plantes potagères.

Le résultat de l'union intime entre des humus actifs et les limons fins et argiles est la formation d'un *complexe organo-minéral*, la structure la plus performante du sol pour soutenir les plantes exigeantes et leur réseau d'entraide. Les constituants chargés se relient et forment des agrégats remplis d'éléments minéraux, d'eau et d'organismes, une espèce de magasin général dans le sol.

Conseil de spécialiste

La capacité de fixation des argiles varie énormément d'une famille d'argile à l'autre, dépendant de leur provenance. En Europe, certaines argiles ont des surfaces de fixation de 900 m^2 pour chaque gramme de sol alors qu'au Québec, à cause des conditions particulières du milieu, la plupart des argiles ont des capacités 10 fois moins importantes. Il faudra donc se garder de transférer trop littéralement pour le Québec des informations sur les argiles glanées dans les livres européens.

Dans ces complexes, les éléments nutritifs sont retenus d'une façon beaucoup plus efficace que simplement par l'humus et l'argile seuls. Les humus peuvent retenir jusqu'à 15 fois leur poids en eau. Les argiles et les limons fins possèdent une force d'attraction moindre, mais leur force de cohésion, de protection et de structuration du complexe est supérieure. Les particules se cimentent mutuellement et les agrégats qu'ils forment sont extrêmement stables tout en étant beaucoup plus aérés, friables et vivants que des particules de glaise indestructibles. L'effet de la jonction intime des humus actifs, des argiles et des limons fins décuple la force de ces constituants. Les complexes organo-minéraux résistent aux lessivages et conservent leur structure. Ceux-ci ne seront pas détruits par une sécheresse et le sol ne s'affaissera pas comme dans le cas d'une terre organique. La vie microbienne est ainsi moins perturbée par des changements.

Bon à savoir

Une façon de reconnaître si un sol est riche est de rechercher des agrégats friables.

C'est le meilleur des deux mondes réunis, la fluidité, la vie et la capacité de rétention des humus actifs et la solidité et la plasticité des glaises et des limons fins.

Sans le concours des humus actifs, les limons ou les argiles sont moins intéressants pour les jardiniers. Une terre argileuse ou limoneuse sans humus actifs se draine mal, se travaille mal et a tendance à craquer lors d'une sécheresse. Les racines des plantes et les organismes ont de la difficulté à y vivre. Ce type de sol lourd, sans humus actifs, est un sol bourré de minéraux, mais qui ne sont pas disponibles. C'est donc un sol potentiellement riche, mais qui se comporte comme un sol pauvre. Dans un tel sol, des apports d'humus actifs sous forme de composts fermiers en conjonction avec une terre de plantation sableuse pour alléger le sol et possiblement de la chaux pour ajuster le pH feront des miracles, et ce, presque instantanément. C'est la jonction du minéral et de l'humus actif qui est le mécanisme le plus performant que la Terre ait développé dans le sol. Je reviens sur les modalités de ces pratiques culturales au chapitre: «Modifier ou recréer un écosystème».

Bon à savoir

Les sols de sables et de terres noires peuvent aussi former des semblants d'agrégats, mais ceux-ci sont extrêmement fragiles. À la moindre pression, la cohésion des agrégats est détruite. D'ailleurs lorsque la terre sèche, ces agrégats se défont en miettes, car c'est uniquement la force de cohésion de l'eau qui les relie.

Les flocons

Une autre forme d'agrégats dans le sol est celle formée par l'union électrique de particules d'humus actifs. Le résultat de cette union est ce qu'on appelle un *flocon*, un agrégat moins performant et moins stable que les complexes organo-minéraux, mais quand même intéressant. Ces flocons possèdent la plupart des qualités des complexes organo-minéraux, à l'exception de la stabilité.

TROIS COMPORTEMENTS DIFFÉRENTS DES CONSTITUANTS DANS LE SOL

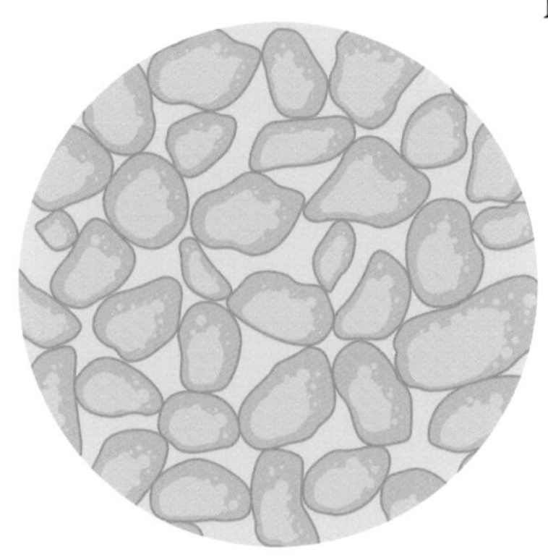

Ici les constituants sont séparés, caractéristiques de constituants non chargés. L'eau et les éléments nutritifs y sont lessivés rapidement. Le sol n'a aucune structure comme dans les sols sableux. C'est un sol pauvre et souvent sec. Illustration: Sébastien Gagnon

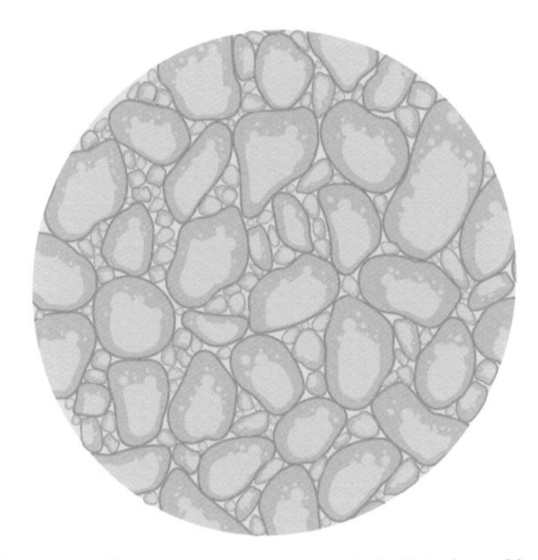

Dans un sol compacté qui contient à la fois des sables grossiers et des particules fines de limons et d'argiles, mais sans humus actifs, il n'y a pas de formation d'agrégats. Les pores du sol se bouchent, le sol se draine mal. Il devient difficile à travailler et insalubre pour de nombreux organismes et plantes. C'est un sol pauvre, mais avec un excellent potentiel de fertilité si les bons amendements humifères sont apportés de même que possiblement de la chaux si le sol est acide. Illustration: Sébastien Gagnon

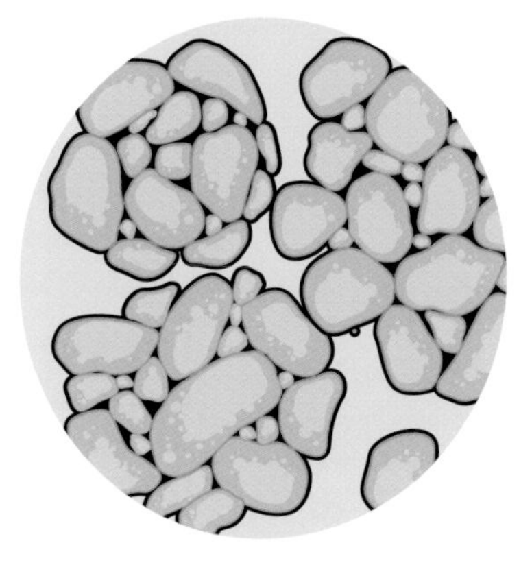

L'union des humus actifs et des limons fins et des argiles forme des agrégats friables: une espèce de magasin général. Les pores du sol sont dégagés, l'eau circule, mais tout ce dont les plantes exigeantes et leurs organismes associés ont besoin est favorisé par cette structure. Seule une structure grumeleuse peut favoriser tous les processus qui se déroulent dans un sol riche. Illustration: Sébastien Gagnon

Trucs ET CONSEILS

Au jardin, quand votre terre existante contient des limons fins et des argiles, ce qui arrive plus souvent que vous le pensez, conservez-la, car il est très difficile de trouver de tels constituants sur le marché. Si nécessaire, amendez plutôt cette terre unique avec les amendements que je vous recommande au chapitre: «Modifier ou recréer un écosystème».

Comme la matière organique est en mouvement et que le flocon d'humus actifs n'est pas protégé par la stabilité de l'argile, le flocon se transforme dans le sol. Dans une terre organique, au bout de quelques années, on constate un affaissement de plusieurs centimètres, découvrant même parfois des racines de végétaux. On observe d'ailleurs le même phénomène avec des terres argileuses sans humus. Par temps de sécheresse, les sols argileux sans humus s'affaissent de plusieurs centimètres causant parfois des dommages aux maisons.

Vous comprenez maintenant le rôle des agrégats dans un sol. La prochaine fois que vous évaluerez une terre, recherchez les agrégats friables ou grumeaux pour savoir si vous êtes en présence de constituants chargés et d'un sol riche.

Termes se rapportant à la structure

Terre meuble : « décrit une terre poreuse, très tendre et très friable, n'ayant aucune propension au durcissement ni à l'affermissement » *(Office de la langue française, 1985). C'est une terre facile à travailler. La terre meuble est différente de la terre légère qui réfère plus à une terre sableuse. Terre meuble réfère plus à une terre franche bien structurée en agrégats.*

Terre profonde : terme assez imprécis qui décrit une terre qui permet aux racines de s'enfoncer sans difficulté dans le sol. Mon interprétation pour l'aménagement paysager est la suivante. Pour les vivaces et annuelles, une terre profonde représente habituellement une terre meuble sur une épaisseur d'au moins 30 à 45 cm. Pour les arbustes, l'épaisseur varie de 45 à 70 cm et elle est de 70 cm à 1,50 m pour les arbres.

TRUCS ET CONSEILS

Au jardin, on modifie un sol acide en apportant du calcium, ce qui va provoquer une diminution des ions d'hydrogène et permettre à nouveau la structuration du sol et la reprise de la danse des éléments. La chaux et la cendre de bois contiennent du calcium assimilable.

Bon à savoir

L'échelle du pH est exponentielle. À 6,8 de pH, un sol est 2 fois plus acide qu'à un pH de 7, à 6 il est 10 fois plus acide. À un pH de 5, un sol est 100 fois plus acide qu'à 7.

Le pH du sol

Dans le sol, le pH est important, mais il est aussi très simple à comprendre. Le terme pH définit simplement le *potentiel Hydrogène* d'un sol, c'est-à-dire la quantité d'ions d'hydrogène qu'il contient. Lorsqu'ils se trouvent en grande quantité dans un sol, celui-ci est acide. Différentes réactions chimiques se produisent alors qui vont bloquer la dynamique normale d'un sol. Les acides présents enveloppent entre autres les résidus organiques et ralentissent leur dégradation. La structuration des constituants en agrégats sera alors moins facile, le sol se déstructure.

Le pH se mesure sur une échelle de 1 à 14. À 3,5 de pH, le sol est extrêmement acide comme du jus de citron ; à plus de 9, il est alcalin comme du lait de magnésie. Passés ces deux pH extrêmes, la plupart des organismes *normaux* du sol ne peuvent survivre et les fonctions qu'ils remplissent ne peuvent plus l'être. Les plantes privées de leurs alliés microbiens et des éléments minéraux essentiels à leur croissance dépérissent. Pas toutes, car, bien entendu, la nature a développé des plantes et des organismes qui vivent dans ces environnements extrêmes : les sphaignes par exemple.

À des pH inférieurs à 4,5, peu de plantes de nos jardins peuvent pousser. À des pH entre 5,0 et 5,5 les plantes de milieux très acides comme les rhododendrons et les bruyères prospèrent. À des pH légèrement acides, entre 6,0 et 6,5, les impatientes, les hydrangées et les amélanchiers se plaisent.

TRUCS ET CONSEILS

Au jardin, lorsque vous transplantez une plante ou arrachez une herbe sauvage, prenez le temps d'observer sa motte de terre. Constatez combien le sol est plus agrégé directement sur le sol qui touche les radicelles (ces minuscules racines de la grosseur d'un cheveu) que dans la terre qui se trouve quelques centimètres plus loin.

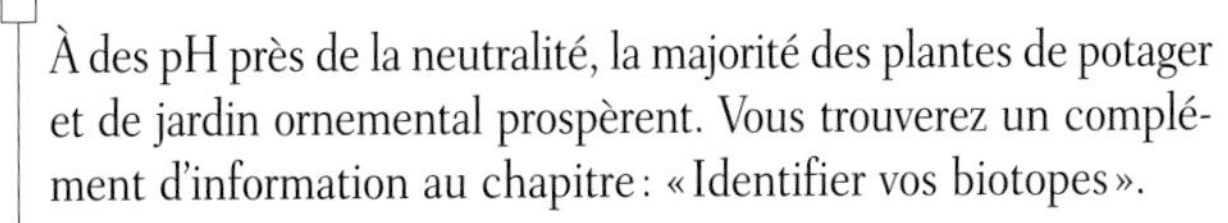
À des pH près de la neutralité, la majorité des plantes de potager et de jardin ornemental prospèrent. Vous trouverez un complément d'information au chapitre : « Identifier vos biotopes ».

La vie biologique du sol

J'ai beaucoup parlé de texture et de structure du sol dans ce chapitre. Je n'ai abordé qu'indirectement l'aspect biologique incontournable de la dynamique des sols, car j'avais déjà mis beaucoup d'emphase sur cet aspect dans les premiers chapitres du livre. À presque toutes les étapes de la dynamique des sols, les organismes du sol y sont intimement reliés.

C'est l'emphase mise sur l'aspect biologique du sol qui caractérise le plus les adeptes d'une approche écologique des sols.

C'est l'évolution des phénomènes biologiques et chimiques qui a permis l'évolution du sol et des plantes qui y poussent.

Les racines

Les racines jouent un rôle dans la formation des agrégats dans le sol. © Michel Renaud

Dans cette formidable odyssée de l'organisme-sol, la plante n'est pas passive. Elle est vivante. Les radicelles favorisent la formation d'agrégats, la structuration du sol et la prolifération d'organismes bénéfiques dans le sol. En observant le sol agglutiné autour des racines des plantes, on comprend une réalité incontournable du sol. Les radicelles des plantes et les innombrables organismes qui y sont associés agrègent le sol, le structurent, lui donnent vie et le transforment.

Pour certains spécialistes, le travail des radicelles et des micro-organismes qui y sont rattachés est même l'élément le plus important dans la structuration des sols, particulièrement sous les conditions humides, froides et souvent acides de nos régions. La dégradation des racines à la mort des plantes stimule une foule d'organismes décomposeurs et fournit au sol de précieux éléments nutritifs. Les galeries creusées par les racines deviennent des tunnels d'entrée d'air et des autoroutes pour les organismes du sol. Les milliards de micro-organismes qui vivent en symbiose avec les radicelles meurent en même temps que les racines et fournissent un apport non négligeable de matières organiques très actives. Les racines des plantes sont donc un autre élément incontournable de la fertilité des sols.

Les organismes du sol

Grâce aux substances collantes sécrétées par les vers de terre et certains micro-organismes, les agrégats de terre peuvent se former. Les mycorhizes qui représentent les deux tiers de la biomasse microbienne déploient dans le sol leurs filaments, appelés *mycélium*, qui enveloppent littéralement les agrégats du sol. En structurant le sol avec les matériaux épars qu'il contient, les travailleurs du sol dégagent des macropores qui, tout en facilitant leurs propres déplacements, vont permettre la libre circulation de l'eau, de l'air et des racines.

Ainsi, les organismes du sol participent activement et sont indispensables à la stabilité et à la structuration du sol. Sans eux, il n'y aurait pas non plus de formation d'humus dans le sol, un autre aspect où ils sont également des acteurs indispensables.

L'accès à l'eau, à l'air et aux éléments nutritifs sont les trois facteurs limitants pour la majorité des organismes du sol. S'il y a suffisamment d'air, d'eau et de nourriture simultanément, l'activité microbienne est à son meilleur. Si un de ces trois facteurs diminue, l'activité des organismes du sol diminue également.

Le tableau ci-dessous met en lumière un aspect très important de la vie dans le sol. L'activité microbienne responsable de la dégradation des débris organiques se réalise principalement dans les premiers 10 cm du sol. À 10 cm sous la surface du sol, l'activité microbienne a déjà diminué de 50 % dans le sol de la forêt et de façon importante dans les autres sols. On s'aperçoit donc facilement de l'importance de l'air dans le sol. On s'aperçoit aussi, à la lecture de ce tableau, que les sols sableux qui évacuent rapidement leur eau et les éléments nutritifs ont aussi une activité microbienne réduite.

Variations du nombre de bactéries par rapport au type de sol

Type de sol	Nombre de bactéries par gramme de terre
Sol de forêt en surface	3 000 000 000
Sol de forêt à 10 cm de profondeur	1 500 000 000
Sol limoneux en surface	1 400 000 000
Sol limoneux à 10 cm de profondeur	860 000 000
Sol sableux en surface	870 000 000
Sol sableux à 10 cm de profondeur	670 000 000

(Selon Walksman)

Les organismes du sol ont un rôle essentiel à jouer dans la vie du sol. © B. Dumont/Horti Média

Au jardin, on doit impérativement imiter la nature qui, à part pour les racines mortes, dépose toujours les débris organiques non décomposés sur et dans les premiers centimètres du sol où l'activité microbienne est à son plus fort. C'est donc une erreur que d'enfouir à plus de 10 cm des matières organiques non décomposées comme des plaques de gazon ou du fumier. Cela ne tuera pas votre sol si vous le faites, mais ce sont tous ces petits détails et ces petites compréhensions qui, mis bout à bout, créent un écosystème fonctionnel et un jardin sans problème.

Je pourrais continuer longtemps à vous entretenir sur l'aspect biologique du sol. La suite du livre vous donnera de nombreuses occasions d'approfondir cet aspect passionnant.

Les éléments minéraux du sol

Je n'ai abordé qu'indirectement le rôle des éléments minéraux dans le sol. Je n'ai pas décrit en détail les rôles de l'azote, du phosphore et de la potasse par exemple. Je vous ai cependant sensibilisé aux rôles importants du calcium pour équilibrer le pH, structurer le sol et, par ricochet, soutenir l'activité microbienne. Cette simple description sommaire d'une partie des rôles du calcium met en lumière que tout est intimement relié. L'excès ou la carence d'un élément peut entraîner une suite de conséquences qui peut toucher tous les aspects de la dynamique des sols.

Je vais aborder plus en détail l'aspect des éléments minéraux dans le sol au chapitre : « Modifier ou recréer un écosystème ».

Au jardin, gardez en tête que le carbone, l'oxygène et l'hydrogène qui proviennent du gaz carbonique de l'atmosphère et de l'eau de pluie lors de la photosynthèse forment à eux seuls 94 % du corps constitutif des plantes. Ainsi, le bon positionnement d'une plante par rapport à ses besoins en lumière et l'acquisition de bonnes techniques de taille sont les deux premiers éléments à considérer en ce qui a trait à l'alimentation des végétaux. De plus, le recyclage de la litière organique produite par les plantes remet en circulation dans le sol tous les éléments qu'elles y ont puisés et une bonne partie de ce qu'elles ont pris dans l'atmosphère.

LA TERRE ET LE SOL

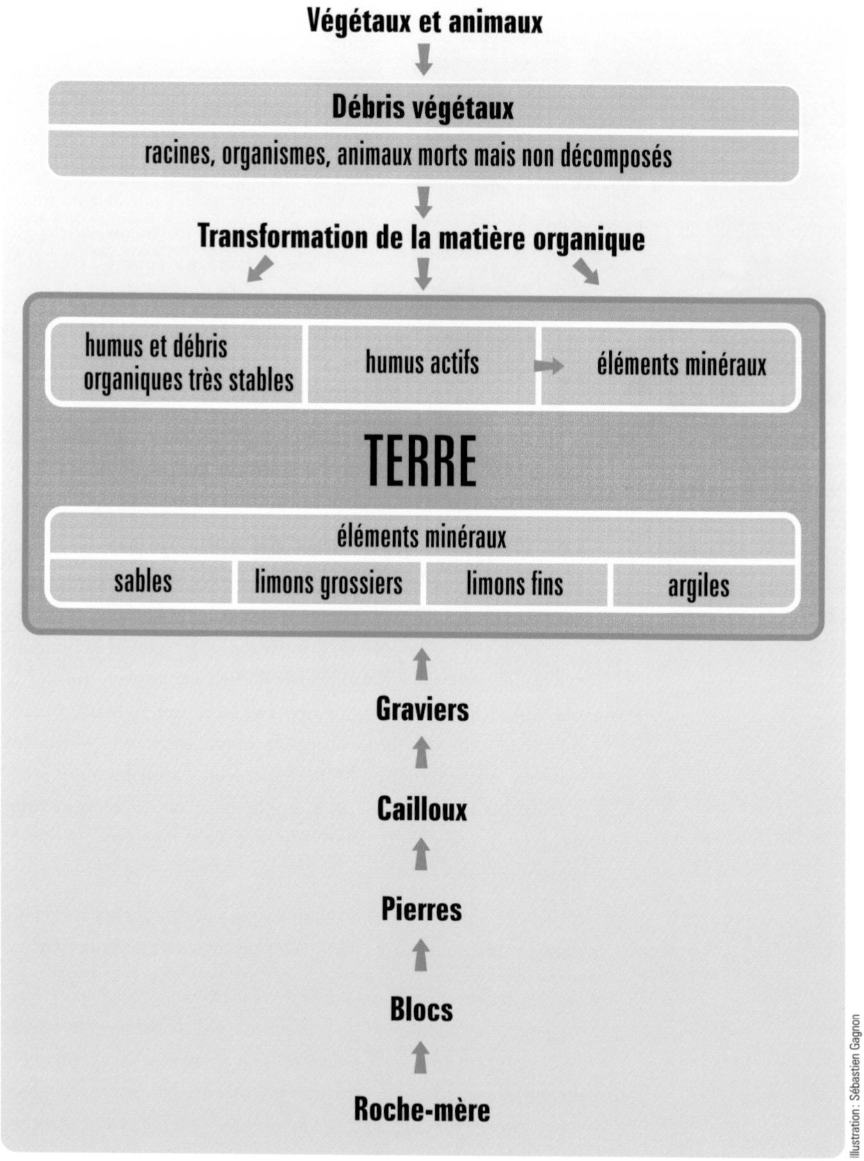

La terre est formée de constituants minéraux, de débris organiques, d'humus et d'éléments minéraux. C'est l'activité biologique qui fait que la terre se transforme en sol.

Un monde complexe, mais fascinant

Comme le montre l'illustration ci-contre, la terre est composée de divers éléments en perpétuelle évolution. Je décris ici des stades particuliers, mais il faut bien comprendre qu'il existe une foule de stades intermédiaires. Le sol est un milieu vivant, en constant changement, jamais fixé de manière définitive. Comme pour tous les autres éléments de la nature, on doit respecter la dynamique du sol. Transformer ou modifier le sol, c'est comme pour couper un arbre, il doit y avoir une justification.

Identifier la fertilité du sol

Bon à savoir

Identifier la fertilité d'un sol, c'est identifier le type de plante que ce sol peut faire pousser, le type de réseau d'entraide qu'il peut soutenir et le type de structuration qui le caractérise.

En aménagement paysager, la fertilité du sol et les plantes qui y poussent sont intimement reliées. Tout tourne autour de l'idée de mettre la plante dans le bon sol au départ ou de modifier adéquatement celui-ci si on doit en changer les caractéristiques pour accueillir des plantes particulières.

Dans la documentation horticole, le sol peut être qualifié de *pauvre, infertile, moyen, terre de jardin, ordinaire, riche, fertile*, etc. Ces termes sont employés pour décrire le type de sol adéquat pour une plante donnée. On peut regrouper ces différents termes en trois catégories : *riche, moyennement riche et pauvre*. Toutes les classifications comportent des lacunes et des zones grises. La classification de l'horticulture ornementale ne fait pas exception à la règle, mais, à mon avis, c'est la plus simple à utiliser en aménagement paysager et, de toute façon, c'est celle qui est déjà employée par la plupart des rédacteurs horticoles. C'est donc la classification des sols que je vous propose. À cette classification, j'ajoute la catégorie sol *graveleux* ou *caillouteux*, très pratique pour décrire les plantes qui peuvent croître dans des milieux d'une extrême pauvreté et de sécheresse, dans de la poussière de pierre ou du gravier, entre les dalles d'un patio par exemple.

En écologie, la classification concerne les sols plutôt que seulement la terre. En effet, ce n'est pas seulement les constituants de la terre ou la seule disponibilité des éléments nutritifs que l'on caractérise, mais bien la dynamique d'un sol. Dans cette approche, évaluer un sol se fait à partir d'une vision globale du sol.

Définissons donc, à partir de cette vision globale, ce qui différencie un sol riche d'un sol moyennement pauvre ou graveleux.

Impatientes © B. Dumont/Horti média

Sol riche

Ses caractéristiques

Il est caractérisé par :

- des constituants qui fournissent de façon continue des éléments nutritifs aux plantes exigeantes et à leurs organismes associés ;
- des agrégats permettant à la fois de retenir et de relâcher au bon moment les éléments nutritifs et l'eau du sol tout en dégageant les pores du sol ;
- une activité biologique intense et de nombreux échanges entre les plantes et leur réseau d'entraide ;
- une texture meuble.

Ses constituants

On peut y observer des constituants chargés tels des limons fins, des argiles et des humus actifs. Un sol riche contient aussi suffisamment de sables pour assurer un drainage adéquat et l'entrée d'air par les macropores du sol. Il renferme aussi, habituellement, un certain pourcentage d'humus très stable qui retient l'eau et donne du corps au sol.

La proportion et les différentes combinaisons des divers constituants peuvent varier, mais oscillent autour des chiffres suivants : sables et limons grossiers : 20 à 60 % ; limons fins : 0 à 50 % ; argiles : 0 à 35 % ; matières organiques : 5 à 80 %.

Au moins 30 % de ces matières organiques doit être composé d'humus actifs et de débris facilement dégradables.

Ainsi, un sol minéral riche peut être composé des constituants suivants : 50 % de sables et de limons grossiers, 45 % de limons fins et d'argiles et 5 % de matières organiques, dont une bonne proportion sous forme d'humus actifs et de débris organiques fins facilement dégradables.

Un sol organique riche peut être composé des constituants suivants : 30 % de sables et de limons grossiers, 5 % de limons fins et d'argiles et 65 % de matières organiques, dont une bonne proportion sous forme d'humus actifs et de débris organiques fins facilement dégradables.

Par conséquent, ce type de sol favorise des plantes exigeantes comme des astilbes, des roseaux de Chine, des impatientes annuelles, des tomates, etc.

Sol moyennement riche

Ce type de sol peut aussi être qualifié de sol plus ou moins riche.

Ses caractéristiques

Il est caractérisé par:

- des constituants qui fournissent de façon continue des éléments nutritifs aux plantes et à leurs organismes associés;
- des agrégats, mais en quantité moindre que pour les sols riches;
- une activité biologique moyennement intense et les échanges entre les plantes et leur réseau d'entraide;
- une texture variant entre meuble et légère.

Ses constituants

On peut observer des constituants chargés tels des limons fins, des argiles et des humus actifs. Un sol moyen contient plus de sables ou d'humus très stables qu'un sol riche.

Lis hybride © B. Dumont/Horti média

Un *sol minéral moyennement riche* peut être composé des constituants suivants: 65% de sables et de limons grossiers, 30% de limons fins et d'argiles et 5% de matières organiques, dont une bonne proportion sous forme d'humus actifs et de débris organiques fins facilement dégradables.

Un *sol organique moyennement riche* peut être composé des constituants suivants: 30% de sables et de limons grossiers, 5% de limons fins et d'argiles et 65% de matières organiques, dont une très forte proportion est constituée d'humus très stables.

Par conséquent, ce type de sol favorise des plantes moyennement exigeantes tels les herbes à gazon résidentielles, les lis, les géraniums annuels, les poivrons, etc.

Sédum d'automne

© B. Dumont/Horti média

Sol pauvre

Ses caractéristiques

Il est caractérisé par:

- des constituants qui fournissent peu d'éléments nutritifs aux plantes et à leurs organismes associés;
- très peu d'agrégats;
- une activité biologique réduite;
- une texture très légère.

Ses constituants

On peut principalement observer des constituants non chargés tels des sables auxquels peuvent être mélangés des humus très stables comme de la terre noire. Un sol pauvre peut aussi être une terre de sous-sol constituée principalement d'argiles sans humus actifs.

Un sol minéral pauvre peut être composé des constituants suivants: 75% de sables et de limons grossiers, 23% de limons fins et d'argiles et 2% de matières organiques, dont une très forte proportion est constituée d'humus très stables.

Un sol organique pauvre peut être composé des constituants suivants: 30% de sables et de limons grossiers et 70% d'humus très stables, comme de la tourbe de sphaigne, par exemple.

Par conséquent, ce type de sol favorise des plantes de sol pauvre tels des sédums, des coréopsis, des cosmos annuels, des pois, etc.

Pourpiers

© B. Dumont/Horti média

Sol graveleux

On peut aussi le qualifier de caillouteux.

Ses caractéristiques

Il est caractérisé par :

- très peu d'agrégats ;
- une activité biologique très réduite ;
- une texture variable selon les constituants.

Ses constituants

On observe une forte proportion de graviers ou de poussières de pierre.

Par conséquent, ce type de sol favorise des plantes de sol extrêmement pauvre tels des thyms, des pourpiers annuels, etc.

Comprendre la dynamique des sols

Ce chapitre a pu vous paraître complexe, mais il est très important pour vous permettre de vous insérer au sein d'un écosystème fonctionnel. En comprenant bien la dynamique des sols, vous êtes à même de bien identifier ceux qui composent votre jardin. Si vous avez à intervenir pour modifier le sol, le cas échéant, vous pourrez aussi le faire en toute connaissance de cause, en choisissant les bonnes actions et les bons produits (consultez le chapitre : « Modifier ou recréer un écosystème ».)

Dans le prochain chapitre, je vous donne des trucs simples pour identifier chez vous ou sur un autre site la fertilité d'un sol. Vous pourrez donc en toutes circonstances identifier sa tendance. Se rapproche-t-il d'un sol riche, d'un sol moyennement riche ou d'un sol pauvre ?

J'espère finalement que ce chapitre vous aura permis d'inclure dans votre répertoire de questions, l'interrogation suivante « *Dans quel type de sol pousse cette plante* », question fondamentale dans l'art d'aménager par écosystèmes.

Pour réussir ses plantations, il faut d'abord bien identifier les biotopes qu'abrite un jardin. © Michel Renaud

Identifier vos biotopes

Albert Einstein disait que le travail du scientifique consiste principalement à trouver les bonnes questions. Pour le jardinier écologique, c'est la même chose. Au jardin, trouver les bonnes questions est souvent l'étape cruciale qui permet de s'y intégrer de façon harmonieuse.

Dans ce chapitre, je vous suggère des questions pour observer et classifier vos **biotopes.** La réponse à ces questions vous fournira des informations essentielles pour implanter avec succès des plantes dans votre écosystème et comprendre pourquoi certaines plantes s'y adaptent mal.

Biotope

Milieu défini où l'ensemble des facteurs physiques et chimiques reste sensiblement constant ou subit des variations périodiques prévisibles. Le climat, le sol et la luminosité sont des éléments très importants d'un biotope. Dans un même jardin, il y a souvent plusieurs biotopes.

Il faut se poser principalement quatre questions pour identifier un biotope. Celles-ci sont d'égale importance.

1) Dans quelle zone de rusticité est situé le biotope?

Grâce à cette question, vous allez prendre conscience qu'il existe une rusticité ambiante régionale et une rusticité spécifique qui peut varier d'un endroit à un autre sur un même site.

2) Quel type de luminosité le biotope reçoit-il?

L'espace que vous souhaitez aménager est-il ensoleillé, à l'ombre légère, à la mi-ombre, à l'ombre ou à l'ombre dense?

3) Quelle est la fertilité du sol du biotope ?

Le sol qui compose votre jardin est-il riche, moyennement riche (plus ou moins riche), pauvre ? Pour répondre à cette question, vous devrez aussi vous interroger sur la texture du sol (léger, meuble ou lourd), son pH (acide, neutre ou alcalin), sa structure et sur la vie biologique qu'il abrite.

4) Quelle est l'humidité du sol du biotope ?

Le sol où vous voulez planter des végétaux est-il sec, frais et bien drainé, humide ou très humide ?

À ces quatre incontournables questions de base s'en greffe une dernière :

Y a-t-il d'autres facteurs qui influencent mon biotope (par exemple la présence de chlore de piscine ou de sels de déglaçage) ?

Bon à savoir

Les critères et la classification que je vous propose sont repris dans les deux autres livres de la collection Bouquins verts complémentaires à ce livre : Les niches écologiques des arbres, arbustes et conifères et Les niches écologiques des vivaces et plantes herbacées, écrits par l'horticulteur Bertrand Dumont.

Nous allons explorer chacune de ces questions de base. Je vais partager avec vous les trucs du métier que j'ai accumulés depuis trente ans.

À la fin de ce chapitre, vous pourrez donc classifier vos biotopes à partir des critères précités et ainsi y implanter des plantes en toute connaissance de cause. Vous cesserez de jouer à la loterie lors de la sélection et de l'implantation d'une plante dans votre jardin.

Sur un même site, dès qu'un de ces critères change, *type de sol, pH, humidité du sol, luminosité, rusticité ou autre*, le biotope change et peut accueillir des plantes et organismes différents d'un autre biotope adjacent. C'est tant mieux, car ainsi vous pouvez accueillir plus de variétés de plantes, d'oiseaux, d'insectes, de micro-organismes, etc., dans votre jardin. À titre d'exemples, les photographies que je vous propose représentent quatre sections de mon jardin. Celles-ci abritent quatre biotopes fort différents. Remarquez la grande biodiversité que cela favorise. Les termes qui sont utilisés pour décrire ces différents biotopes sont expliqués dans ce chapitre. Revenez à ces pages après la lecture pour mieux en apprécier le message.

Dans ce biotope, des colonies d'astilbes, de filipendules, de monardes, de myosotis, d'anémones d'automne, de trolles et de primevères se succèdent à différents moments de l'année (sol riche, meuble, humide et légèrement acide, mi-ombragé et de rusticité spécifique 4b).

© Michel Renaud

De chaque côté de l'escalier, des euphorbes, des pattes-de-lion, des achillées mille-feuilles et ptarmiques, des crocosmies (bulbes), des lis (bulbes) et des calamagrostides se succèdent au cours de la saison (sol pauvre, léger, sec et légèrement acide, ensoleillé et de rusticité spécifique 6a, pour les vivaces, à cause de la neige qui y est déposée l'hiver). Les calamagrostides ont reçu un apport supplémentaire de compost à la plantation pour enrichir le sol, conformément à leurs besoins spécifiques. © Michel Renaud

Entre les marches, j'ai planté du thym laineux, mais d'autres plantes se sont implantées toutes seules : des achillées millefeuilles, des euphorbes et des digitales ambiguas (sol pauvre, caillouteux [poussières de pierre], acide et très sec, ensoleillé et d'une rusticité de zone 3 parce que les marches sont constamment découvertes, sans neige en hiver).

© Michel Renaud

Dans cette grande plate-bande à entretien minimal, des colonies pures de lupins, de marguerites sauvages, de liatrides, de monardes, d'hémérocalles, de rudbeckies, d'échinacées, d'anémones d'automne, d'asters et de verges d'or se succèdent en cours de saison (sol moyennement riche, meuble, frais et bien drainé, légèrement acide, ensoleillé et de rusticité spécifique 4b). © Michel Renaud

Dans quelle zone de rusticité le biotope est-il situé?

La rusticité est un critère relativement bien connu des jardiniers. Les experts du gouvernement canadien ont divisé le Canada en *zones de rusticité* correspondant aux rigueurs de l'hiver dans une région donnée. Les zones canadiennes sont classées de 0 à 8, le chiffre 0 correspondant aux hivers très froids de la toundra et le 8 au climat beaucoup plus clément de la péninsule sud-ontarienne ou de la côte ouest en Colombie-Britannique. Chaque zone a également été divisée en deux, soit a et b, la zone 4b correspondant à un climat légèrement plus clément que la zone 4a. Tout récemment, les scientifiques canadiens ont réévalué ces zones de rusticité en intégrant des données climatiques plus récentes et des techniques modernes de cartographie climatologique. La carte présentée à la page 349 vous permet de déterminer votre zone de rusticité régionale.

Trucs et conseils

Pour participer activement comme jardinier amateur à un programme d'amélioration de la carte de rusticité des végétaux, consulter le site Internet:

(g4.glfc.cfs.nrcan.gc.ca/ph_main.pl?setsess=1).

La rusticité ambiante

C'est la rusticité telle que définie globalement dans votre région ou votre localité. C'est celle qui figure sur la carte. Vous pouvez aussi trouver votre zone de rusticité ambiante en consultant le site Internet d'Agriculture et Agroalimentaire Canada sur la rusticité (sis.agr.gc.ca/siscan/nsdb/climate/hardiness/intro.html).

La rusticité spécifique

L'exposition à la lumière (soleil ou ombre), la direction des vents dominants en hiver et les accumulations de neige sont les principaux facteurs qui peuvent modifier, positivement ou négativement, la rusticité d'un site. La rusticité ambiante du jardin devient alors la *rusticité spécifique* d'une section du jardin.

Par exemple, si une portion de votre site est ouverte à tous les vents et qu'il n'y a aucune accumulation de neige, il serait prudent de calculer la rusticité spécifique de cette parcelle en retranchant une demi-zone, ou même une zone, à la zone de rusticité ambiante.

À l'inverse, si une partie de votre site est abritée par votre maison, une haie de cèdres ou tout autre élément, et que la neige s'y accumule, vous bénéficiez d'un microclimat et pourriez y planter des végétaux demandant une demi-zone plus élevée que votre zone de rusticité ambiante.

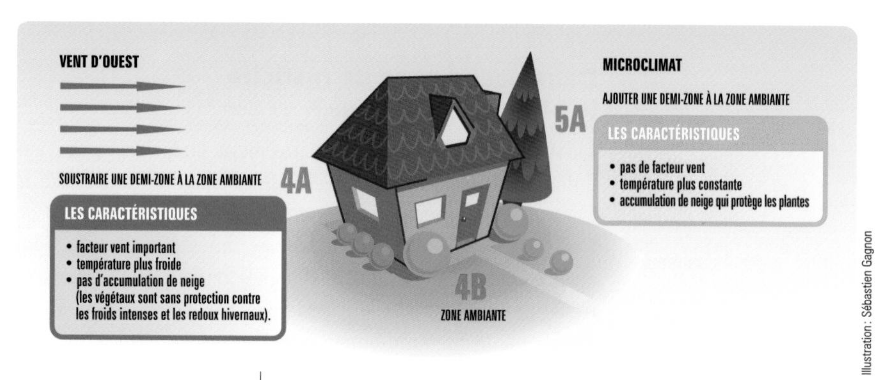

Illustration : Sébastien Gagnon

Un mauvais drainage qui favorise un gel plus profond influence aussi la rusticité d'une plante.

Ces deux situations démontrent que la neige est un excellent isolant. Par exemple, sur la Côte-Nord, à Baie-Comeau ou à Sept-Îles, une région où la zone de rusticité ambiante varie de 2 à 3, une couverture de neige précoce, abondante et qui perdure jusqu'au printemps, permet à beaucoup de jardiniers de conserver sans problèmes des vivaces de zone 5 ou 6. C'est la couverture de neige qui les protège du froid.

Des deux côtés de la montagne

À Montréal, le Mont-Royal illustre bien la notion de rusticité spécifique. La zone de rusticité ambiante de Montréal est 5b. Cependant, la partie nord-ouest, du côté de l'oratoire Saint-Joseph, exposée aux vents est beaucoup plus froide, alors que la partie sud, du côté de Westmount, est protégée des vents.

La différence est facile à observer en début de printemps. Du côté de Westmount, les pommetiers fleurissent deux semaines avant ceux du côté de l'oratoire, et les magnolias, totalement absents du côté de l'oratoire, sont magnifiques du côté de Westmount.

Le Canada, ce n'est pas les États-Unis

Les zones de rusticité canadienne et américaine sont légèrement différentes. Aux États-Unis, seules les températures hivernales minimales sont prises en compte pour déterminer la zone de rusticité d'une région alors qu'au Canada une vaste gamme de facteurs climatiques tels la durée de la période sans gel, l'enneigement, les pluies de janvier et les vitesses maximales des vents sont pris en compte. Pour ces raisons, une région ou une plante zonée 4 dans la classification américaine peut correspondre à la zone 5 dans la classification canadienne.

Bon à savoir

Au jardin l'hiver, après une tempête, identifiez les endroits où la neige s'est accumulée pour déterminer la rusticité spécifique de votre site.

Quel type de luminosité le biotope reçoit-il?

La luminosité d'un biotope est souvent très variable selon les périodes de l'année et la hauteur du soleil. Encore une fois, on parle ici de tendance.

La luminosité est divisée en cinq classes.

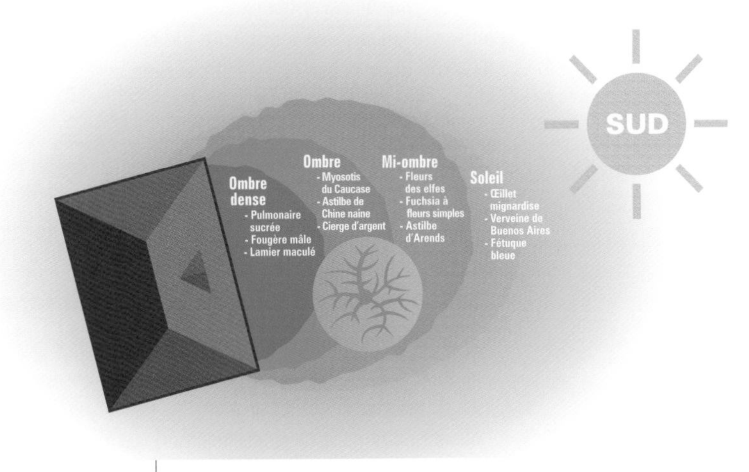

Illustration : Sébastien Gagnon

Soleil

Ce milieu reçoit plus de huit heures de soleil par jour, le matin, le midi et en mi-journée principalement, soit les heures les plus chaudes de la journée. Il n'y a aucune obstruction entre le soleil et le milieu.

Ombre légère

Ce milieu reçoit le soleil direct pendant une bonne partie de la journée, mais pas nécessairement pendant les heures les plus chaudes de la journée.

La différence entre «milieu ensoleillé» et «ombre légère» est peu significative pour beaucoup de plantes, la plupart des plantes de soleil poussant très bien sous une ombre légère. Cependant, certaines, notamment celles à feuilles jaunes, apprécient particulièrement cette situation.

Mi-ombre

Ce milieu reçoit un minimum de quatre heures de soleil par jour en début ou en fin de journée. Il est généralement situé en lisière des arbres ou à l'ombre d'une construction durant les heures les plus chaudes de la journée.

Bon à savoir

Une même plate-bande peut recevoir un ou plusieurs types de luminosité selon le cas.

Un biotope situé à la mi-ombre peut aussi être un milieu recevant une luminosité forte, mais sans soleil direct. Par exemple, un biotope situé à l'ombre d'un bâtiment sur un site complètement ouvert sans aucun arbre et recevant beaucoup de lumière du jour.

Ombre

Ce milieu est situé à l'ombre des constructions ou des arbres. Il reçoit une luminosité indirecte de faible intensité ou environ deux heures de soleil par jour.

Ombre dense

Ce milieu ne reçoit aucun ensoleillement de toute la journée, seulement de la lumière indirecte et de très faible intensité, comme sous un escalier ou un balcon, du côté nord d'une construction ou sous un arbre.

Quelle est la fertilité du sol du biotope?

La fertilité s'exprime par la capacité d'un sol à produire beaucoup de végétation utile (*dictionnaire Larousse*). Ainsi, aussi paradoxal que cela puisse paraître, un sol fertile peut être un sol très pauvre, si ce que vous voulez y faire pousser est une plante de sol pauvre, du thym par exemple.

Fertilité du sol

« Aptitude d'un sol à produire une certaine biomasse végétale. » *Office de la langue française, 1985*

La notion de **fertilité du sol** que je vous propose est donc différente de celle qu'on entend habituellement, surtout en agriculture ou au potager. Dans ces situations, la végétation utile qu'on cultive est généralement très exigeante et nécessite très souvent un sol riche. En agriculture, on en est donc venu à associer sol *fertile* et sol *riche*, les considérant comme synonymes.

En aménagement paysager écologique, le sol fertile est toujours le sol qui fera le mieux pousser les plantes que l'on veut y implanter. Un sol fertile pourra être caillouteux, pauvre, plus ou moins riche ou riche. Il y a donc plusieurs types de fertilités.

Pour évaluer le type de fertilité d'un sol, tout commence par une bonne interprétation des constituants, et de la façon dont ils sont assemblés ainsi que de l'activité biologique et chimique qui se déroule dans le sol.

C'est en se posant les bonnes questions qu'on peut déterminer la fertilité d'un sol.

Quel est le contexte régional?

Chaque site et chaque sol ont été façonnés par des forces géologiques et physiques régionales qui ont une grande influence sur leur fertilité.

Il y a 12 000 ans, les eaux de la mer de Champlain ont atteint entre 220 et 250 m au-dessus du niveau marin actuel du fleuve Saint-Laurent, selon les localités. (Prichonnet, G., 1977)

© Michel Renaud

Il y a plus de trois milliards d'années, la roche-mère a commencé son histoire. L'érosion, les conditions climatiques, les réactions chimiques et les évènements géologiques ont favorisé la formation de sédiments. La formation des sols a commencé, il y a environ 500 millions d'années, lorsque la vie a conquis les terres émergées. Le sol naît de la rencontre du monde biologique et du monde minéral.

Sous nos latitudes, le dernier passage du grand glacier *Inlandsis* et son retrait ont remodelé les paysages et les sols actuels. À son apogée, il y a 18 000 ans, ce glacier recouvrait de 1 000 à 2 000 mètres de glace la presque totalité du territoire québécois. Le passage de cette masse d'un poids phénoménal a adouci des pics de montagne, raboté le sol en profondeur, déplacé des sédiments, creusé des vallées, etc. Son poids énorme a fait s'abaisser des régions entières de quelques centaines de mètres qui ont ainsi atteint un niveau plus bas que celui de la mer. Il y a 12 000 ans, lors de la fonte du glacier, l'eau de l'océan s'est engouffrée dans ces dépressions et a formé deux mers intérieures: la mer de Champlain, qui occupait toutes les basses terres de la vallée du Saint-Laurent et de l'Outaouais, et la mer Laflamme, qui occupait toute la région du Saguenay–Lac-Saint-Jean. En Abitibi, l'affaissement a provoqué la création de deux immenses lacs glaciaires, les lacs Barlow et Ojibway. Ces mers et lacs postglaciaires ont occupé le territoire québécois pendant près de 3 000 ans.

Lorsque les mers et les lacs glaciaires ont reculé il y a 9 000 ans, à la faveur d'un relèvement de la croûte terrestre libérée du poids du glacier, elles ont laissé des sols très riches dans leur ancien lit. En effet, pendant des milliers d'années, les eaux glaciaires d'égouttement d'une grande partie du Québec y ont déversé des limons fins, des argiles et des éléments minéraux. L'activité biologique dans ces étendues d'eau a aussi favorisé l'accumulation de riches sédiments.

Bon à savoir

Les anciennes plages bien drainées de la mer de Champlain, que l'on observe dans la région de Saint-Joseph-du-Lac, Rougemont et Belœil, sont habituellement excellentes pour la culture des pommiers.

Des dépôts sableux purs de plusieurs mètres de profondeur, des graviers et des limons grossiers se sont accumulés dans les deltas et les pourtours de ces étendues d'eau. Ils ont alors formé des plages. Au nord de Montréal, dans des municipalités comme Terrebonne et Lorraine, cette différence entre la plage et les dépôts argileux de la mer de Champlain est facilement perceptible. Les sols des parties hautes de ces villes sont composés de sables presque purs sur plusieurs mètres, alors que les parties basses sont constituées de dépôts argileux.

Les sols des Laurentides et des Cantons de l'Est, lessivés pendant des milliers d'années de leurs constituants plus riches, ont formé des terres beaucoup plus pauvres et très acides. Les sols sont aussi plus rocheux, car les glaciers y ont déposé leurs **moraines**.

Moraine

«Accumulation de terre et ordinairement de pierres transportées puis déposées par les glaciers.» Office de la langue française, 1989

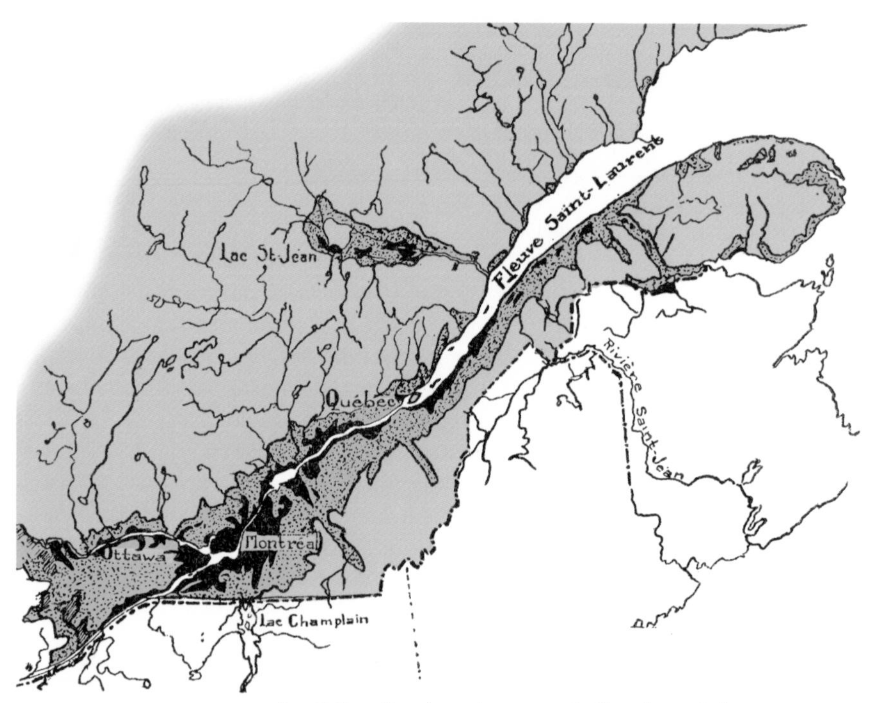

Les dépôts argileux des anciennes mers de Champlain et Laflamme, représentés en foncé sur la carte, sont riches et très souvent neutres ou même alcalins. Dans les dépôts sableux représentés par la couleur sable, les sols sont pauvres et en général drainés et secs. Les sols des Cantons de l'Est et des Laurentides sont pauvres, rocailleux et acides, sauf dans les baissières et près des cours d'eau.

Adaptation: Xavier Gervais-Dumont

Question!

Dans quelle région êtes-vous? Où est situé votre jardin sur la carte des grands évènements glaciaires?

Quelles sont les matières organiques présentes?

Au Québec, les pédologues remarquent que, de façon naturelle, les conditions générales du milieu favorisent l'accumulation des matières organiques sous forme de débris et d'humus très stables plutôt que sous forme d'humus actifs. C'est surtout vrai dans la région du domaine boréal, couvert de forêts de conifères (voir la carte des «Domaines floristiques et végétaux» au chapitre «Sélectionner des végétaux adaptés à votre écosystème»), mais également dans la forêt mixte du sud québécois.

Les analyses réalisées par le laboratoire du Centre de développement en agrobiologie du Québec ont confirmé que bien des sols québécois renferment plus de 90% de matières organiques très stables.

TRUCS ET CONSEILS

Au jardin, considérez donc qu'une très forte proportion des matières organiques dans votre sol est sous forme très stable, surtout si vous ramassez la litière organique ou n'apportez pas de composts actifs.

Diverses conditions particulières du milieu québécois favorisent la formation de débris et d'humus très stables. À l'état naturel, le Québec est presque entièrement couvert de forêts, grandes productrices de matières ligneuses. Le climat y est humide et froid, et l'eau s'accumule, ou s'est accumulée, en de nombreux endroits depuis des milliers d'années. Les sols sont acides sur la plus grande partie du territoire et, lors des longs hivers, certains processus chimiques suivent leurs cours dans le sol, mais sans le concours des organismes permettant l'humification. Ces faits favorisent la formation de débris et d'humus très stables.

Dans les pays tropicaux, contrairement au Québec, les matières organiques se dégradent souvent très rapidement et n'ont pas le temps de s'accumuler à cause de la chaleur permanente et de la forte activité biologique.

Paillis de pin © B. Dumont/Horti Média

Au jardin, on perçoit cette tendance québécoise à l'accumulation de matières organiques très stables. Ce phénomène est même souvent amplifié par le fait que la très grande majorité des matières commerciales apportées au jardin sont également très stables. Les produits les plus vendus étant les *paillis de cèdre*, les *tourbes de sphaigne*, les *terres noires* et les *composts*, les *terreaux* et les *terres de plantation* dont les constituants principaux sont des tourbes de sphaigne et des terres noires.

Quelles sont les particularités locales?

Les particularités locales ont aussi énormément à voir avec le type de sol présent sur un site. On peut observer près d'une rive un sol limoneux foncé, très riche. Cela est sans doute dû à des inondations et à un niveau de la rivière plus élevé à certaines périodes antérieures qui ont favorisé l'accumulation de ces limons fins. À 100 m de la berge cependant, la couleur, la texture et la structure du sol peuvent changer brusquement. Les sables et les limons grossiers remplacent les limons fins. Le sol, sans aucune intervention humaine, passe de riche à pauvre. J'ai observé ce genre de phénomène fréquemment.

Question!

Avez-vous situé votre jardin par rapport aux particularités locales?

Au début de la colonie, le transport par voie maritime était la norme. Ainsi, la majorité des premiers établissements humains et des municipalités ont été bâtis le long des cours d'eau, sur des sols généralement très riches. Cependant, dans les nouveaux quartiers plus éloignés des rives, les sols sont souvent plus drainés et plus pauvres.

Le cas des terres à pelouse et des terres de plantation

Peut-être que le sol de vos plates-bandes est constitué de terres commerciales vendues en vrac et livrées en camion. Ces terres sont directement reliées aux réalités régionales et locales de la région où elles sont vendues. Ainsi, le terme **terre de plantation** peut cacher des réalités très différentes.

Terre de plantation

Sur la Côte-Nord, où les limons et les argiles sont plus rares et les tourbières omniprésentes, la terre de plantation peut être composée de 75% de tourbe de sphaigne *et de 25% de* sables.

Dans les Cantons de l'Est, loin des tourbières, une terre de plantation peut être constituée de *60% de* sables *et de* limons grossiers *et de 40%* d'humus très stables *provenant de terres noires importées.*

Dans la région de Montréal, proche des tourbières de terre noire de la Montérégie, les terres de plantation contiennent souvent plus de 70% d'humus stables, *10% de* fumiers plus ou moins compostés, *et 20% de* terres sableuses.

Les terres de plantation sans compost sont habituellement assez pauvres.
© Michel Renaud

Question!

Dans votre jardin, connaissez-vous la provenance et la formulation des terres commerciales qui composent peut-être certaines de vos plates-bandes et les sols de votre pelouse?

Cependant, indépendamment de ces particularités régionales, de grandes tendances se dégagent. Les *terres à pelouse* commerciales sont très souvent des terres sablonneuses donc *pauvres*. Les *terres de plantation* actuelles sont très souvent des *terres organiques* constituées en grande partie de *terre noire*, de *tourbe de sphaigne* et parfois de *composts* auxquels on a ajouté un peu de *terre sablonneuse*. Si on n'y a pas ajouté de composts actifs, ces terres organiques sont plutôt pauvres. Si on y a ajouté des composts, la richesse de ces terres varie de moyennement riche à riche dépendant de la quantité et de la qualité des composts mélangés.

Les exercices et observations que je vous propose plus loin vous aideront à classifier avec plus de précision les sols commerciaux.

Le profil du sol

C'est une coupe transversale du sol permettant d'identifier la composition et la structure des différentes couches. Connaître le profil de son sol est important et relativement facile. Il vous suffit de creuser à quelques endroits sur votre site et d'observer. Une coupe de 30 cm de profondeur vous fournit de bonnes informations. À 45 cm, c'est encore mieux. Cette observation vous renseigne sur deux aspects importants:

- le type de sol sous la première couche superficielle;
- la façon dont les couches s'interpénètrent.

Dans la nature, il y a une certaine interpénétration des couches, ce qui permet à l'air, à l'eau, aux organismes du sol et aux racines de circuler plus facilement entre ces différentes strates de sol. © Michel Renaud

Lorsque l'on creuse le sol, on s'aperçoit de différences notables à mesure que l'on descend. On remarque des changements de couleurs, d'odeurs, de textures et de structures. À ce stade de votre lecture, vous comprenez sûrement que la nature ne fait rien au hasard et que chaque couche a sa fonction bien précise. Dans un sol naturel, habituellement, les couches de sol ne changent pas de façon marquée. Il y a intégration des couches les unes aux autres.

Les racines de plusieurs plantes vivaces peuvent descendre à plus d'un mètre dans le sol.

Malheureusement, dans les milieux urbains ou dans les banlieues, les différentes couches ont souvent été bouleversées. De la nouvelle terre a été ramenée et simplement déposée en oubliant de prendre soin de cette communication importante entre ces couches. Souvent, moins de 15 cm de terre ont été ajoutés sur un sol compacté par de la machinerie et sans aucune préparation. Il est donc fort possible qu'il n'y ait aucune connexion entre le sol rapporté et la terre d'origine. Cette situation peut causer des problèmes importants pour la santé des plantes et leur réseau d'entraide.

L'importance de la communication entre les strates de sol vous permet de mieux apprécier les plantes sauvages à racines pivotantes comme les pissenlits qui viennent améliorer cette connexion.

Question !

Au jardin, avez-vous recueilli des informations sur les couches en réalisant un profil de sol à quelques endroits sur votre terrain, et ce, surtout si la terre de votre site a été rapportée ?

Observations et tests maison

En gardant en tête les différents points qui précèdent, je vous propose une série d'observations et de tests maison pour identifier les constituants du sol et sa fertilité.

Une lecture, ou une relecture, du chapitre «Observer la terre et le sol» est recommandée avant de commencer les expérimentations.

Pour réaliser ces exercices sur un site existant, munissez-vous d'une truelle ou d'une petite pelle à vivaces. Analysez les sols de vos plates-bandes et celui sous votre pelouse. Observez séparément chaque parcelle qui vous semble différente pour connaître les caractéristiques de chacun de ces types de sols. Analyser ensemble différents types de sols est de peu d'utilité. Faites vos sondages dans les premiers 20 cm de sol (sauf si vous faites un profil du sol).

Une petite pelle à vivaces est l'outil idéal pour faire des sondages dans la pelouse. Une truelle fait également l'affaire.

© B. Dumont/Horti Média

À l'aide de différents tests et observations, faites des recoupements et validez vos observations. Vous pourrez ainsi vous faire une idée assez juste de la *tendance* du sol que vous observez. En effet, on parle bien ici de tendance, ce qui est habituellement suffisant en aménagement paysager.

C'est de toute façon beaucoup mieux que la pratique générale actuelle qui consiste à acheter une terre de plantation sans vraiment en connaître les caractéristiques, ni les propriétés du sol où elle sera intégrée ou les besoins des plantes qui y seront implantées.

L'interprétation de certains tests et observations mériterait parfois des nuances supplémentaires, mais même sans ces précisions, les jardiniers amateurs peuvent facilement évaluer les qualités de leur sol. L'important, ici, est de vous donner le goût de prendre votre sol dans vos mains, de l'évaluer et d'y mettre des qualificatifs: *riche*, *moyennement riche* ou *pauvre*, *léger*, *meuble* ou *lourd*.

Peut-être allez-vous, comme moi, prendre goût à l'identification des sols et troquer, le printemps venu, la pelle à neige contre une petite pelle à terre et identifier, lors de vos excursions, le type de sol sous les plantes que vous rencontrez.

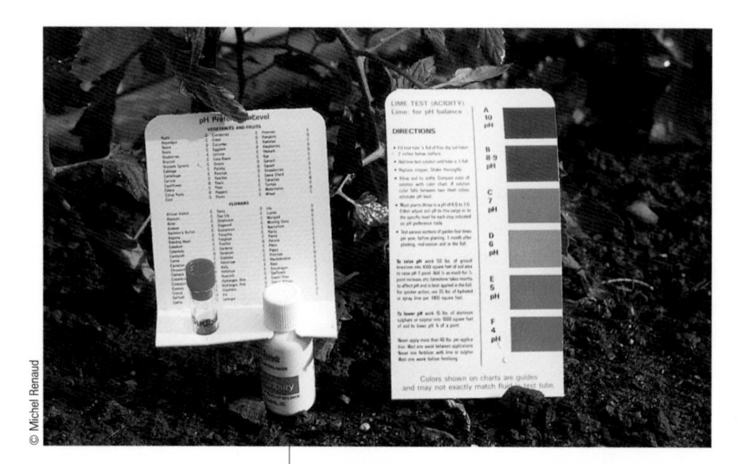

© Michel Renaud

Analyses maison ou analyses de laboratoire

Ce sont les analyses de laboratoire couplées aux observations sur le terrain qui permettent une évaluation complète de la situation.

Cependant, même sur un petit terrain, les analyses de laboratoire peuvent rapidement devenir onéreuses. Chaque parcelle qui contient une terre différente doit être analysée séparément. Pour que les résultats soient probants, il faut parfois répéter certaines analyses plusieurs fois. De plus, il faut posséder un minimum de connaissances pour interpréter de façon écologique les résultats fournis.

Pour les cultures commerciales ou pour les projets plus importants, ces tests de laboratoire sont essentiels. Cependant, dans le cas de résidences privées, la série d'observations et de tests maison est souvent suffisante.

Si vous faites des analyses de laboratoire, privilégiez en premier lieu une analyse de texture du sol (ou de granulométrie, son synonyme). Cette analyse vous donne le pourcentage en poids de sables, de limons, d'argiles et de matières organiques totales dans votre sol, ainsi que la classe texturale: sol sableux, sablo-limoneux, organique, etc. *C'est l'analyse que je considère la plus intéressante pour évaluer le potentiel d'un sol. Cette analyse est différente des analyses standard qui déterminent la teneur en éléments minéraux dans la solution du sol et le pH.*

Lorsque vous évaluez un sol, suivez le déroulement logique suivant, sous forme de questions.

Quels sont la vigueur et l'état de santé des plantes?

L'observation de la couleur et de la vigueur des plantes sauvages vous renseigne sur le type de fertilité d'un sol. Un sol riche fait généralement pousser des plantes plus vertes, plus vigoureuses, plus luxuriantes et plus hautes qu'un sol pauvre.

Ma pelle pénètre-t-elle facilement dans le sol?

Prélevez ensuite un peu de terre. Sur un site existant, la facilité ou la difficulté à faire pénétrer la pelle ou la truelle dans le sol fournit de bonnes indications. Si votre pelle pénètre difficilement, vous pouvez supposer que l'activité microbienne y est déficiente ou que c'est un sol lourd très piétiné et très compacté.

Qu'est-ce que ça sent?

Immédiatement après avoir prélevé de la terre d'un sol, humez-en l'odeur. Si la terre sent bon, c'est habituellement signe d'une bonne activité microbienne et d'un bon drainage. L'eau n'y stagne pas. Si elle sent mauvais, c'est signe d'un mauvais drainage ou d'une mauvaise dégradation de la matière organique.

Pour une terre en sac, c'est un peu différent. Celles qui ne contiennent que du sable et de la tourbe de sphaigne ou de la terre noire, ne sentent pas grand-chose, car il n'y a pas beaucoup d'activité biologique. Si, en ouvrant le sac, vous percevez des odeurs, c'est un signe qu'il y a une activité biologique. Comme les gaz produits par l'activité microbienne sont emprisonnés dans les sacs, l'odeur finit par être déplaisante. Ce n'est pas nécessairement mauvais signe. C'est un signe qu'il y a des débris et des humus actifs dans le sac et une activité biologique pour les dégrader.

Y a-t-il des agrégats dans le sol?

Si oui, faites-vous la différence entre un agrégat *très fragile*, *friable* et *indestructible*?

Si les agrégats sont très *fragiles*, qu'ils brisent très facilement dès que l'on y exerce la moindre petite pression et qu'on y observe peu de trous faits par les organismes du sol, vous êtes probablement en présence de sable, de tourbe de sphaigne ou de terre noire. Il s'agit alors d'un sol pauvre à moyennement riche.

Si les agrégats se maintiennent tout seuls et que, même s'ils se désagrègent sous la pression des doigts, on dénote cependant une certaine cohésion, une certaine plasticité entre les particules et une certaine résistance à l'écrasement, vous êtes en présence d'agrégats *friables* formés de constituants minéraux (sables, argiles ou limons), d'humus actifs et d'une bonne activité microbienne. On observe d'ailleurs de petits trous dans ces agrégats, signe de cette activité. C'est souvent le signe d'un sol riche ou moyennement riche.

Un sol sableux sans humus ne forme pas d'agrégats.

Agrégats très fragiles *de terre noire.*

Agrégats très fragiles *d'une terre de plantation constituée de sables et de terre noire.*

Agrégats friables *d'un sol riche. Observez la couleur un peu plus pâle.*

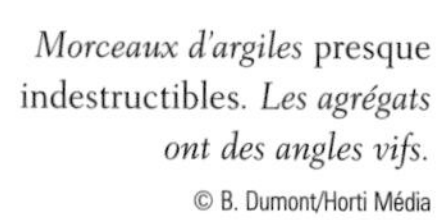

Morceaux d'argiles presque indestructibles. *Les agrégats ont des angles vifs.*

© B. Dumont/Horti Média

Quelle est la couleur du sol?

L'observation de la couleur est très aléatoire et l'on ne devrait jamais tenter d'identifier un constituant du sol avec cette seule information. Cependant, une couleur très pâle indique souvent un sol sablonneux quoique, dans certaines régions, il existe des sables foncés. Une couleur noir foncé indique une forte proportion de matière organique, souvent une forte proportion de terre noire. Une couleur brun foncé indique souvent la présence de limon, quoique le limon peut exceptionnellement être plus pâle ou même gris. Au Québec, l'argile est souvent grise ou bleue, mais pas partout.

Quelle est la sensation au toucher?

Pour ce test, il est préférable que le sol soit moyennement humide.

- Les *sables* ont une texture *rugueuse* comme du papier sablé.
- Les *limons* ont une texture *onctueuse* comme du savon.
- Les *argiles* ont une texture *moelleuse* semblable à de la pâte à modeler.

Quant aux *matières organiques*, elles ont une texture plus *gluante* que les limons, mais la différence au toucher entre ces deux constituants n'est pas toujours évidente.

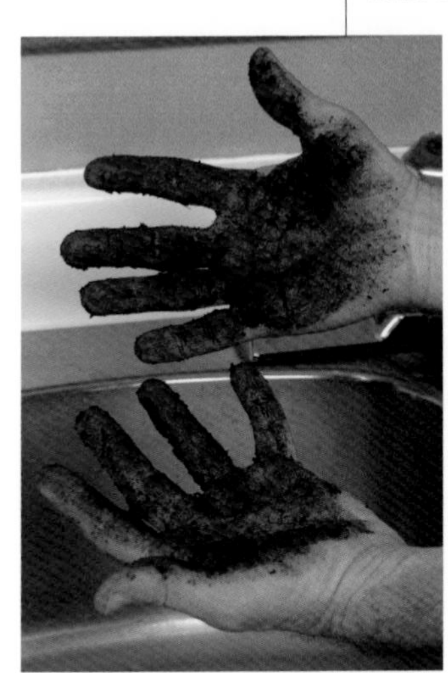

Si vos mains sont tachées de noir foncé, vous êtes en présence d'humus, probablement de terre noire. © B. Dumont/Horti Média

Est-ce que la terre tache les mains?

Maintenant que vous avez manipulé de la terre dans vos mains, observez-les. Frottez-les vigoureusement. Enlevez toutes les particules de terre. Si vos mains et l'intérieur de vos doigts ne sont pas tachés, vous êtes en présence de sables ou d'argiles. Attention: encore une fois l'identification par la couleur est très aléatoire et ne peut constituer à elle seule un test d'identification fiable.

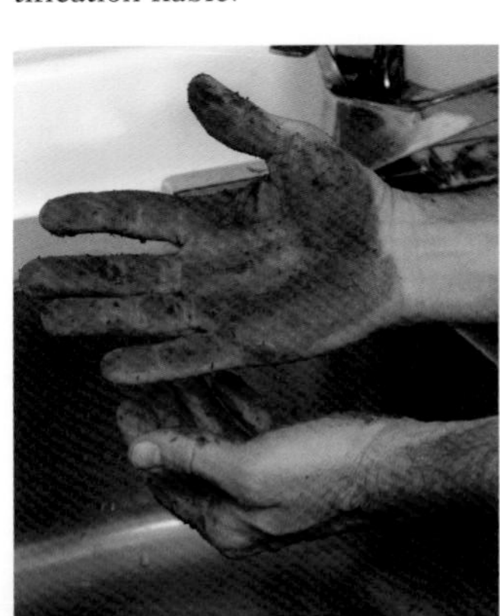

Vos mains sont tachées de brun foncé? Votre sol contient probablement des limons. Les limons imprègnent profondément les pores et les lignes de la main. © B. Dumont/Horti Média

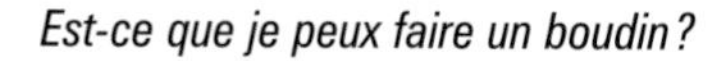

TRUCS ET CONSEILS

Pour savoir si vous avez le bon taux d'humidité, pressez la motte de terre fortement entre vos doigts. Si des gouttes s'en écoulent, votre terre est trop humide. Si la terre s'effrite et n'a aucun corps, la motte est trop sèche ou vous êtes en présence d'un sable presque pur.

Est-ce que je peux faire un boudin?

Le test du boudin est l'expérimentation la plus révélatrice pour définir la texture du sol.

Pour ce test, la terre doit être suffisamment humide pour former une boule, mais non détrempée.

Voici l'exercice:

1) prenez un peu de terre dans vos mains, environ 30 g, suffisamment pour faire une boule de 3 à 4 cm ou 1,5" de diamètre;

2) enlevez tous les cailloux et les débris organiques non décomposés;

3) pétrissez légèrement la terre pour briser les agrégats et la rendre plus malléable;

4) si la terre est trop sèche, humectez-la, goutte à goutte si nécessaire, jusqu'à la consistance d'une pâte à modeler malléable et plastique;

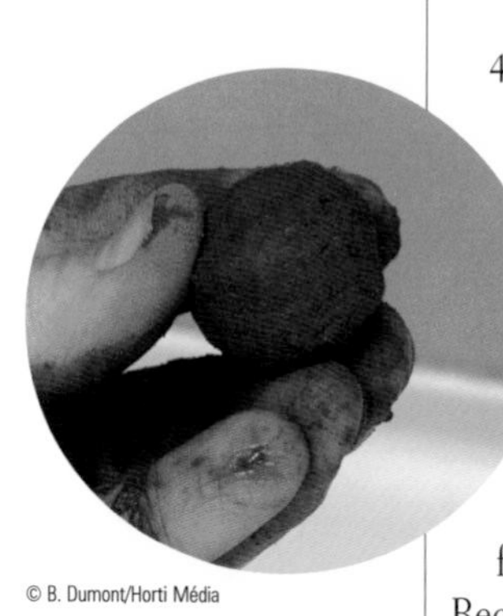

© B. Dumont/Horti Média

Si vous pouvez former une boule, votre terre contient autre chose que du sable. Poursuivez...

5) essayez maintenant de former une petite boule d'environ 3 cm (25 g), dans la paume de votre main;

6) roulez la boule entre les paumes de vos mains pour former un ruban ou un boudin du diamètre d'un crayon. Recommencez plusieurs fois si nécessaire. La technique s'acquiert avec l'expérience.

Si vous pouvez former une boule, mais ne pouvez former de boudin mince, alors votre sol contient des sables et des matières organiques (terres noires, tourbes de sphaigne, composts...) mais peu de limons ou d'argiles.

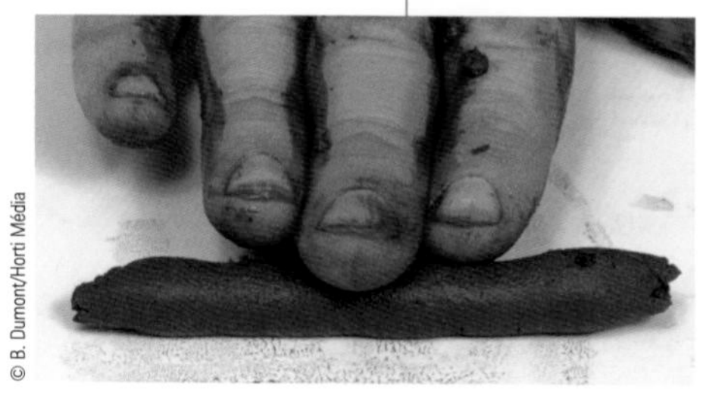

© B. Dumont/Horti Média

Si vous pouvez former un boudin mince, vous êtes nécessairement en présence d'une terre contenant des limons ou des argiles, les deux seuls constituants possédant la cohésion nécessaire vous permettant de le faire. Plus vous pouvez former un ruban long et mince, plus votre terre contient des argiles.

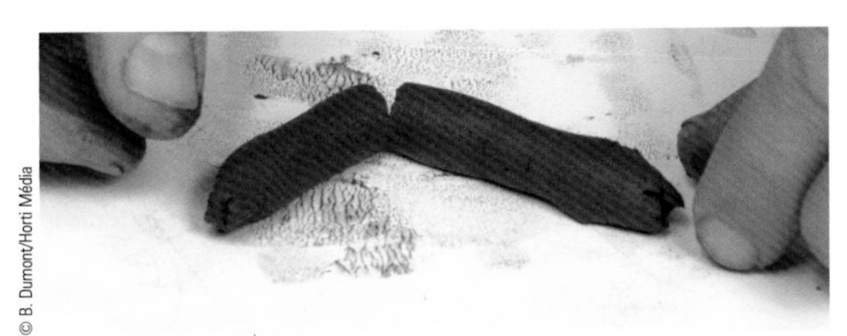

© B. Dumont/Horti Média

7) essayez maintenant de former un cercle avec le boudin. Si vous ne pouvez ni le former ni même le plier légèrement sans le briser, vous êtes en présence d'un sable limoneux ou d'un sol limoneux. Si vous pouvez plier légèrement le boudin, vous êtes probablement en présence d'une terre franche qui contient un peu d'argile. Plus vous pouvez plier le boudin et former un cercle, plus la proportion d'argile est importante.

© B. Dumont/Horti Média

Si vous pouvez former un cercle en rejoignant les deux bouts ensemble sans casser le boudin, vous êtes en présence d'un sol argileux.

RECONNAÎTRE LES CONSTITUANTS DE LA TERRE AVEC LE TEST DU BOUDIN

	Il est possible de former une boule	Il est possible de former un boudin	Il est possible de former un cercle fermé
Sol sableux	Non	Non	Non
Sol limoneux	Oui	Oui	Non, il se casse
Sol argileux	Oui	Oui	Oui, il est élastique
Terre franche (mélange de sable, de limon et d'argile)	Oui	Oui	Variable dépendant de la teneur en argiles
Sol organo-sableux 75 % MO – 25 % sable	Oui	Non	Non

Illustration : Sébastien Gagnon

Le test du pot de verre

Pour pousser un petit peu plus loin votre identification des constituants du sol, vous pouvez facilement réaliser un test de sédimentation à l'aide d'un simple pot de verre. En voici la procédure :

© B. Dumont/Horti Média

1) prélevez d'abord trois ou quatre échantillons de terre dans les premiers 20 cm d'une parcelle contenant le même type de sol ;

2) mélangez ensuite la terre dans un récipient (un seau, par exemple) ;

3) enlevez les débris organiques non décomposés et les cailloux ;

4) prélevez-en deux tasses ;

5) si la terre est très humide, faites-la sécher légèrement à l'air, au soleil ;

© B. Dumont/Horti Média

6) une fois sèche, écrasez les mottes et émiettez le plus possible la terre. Vous pouvez la tamiser, mais n'oubliez pas de bien émietter les particules de terre, plutôt que de les enlever pour ne pas fausser l'expérience ;

7) prenez un pot de verre clair, de style Mason de 500 ou 750 ml et remplissez-le de terre jusqu'à la moitié ;

8) ajoutez une cuillerée à table de sel de table, pour favoriser le dépôt des argiles ;

© B. Dumont/Horti Média

9) secouez pour bien mélanger les ingrédients secs ;

10) emplissez ensuite le pot d'eau jusqu'aux 2/3 ;

11) secouez énergiquement à nouveau *pendant au moins deux minutes*, pour bien séparer les particules ;

12) déposez sur une tablette et revenez dans deux ou trois jours.

Faites des prétests

Pour vous familiariser avec le test de sédimentation, faites des expériences avec du sable pur ou presque pur, de la terre noire en sac et de la tourbe de sphaigne, comme dans les photos ci-dessous. Vous serez ainsi plus à même d'identifier ces constituants dans vos pots contenant les terres de vos plates-bandes et pelouse.

© Michel Renaud

N° 1 Sable presque pur. Remarquez la fine couche de limon sur le dessus du sable.

N° 2 Terre noire commerciale en sac provenant d'une tourbière. Remarquez la couleur noir foncé caractéristique.

N° 3 Tourbe de sphaigne. Le phénomène de mouillabilité empêche la tourbe de couler au fond.

N° 4 Terre limoneuse.

INTERPRÉTEZ LES RÉSULTATS DU TEST DU POT DE VERRE

© Michel Renaud

Pot n° 1 : toute ou presque toute la terre est noir très foncé.
Vous êtes en présence d'une terre organique composée presque exclusivement de terre noire, de tourbe de sphaigne ou de compost.

Pot n° 2 : la séparation entre les couches est difficilement perceptible.
Vous êtes probablement en présence d'une terre franche (mélange de sables, de limons, d'argiles et de matières organiques) dont les constituants sont fortement liés. C'est une terre d'origine et non une terre commerciale rapportée.

Pot n° 3 : Vous observez des couches distinctes : la couche du fond est composée de sables et de limons grossiers; la deuxième couche, de limons fins, souvent mélangés à l'argile. Il y a parfois une troisième couche très mince et très pâle qui peut être formée de constituants minéraux lessivés dans le sol. La dernière couche noire du dessus est composée de matières organiques. Parfois, les matières organiques sont aussi intimement mélangées aux constituants minéraux des couches inférieures. Des débris organiques peuvent flotter à la surface du pot.

Si vous observez des couches distinctes, mesurez-les avec une règle pour connaître la proportion des différents constituants. Calculez l'épaisseur d'une couche et divisez-la par l'épaisseur totale de la terre présente, puis multipliez par 100. Vous aurez ainsi la proportion du constituant qui forme cette couche par rapport à la terre totale.

Exemple 1

Dans un pot, la couche de sable est de 5 cm et l'épaisseur totale de la terre est de 10 cm.

5 ÷ 10 x 100 = 50 % de sables dans la terre analysée.

Exemple 2

Dans un pot, la couche de sable est de 5 cm et l'épaisseur totale de la terre est de 12 cm.

5 ÷ 12 x 100 = 42 % de sables dans la terre analysée.

Faites le même calcul pour les autres couches et vous aurez ainsi la proportion approximative des constituants de votre sol en volume. Ces résultats seront légèrement différents des analyses de texture en laboratoire qui sont calculées en poids. Toutefois, la différence ne fausse habituellement pas les résultats du test maison d'un sol.

Si vous avez réalisé les différents tests et observations proposés, vous avez maintenant en main pratiquement toutes les informations nécessaires pour classifier la tendance d'un sol que vous observez.

Quels sont les éléments minéraux existants dans le sol?

Abordons brièvement la question de la disponibilité des éléments minéraux ou nutritifs dans le sol. Brièvement, puisqu'en aménagement paysager écologique et avec les méthodes proposées dans ce livre, cette question se règle assez facilement.

Dès la fin du XIXe siècle, les scientifiques ont constaté que les plantes prélevaient du sol en plus grande quantité trois éléments nutritifs principaux, soit l'azote, le phosphore et la potasse (les trois chiffres inscrits sur les sacs d'engrais commerciaux représentent ces trois éléments). Outre ces trois éléments, les plantes prélèvent du sol, en quantité moindre, jusqu'à 31 autres éléments minéraux (les oligo-éléments) dont le rôle est aussi important. On connaît de nombreux rôles de ces minéraux dans les plantes, mais les recherches restent à compléter.

Au Québec, si vous implantez dès le départ vos végétaux dans le bon biotope, la plupart des minéraux nécessaires à leur bon fonctionnement se trouvent normalement en quantité suffisante dans le sol (attention, la situation peut être très différente au potager). Cependant, le *phosphore* et le *calcium* sont souvent déficients surtout si vous implantez des cultivars et des plantes exotiques qui proviennent de milieux où ces deux éléments sont en plus grande quantité.

Bon à savoir

Le phosphore est un élément central pour la floraison, la fructification, l'enracinement et la croissance des plantes.

Le phosphore

Le contenu en phosphore des sols québécois est faible dans presque toutes les régions. Si vous voulez faire pousser des plantes à fleurs non indigènes, il est probable que vous allez manquer de phosphore. C'est pourquoi, lors de la préparation de sols de plantation, les jardiniers écologiques qui choisissent des plantes à fleurs non indigènes utilisent de façon presque systématique de la poudre d'os, qui contient cet élément. Cette donnée doit cependant être tempérée par l'information suivante : les anciennes terres agricoles ou les terres provenant de sols agricoles contiennent parfois du phosphore en excès, à cause des pratiques de fertilisation des cinquante dernières années. Les sols de la région du Saguenay–Lac-Saint-Jean (l'ancienne mer Laflamme) ont aussi une teneur plus élevée en phosphore.

Bon à savoir

Le calcium est un élément central pour neutraliser l'acidité du sol et favoriser sa structuration.

Le calcium

Hors des anciens dépôts argileux des anciennes mers Champlain (la vallée du Saint-Laurent) et Laflamme (Saguenay–Lac-Saint-Jean) et du fond des anciens grands lacs glaciaires d'Abitibi, la teneur des sols québécois en calcium est souvent très faible. Hors des régions citées, les jardiniers ajoutent systématiquement de la chaux ou de la cendre de bois franc pour apporter cet élément.

Je vous expliquerai les modalités des apports d'éléments minéraux au chapitre « Modifier ou recréer un écosystème ». Pour l'instant, souvenez-vous que, pour la plupart des terres minérales du Québec, il y a un manque de phosphore si vous implantez des plantes non indigènes, particulièrement des plantes à fleurs et que, hors des dépôts des mers et lacs postglaciaires il y a un manque de calcium pour de nombreuses plantes de jardin non indigènes.

La potasse et le fer

Les sols québécois regorgent en général de ces deux éléments. Lorsque l'activité biologique et le pH sont corrects, la disponibilité de ces deux éléments est très grande, et il n'y a habituellement aucune carence de ceux-ci. Cependant, si le sol a reçu des pesticides et des engrais chimiques pendant longtemps et qu'on n'a pas entretenu l'activité biologique par des apports réguliers de litière organique ou d'humus actifs, le fer et la potasse ne sont plus disponibles même si le sol en regorge. C'est pourquoi, en horticulture et en agriculture conventionnelles, où on utilise beaucoup de pesticides, on se soucie beaucoup de la potasse et du fer et qu'on apporte des doses importantes de potasse, par exemple, ce qui n'est pas le cas en aménagement paysager écologique.

Au jardin, vous pouvez vous procurer des petites trousses d'analyses maison pour établir la teneur en phosphore et la présence de quelques autres minéraux dans le sol. Ces trousses, qui ne sont pas assez précises pour des cultures spécialisées, vous donnent la tendance approximative de vos sols, ce qui est habituellement suffisant en aménagement paysager. Si vous le désirez, les analyses de laboratoire standard, vendues dans la plupart des centres-jardin vous fournissent aussi cette information de façon beaucoup plus précise.

Certaines plantes, comme les azalées, demandent un sol acide à très acide.

© B. Dumont/Horti Média

Quel est le pH du sol du biotope?

Connaître le pH d'un sol est très important puisque celui-ci a une influence incontournable sur l'activité biologique et la disponibilité des éléments minéraux. Heureusement, c'est une information très facile à obtenir. Vous pouvez vous procurer dans les centres-jardin, à peu de frais, une trousse d'analyse de pH. Celle-ci vous donne la tendance approximative du pH de vos sols, ce qui est habituellement suffisant en aménagement paysager. Peu coûteuses, les analyses de pH de laboratoire vous fournissent des informations précises et utiles.

DÉFINITION	PH	TYPES DE PLANTES QUI AIMENT CE TYPE D'ACIDITÉ
Très acide	Moins de 5,0	Sphaignes, mousses…
Acide	5,0 à 6,0	Rhododendrons, azalées, bruyères…
Légèrement acide	6,0 à 6,5	Impatientes, hortensias, amélanchiers…
Neutre	6,5 à 7,5	La plupart des plantes de potager et beaucoup de plantes ornementales
Légèrement alcalin	7,5 à 8,5	Chrysanthèmes, œillets…
Très alcalin	Plus de 8,5	Roses de Meaux…

Évaluer la fertilité d'un sol

Si vous avez fait tous les tests et observations que je vous ai proposés, vous avez maintenant en main suffisamment de données pour évaluer la fertilité de votre sol: est-il *pauvre*, *plus ou moins riche* ou *riche*?

Sol pauvre

Constitué de sables ou d'humus très stables, un sol *pauvre* contient très peu d'agrégats (ils sont très fragiles). Il contient peu de limons fins et d'argiles et il n'a pas assez d'humus actifs pour favoriser la structuration du sol.

Avec un sol pauvre léger, vous ne pouvez faire de boudin ou même souvent une simple boule dans vos mains. Au test du pot de verre, il pourra y avoir plus de 75% de sable ou un mélange de sables et de terre noire ou de tourbe de sphaigne. Cependant, un sol pauvre peut aussi être très lourd et constitué d'argiles presque pures sans humus.

Yucca filamenteux

© B. Dumont/Horti Média

Sol moyennement riche

Dans un sol *moyennement riche*, on dénote la présence d'agrégats friables, mais en moins grand nombre que dans un sol riche. Ils sont aussi souvent plus fragiles et moins résistants sous la pression des doigts. Dans ce type de sol, il y aura eu des apports de composts actifs, ou la litière organique produite par les plantes aura été laissée au sol. Il contient nécessairement des limons ou des argiles, ou des humus actifs et des débris végétaux facilement dégradables, mais aussi une bonne proportion de sables ou d'humus très stables.

Avec un sol plus ou moins riche, vos mains seront nécessairement tachées après avoir manipulé la terre. Dans le test du pot de verre, il y aura habituellement moins de 75% de sable. Votre pH sera légèrement acide ou neutre.

Œillet bleuâtre 'Frosty Fire'

© B. Dumont/Horti Média

Caryer glabre © B. Dumont/Horti Média

Sol riche

Vous avez plus de chance d'être en présence d'un sol riche si le sol que vous observez provient des anciens dépôts argileux de l'ancienne mer de Champlain, de la mer Laflamme ou des anciens lacs Barlow et Ojibway en Abitibi, ou si les particularités locales de votre site font que vous êtes situé près d'un cours d'eau ou d'une baissière limoneuse.

Dans un sol *riche*, on dénote la présence d'agrégats friables dont on sent la cohésion et une certaine résistance à la pression des doigts. On perçoit aussi habituellement de petits trous dans ces agrégats, signe d'une activité biologique intense. Il y aura eu des apports de composts actifs, ou la litière organique produite par les plantes aura été laissée au sol. Dans un véritable sol riche, il y a une interpénétration entre les différentes couches de sol et le drainage est bon. Toutefois, un sol riche peut aussi être mal drainé et accueillir des plantes de sols riches et très humides tels des iris versicolores ou des eupatoires maculées. Un sol riche contient nécessairement des limons ou des argiles, ou des humus actifs et des débris végétaux facilement dégradables.

Avec un sol riche, vous pouvez habituellement faire un boudin en roulant la terre dans vos mains et celles-ci seront nécessairement tachées après ce test. Dans le test du pot de verre, il y aura moins de 65% de sable. Votre pH sera habituellement légèrement acide ou neutre.

Maintenant, grâce à toutes ces informations, vous êtes capable de classifier la fertilité des sols que vous observez et d'y implanter des plantes qui s'y sentiront à l'aise. C'est la façon la plus écologique et la plus économique de procéder. Toutefois, si vous désirez installer des plantes qui ne correspondent pas au sol dans lequel vous voulez les planter, consultez le chapitre « Modifier ou recréer un écosystème ».

Quel est le type d'humidité du sol du biotope?

Dans la nature, l'humidité du sol, aussi sûrement que la lumière, la rusticité ou le type de sol, est un critère qui influence le type de peuplement d'un lieu donné. En fait, le type de sol et l'humidité du sol sont étroitement liés. Il est fréquent de trouver des sols sablonneux, pauvres et secs et des sols riches, frais ou humides. Toutefois, on peut aussi observer des sols sableux humides dans des baissières, ou sur le bord des cours d'eau, et des sols riches et secs dans des milieux drainés, quoique ces situations sont moins fréquentes.

La classification proposée est en quatre classes. Encore une fois, il faut considérer cette classification comme une tendance et il y a toujours des nuances à considérer.

Sol sec

C'est un sol où l'humidité est peu perceptible, voire inexistante, durant la presque totalité de la belle saison. Un sol sec est très souvent sableux ou caillouteux avec un sous-sol drainant. Toutefois, un sol argileux situé en haut d'une pente, ou sur un terrain drainé par les racines d'immenses arbres, pourra également être sec.

L'illustration ci-dessous représente schématiquement la proportion approximative de terre, d'air et d'eau dans un sol d'une porosité de 50 % (50 % de terre et 50 % de pores entre les particules de terre). Dans un sol sec, l'air occupe la majeure partie des pores libres du sol sauf immédiatement après de fortes pluies.

Les thyms prospèrent dans les sols secs.

© B. Dumont/Horti Média

Illustration : Xavier Gervais-Dumont

Les sols frais et bien drainés sont excellents pour les herbes à gazon des pelouses résidentielles comme les pâturins des prés (Poa pratensis) et les fétuques fines (Festuca rubra).

© Michel Renaud

Illustration : Xavier Gervais-Dumont

Sol frais et bien drainé ou moyennement humide

Un *sol frais et bien drainé* évacue rapidement l'eau de ses macropores, évitant ainsi l'asphyxie des racines et des organismes du sol. En même temps, il retient l'eau capillaire dans ses agrégats ou ses humus pour abreuver les racines et les organismes du sol de façon continue. C'est comme de l'eau embouteillée rangée sur les tablettes d'un supermarché. L'eau capillaire est la réserve d'eau du sol conservée dans les agrégats ou les humus même plusieurs jours après des pluies.

Un sol frais et bien drainé peut aussi être un sol qui est constamment nourri en eau par de l'eau de ruissellement provenant d'une montagne par exemple, mais qui, en même temps, se draine bien.

Un sol moyennement humide contient, la plupart du temps, de l'humidité et c'est perceptible visuellement et au toucher. Cependant, lorsqu'on le presse fortement entre ses mains, il n'y a pas d'eau qui s'en écoule.

Comme on le voit dans l'illustration ci-dessus, un sol frais et bien drainé ou moyennement humide contient approximativement 25 % d'eau en volume. Lors d'une période de sécheresse, ce sol qui est drainé peut s'assécher. À l'inverse, un sol frais peut se gorger d'eau lors de fortes pluies et devenir humide pour quelques jours. Mais la plupart du temps un sol moyennement humide contient environ 25 % d'eau et 25 % d'air.

Bon à savoir

Un sol frais peut être alimenté en humidité par une nappe phréatique à moins de 1,20 m de profondeur.

Sol humide

Un sol humide retient plus d'eau qu'un sol frais drainé. Contrairement au sol frais qui peut s'assécher lors d'une sécheresse, un sol humide ne s'assèche que pour de courtes périodes de deux ou trois jours, sinon les plantes de sol humide qu'il abrite dépérissent. Dans l'illustration ci-dessous, on constate que la proportion d'eau est plus élevée que la proportion d'air dans le sol.

Les astilbes de Thunberg 'Ostrich Plume' prospèrent dans des sols humides.

© B. Dumont/Horti Média

Illustration : Xavier Gervais-Dumont

Les iris versicolores, les lobélies cardinales (en photo), les plantes de fonds de fossés mal drainés et les plantes de bords de lacs inondés périodiquement sont des plantes de sols très humides.

© B. Dumont/Horti Média

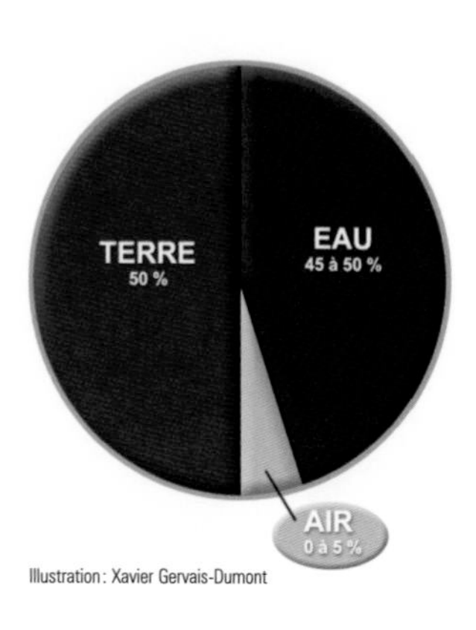

Illustration : Xavier Gervais-Dumont

Sol très humide ou détrempé

Un sol très humide est un sol dont tous les pores, autant les macropores que les micropores, sont presque constamment occupés par de l'eau. Celle-ci est même souvent perceptible à la surface du sol, comme dans le fond d'un fossé mal drainé après une pluie. Si on presse la terre entre ses doigts, elle laisse s'échapper de l'eau.

Dans l'illustration ci-dessus, on observe qu'il n'y a pratiquement plus d'air dans le sol à part l'oxygène contenu dans l'eau elle-même.

Facteurs influençant la circulation de l'eau dans le sol

- Les constituants
- La structure
- La topographie
- La présence d'eau à proximité
- La hauteur de la nappe phréatique
- L'organisation des strates

Sur les verts de golf, composés de 80 % de sable, on crée une stratification nette entre deux types de sables à 45 cm de profondeur. En créant exprès une stratification, on évite le drainage trop brutal de l'eau qui doit saturer complètement la couche supérieure avant de s'égoutter dans la couche inférieure. © B. Dumont/Horti Média

Un phénomène étonnant

Des expériences en laboratoire et des observations sur le terrain ont mis en lumière un fait étonnant pour les néophytes en physique concernant le drainage de l'eau. Lorsqu'un sol est stratifié, c'est-à-dire qu'il y a une séparation nette entre deux couches de sol, il se produit un changement de pression entre ces deux couches. La couche du dessus doit alors complètement se saturer d'eau avant que l'eau puisse traverser dans la strate inférieure. Fait étonnant, ce phénomène est observé même si la couche inférieure est composée de sables et de cailloux drainants. Ainsi, même si vous avez installé des cailloux sous une plante dans un sol qui se draine mal, la couche supérieure doit se saturer complètement d'eau avant de finalement commencer à se drainer dans les cailloux du dessous.

TRUCS ET CONSEILS

Pour déterminer la qualité de votre drainage ou la hauteur de votre nappe phréatique, creusez simplement un trou assez profond et observez le comportement de l'eau dans ce trou à différents moments de l'année. Profitez-en pour observer le profil de votre sol.

Identifier le niveau d'humidité de votre sol

La façon la plus simple de reconnaître les différentes qualités de drainage de votre site est de vous y promener quelques heures après une forte, abondante et longue pluie. Si le sol est déjà ressuyé, qu'il semble drainé et qu'il commence déjà à sécher, vous êtes en présence d'un sol sec. Si, deux jours après cette forte pluie, le sol est drainé, mais qu'on y perçoit encore facilement de l'humidité, c'est qu'il est frais et bien drainé.

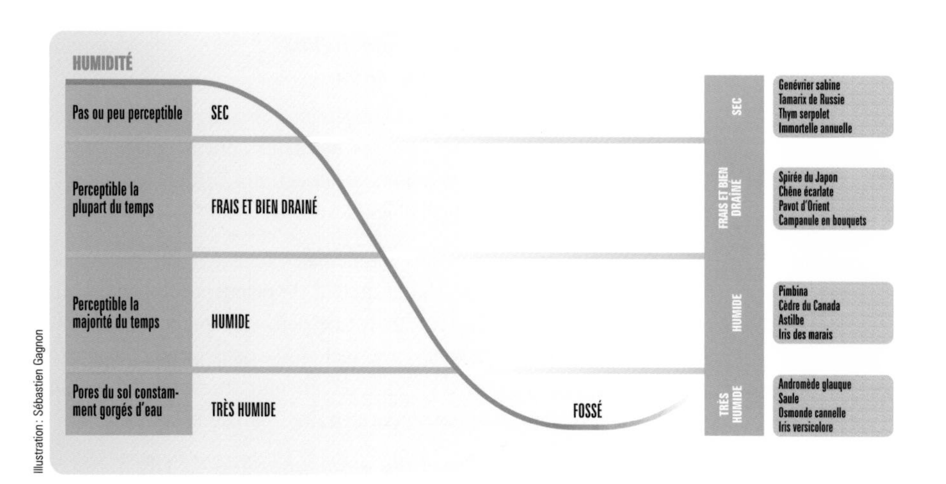

Illustration : Sébastien Gagnon

Si deux jours après cette forte pluie, vous rencontrez un endroit sur votre site qui est toujours détrempé, vous pouvez en déduire que c'est une parcelle humide. Si votre sol ne se draine jamais vraiment, vous êtes en présence d'un sol très humide ou détrempé.

Une bonne image pour représenter les quatre classes d'humidité possibles d'un biotope est l'exemple d'un fossé profond mal drainé. Le fossé peut s'assécher en surface, mais reste la plupart du temps très humide et même détrempé. Dans les premiers centimètres de la pente, le sol est humide par simple capillarité et osmose entre les particules. Vers la mi-pente, le sol reçoit une certaine quantité d'humidité par osmose, mais est très bien drainé et peut s'assécher occasionnellement. La partie supérieure est toujours sèche, sauf immédiatement après une pluie intense.

Quels sont les autres facteurs qui peuvent influencer mon biotope?

Selon les particularités du milieu, il est possible que, outre les questions de type de sol, de drainage, de luminosité et de rusticité, il y ait d'autres questions à se poser. Il est impossible d'imaginer tous les cas potentiels, mais je vous mets la puce à l'oreille par quelques questions complémentaires. Restez éveillé à tout ce qui pourrait influencer vos biotopes.

Les changements climatiques influencent-ils mon site ?

Il est évident que les changements climatiques annoncés et les extrêmes climatiques des dernières années ont et auront une influence sur certains sites et certains végétaux vivant à la limite de leur niche écologique.

Les réglementations municipales régissant l'utilisation de l'eau ont déjà perturbé la qualité de pelouses implantées sur des sols trop sableux. Essayez de percevoir quelles pourraient être les conséquences d'une sécheresse de deux mois, doublée d'une interdiction d'arrosage ou au contraire de trombes d'eau répétitives qui inonderaient certaines baissières de votre site.

Quelle est l'humidité atmosphérique du site ?

Pour certaines plantes, entres autres les épinettes, l'humidité de l'air est un critère très important. Avez-vous remarqué comment les épinettes qui croissent sur des falaises près d'une rivière semblent dans leur élément, et ce, malgré le sol quasi inexistant ? Ces plantes adorent une humidité ambiante élevée. Ces mêmes épinettes, implantées sur le versant sud d'une montagne, dans une atmosphère chaude et sèche, seront souvent la proie de maladies.

Pour les rosiers, les pommetiers et les gadeliers, c'est exactement le contraire. Ces plantes prospèrent dans une atmosphère sèche, ensoleillée et bien aérée. C'est donc une bonne idée de garder en tête le type d'humidité atmosphérique dans l'analyse de vos biotopes.

En hiver, les sels de déglaçage atteignent-ils les plantes ?

Si oui, ces sels pourront causer la mort de certaines plantes comme les cèdres (*Thuja canadensis*) qui sont incapables de vivre à proximité des émanations de sels des routes. Utilisez, si possible, des sels sans danger pour les plantes, maintenant vendus dans les quincailleries ou de la cendre ou du sable pour rendre vos surfaces moins glissantes.

Il existe cependant des plantes résistantes aux sels comme les hémérocalles fauves (*Hemerocallis fulva*). Restez donc vigilant à la présence de sels de déglaçage.

Y a-t-il une piscine et des émanations de chlore?

Si oui, les émanations et les éclaboussures pourraient faire dépérir certaines plantes. Reportez-vous au chapitre «Sélectionner des végétaux adaptés à votre écosystème» pour une liste de plantes résistantes au chlore.

Trucs ET CONSEILS

Dans une même plate-bande, on peut définir deux biotopes différents si certaines conditions changent. Le type de sol [on peut avoir apporté deux types de sols], la luminosité ou l'humidité, par exemple.

Des informations essentielles

Vous venez de faire le tour des principales questions que vous aurez à vous poser pour bien connaître le ou les biotopes de votre site. J'espère que vous avez plus d'un biotope sur votre site pour avoir le plaisir de multiplier vos possibilités. Avoir plusieurs biotopes sur son site représente un avantage certain, car cela vous permet de sélectionner des plantes de milieux différents, d'attirer des oiseaux, des papillons, des insectes et des organismes bénéfiques de différents milieux, donc de multiplier la biodiversité qui est la source de la stabilité et souvent de la beauté d'un écosystème.

Gardez en tête les caractéristiques de chacun de vos biotopes. L'illustration ci-dessous vous donne une idée de la manière de rassembler ces informations sur un plan. Au moment de la planification et de l'implantation d'une nouvelle plante, gardez toujours à l'esprit les caractéristiques de vos différents biotopes.

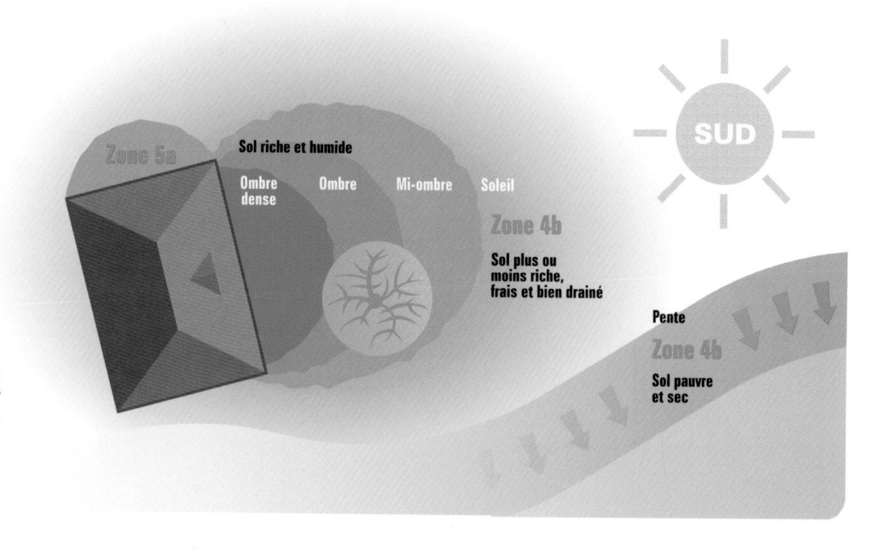

Illustration : Sébastien Gagnon

La communauté qui habite ou visite votre site, comme ici ce chardonneret sur une épinette, vous livre de précieux messages. © Michel Renaud

Observer les communautés qui vous entourent

AVEZ-VOUS DÉJÀ ENTENDU le proverbe «*Dis-moi qui tu fréquentes, je te dirai qui tu es*»? Pour un site, c'est un peu la même chose. Dites-moi qui fréquente votre site, je vous décrirai l'état de votre écosystème.

Identifier les organismes présents ainsi que les grands absents d'un milieu fournit de précieuses informations sur l'état de celui-ci. Le type et l'importance du nombre d'oiseaux, d'organismes du sol, d'insectes, de plantes sauvages, etc., sont de bons indicateurs.

Communauté

«Terme collectif désignant tous les organismes vivants partageant un environnement commun et entretenant des liens interactifs.»
Kingsley Stern, *Introductory Plant Biology*

Même si un site n'abrite encore aucune plante, que le sol y est à nu, il y a déjà une **communauté** qui y habite ou qui visite ce lieu. Si vous possédez déjà un jardin, la communauté écologique est encore plus importante et diversifiée.

Dans ce chapitre, je vous propose ma méthode personnelle pour analyser une communauté sur un site afin que celle-ci vous livre ses nombreux secrets. De plus, en cherchant à tirer le maximum d'informations des habitudes de vie de la communauté, vous obtiendrez un bonus: l'émerveillement.

Je vous amène donc dans un voyage d'observation de la nature. Nous commencerons par observer les végétaux, puis le monde fascinant des divers organismes animaux qui habitent, ou visitent, votre site.

Question!

Votre jardin abrite-t-il des cultivars génétiquement faibles?

Observer les plantes de votre site

Comme vous le savez déjà, le meilleur moyen pour analyser un écosystème, c'est de se poser des questions. En voici donc une série pour vous permettre de découvrir la communauté des plantes qui vous entoure.

Y a-t-il des plantes génétiquement faibles?

Au chapitre «Profiter des habitudes gagnantes de la Terre», je vous ai sensibilisé à la notion de plantes *génétiquement faibles*. Si votre jardin est existant, observez si vous avez ces végétaux *à problèmes*. Il est très important de bien les identifier car, peu importe qu'ils soient implantés dans le bon biotope ou les soins qu'on leur apporte, ils seront, la plupart du temps, la proie de ravageurs ou de maladies.

Heureusement, ces cultivars sont peu nombreux, mais malheureusement ils sont encore trop souvent vendus dans les jardineries, bien que plusieurs les aient retirés de leur catalogue.

Consultez le chapitre «Éviter les plantes génétiquement faibles» pour la liste de ces végétaux. Je vous indique aussi ce qu'il faut faire si vous en avez dans votre jardin.

Quel est le message des plantes sauvages?

Les plantes sauvages et les «mauvaises herbes» qui poussent spontanément sur votre site, ou qui reviennent plusieurs années de suite, peuvent vous renseigner sur le type de sol et les conditions du milieu.

Par exemple, du plantain installé dans une pelouse indique un sol compacté, souvent humide et mal drainé. Le chou gras, lui, pousse dans un sol riche en matières organiques actives, alors que l'achillée se contente d'un sol pauvre.

Il existe plusieurs livres sur les plantes bio-indicatrices et quelques sites Internet intéressants sur le sujet. Faites des recherches sous les appellations suivantes: «plantes indicatrices» ou «plantes bio-indicatrices».

Il faut cependant être prudent dans l'interprétation des observations de plantes sauvages. Il est plus important de considérer la communauté que forment ces plantes que celles-ci individuellement. Pour un diagnostic plus exact, observez les colonies qui sont installées là depuis deux ou trois saisons, ou encore qui reviennent d'année en année.

La présence de mousses indique un milieu humide, mal drainé, ombragé ou mi-ombragé et peu ventilé. © B. Dumont/Horti Média

Une colonie d'épervières (Hieracium *sp.*) *indique un sol acide, plutôt pauvre.* © Michel Renaud

Question!

Dans votre jardin, avez-vous déjà observé les racines des plantes sauvages pour comprendre le message qu'elles ont à vous livrer?

Dans la région de Montréal, à cause des dépôts de la mer de Champlain, les sols sont en général alcalins. Cependant, les pluies, l'utilisation d'engrais et la dégradation de matières organiques peuvent acidifier les premiers centimètres de sol. Des plantes indicatrices de sols acides, tels des fraisiers et de l'oseille, peuvent donc s'installer en surface alors qu'à dix centimètres sous la surface, le sol est alcalin. Il faut donc être très prudent dans l'interprétation du pH identifié à l'aide de l'observation des plantes sauvages.

Quel est le nom de la plante?

Il est souvent primordial de connaître le nom des plantes. Lorsque vous achetez un végétal, ou qu'il vous est donné, gardez précieusement son nom dans un dossier. Vous pourrez ainsi consulter les publications horticoles et retrouver sa niche écologique au besoin.

Conservez, si possible, le nom latin (avec la bonne orthographe) de la plante. C'est la façon la plus simple et la plus sûre de connaître son identité. En effet, l'utilisation du nom commun peut parfois vous induire en erreur.

Par exemple, l'érable de Norvège 'Crimson King' (*Acer platanoides* 'Crimson King') est souvent appelé dans le langage populaire *érable rouge* à cause de ses feuilles rouge pourpre toute la saison. C'est un arbre de zone 4b, haut de 12 m et large de 8 m. Il a un port ovoïde régulier. Sa croissance est moyenne, son enracinement, descendant, et sa transplantation, moyennement facile. Il abrite les oiseaux et résiste à la pollution. Cette plante de plein soleil aime un sol riche, léger à lourd, légèrement alcalin, frais et bien drainé.

Au Québec, le véritable *érable rouge* est l'*Acer rubrum* qui porte des feuilles vertes tout l'été et se pare de feuilles aux divers tons de rouge à l'automne.

Cette plante indigène de zone 3b atteint 20 m de haut et 16 m de large. Elle a un port ovoïde large. Sa croissance est moyenne, son enracinement, superficiel puis descendant, et sa transplantation, moyennement facile. Elle abrite et nourrit les oiseaux et est sensible à la pollution. C'est un arbre de plein soleil qui affectionne un sol riche, meuble, légèrement acide et humide.

Ainsi, le nom commun peut parfois vous induire en erreur, car il ne se rapporte pas toujours à la même plante et au même habitat.

Érable de Norvège 'Crimson King'
(Acer platanoides *'Crimson King'*)
© B. Dumont/Horti Média

Érable rouge, plaine ou plaine rouge au Québec, érable de Virginie en France et Red Maple, Scarlet Maple *ou* Swamp Maple *en anglais* (Acer rubrum). *C'est à l'automne seulement que ses feuilles sont rouges.*
© B. Dumont/Horti Média

Retrouver l'identité d'une plante n'est pas toujours évident. Toutefois, si vous ne connaissez pas son nom, il existe plusieurs façons de le découvrir. Les observations récoltées sur le terrain sont comparées à des livres de référence ou des informations présentées sur des sites Internet. Il est aussi possible de s'adresser à un jardinier expérimenté, un horticulteur, un botaniste ou un arboriculteur.

La meilleure méthode pour identifier une plante consiste à observer les attributs particuliers de la plante à différents moments de l'année. Il faut tout d'abord étudier le port et la disposition des branches. La forme et la couleur des fleurs, de l'écorce, des tiges, des feuilles, des fruits, la période de floraison, etc., sont autant d'indices.

Pour *les arbres, arbustes, rosiers et plantes grimpantes* à feuilles caduques, notamment ceux qui sont indigènes, l'identification des bourgeons est un des éléments les plus sûrs pour mettre un nom sur une plante. Les bourgeons sont un peu comme des empreintes digitales. Comme ils sont complètement formés au début de l'hiver, la saison froide est souvent le meilleur moment pour l'identification.

Bourgeon et jeune pousse de l'érable de Norvège 'Crimson King'. © B. Dumont/Horti Média

Bourgeon et jeune pousse de l'érable rouge. © B. Dumont/Horti Média

Pour les *conifères*, la disposition des aiguilles sur la tige (différente chez une épinette et un sapin), le nombre d'aiguilles qui sont réunies (comme pour les *pins* par exemple) et la dimension et la forme des cônes sont les meilleures caractéristiques.

Les *plantes herbacées à fleurs* (plantes vivaces, fleurs annuelles, bulbes, plantes grimpantes) sont généralement identifiées par leurs fleurs et leur époque de floraison, mais aussi par la couleur et la forme des feuilles, leur port, ainsi que la forme et la couleur des pousses printanières. Dans certains cas, les racines (ex. : iris, pivoines, hémérocalles, etc.) peuvent aussi servir à l'identification.

Question!

Avez-vous un système qui vous permet de conserver précieusement le nom latin de vos plantes?

Pour l'identification des *plantes sauvages ou indigènes*, les différents livres du groupe Fleurbec et l'incontournable *Flore laurentienne* du frère Marie-Victorin sont des aides inestimables.

Le réseau Internet est très utile pour préciser l'identité d'une plante. Faites la recherche à partir du nom latin (c'est un langage universel), même si le nom commun peut aussi vous mener à bon port. Certains sites permettent une recherche à partir d'un élément (pétiole, fleur, etc.) de la plante. Plusieurs sites sont proposés en bibliographie à la fin de ce livre.

Quelle est la santé des plantes existantes?

Il est important d'évaluer la santé des plantes existantes et d'identifier les plantes en dépérissement. Ces données changent souvent la perspective d'aménagement, surtout dans le cas d'un arbre (par exemple, s'il faut l'abattre, la quantité de lumière sur le site change radicalement). C'est également vrai pour la plupart des autres plantes du jardin.

Évaluer la santé des arbres

Quelques observations simples vous indiquent l'état de santé ou de dépérissement d'un arbre. Par exemple, à la fin du mois d'août, si le feuillage de l'arbre change de couleur plus tôt que chez les autres arbres de la même espèce, c'est un signe que la plante ne va pas bien. Il en est de même si la branche la plus haute de l'arbre, que l'on nomme « flèche » n'a plus de feuilles et dépérit.

L'observation de la qualité d'un bourrelet cicatriciel est une autre façon d'évaluer la santé d'un arbre.

Question!

Avez-vous évalué la vigueur des bourrelets cicatriciels sur vos arbres? Avez-vous observé la cime de l'arbre à la fin du mois d'août?

Un bourrelet cicatriciel est un tissu de cicatrisation qui recouvre une blessure (branche cassée ou coupée). Si le bourrelet est sain, vigoureux, ferme, l'arbre est en santé. Si, par contre, il est peu vigoureux, plutôt mou, d'aspect maladif, ou inexistant cela indique très souvent un dépérissement avancé de l'arbre. La présence de certains types de champignons sur le tronc d'un arbre dénote aussi un état de dépérissement très avancé.

Si vous observez plusieurs de ces caractéristiques sur un arbre, il serait sage de ne pas trop baser votre aménagement autour de cet arbre et d'en planter un nouveau tout près. La mort ou la possibilité qu'une branche ou l'arbre au complet tombe d'ici quelques années est réelle. Il serait donc sage de consulter un spécialiste.

Bourrelet vigoureux © Michel Renaud

Bourrelet peu vigoureux © Michel Renaud

Si vous observez ce type de champignon sur le tronc ou sur une branche d'arbre, la branche ou l'arbre sont en péril. Le point de non-retour est sans doute déjà franchi.

© Michel Renaud

Question!

Vos conifères perdent-ils leurs aiguilles au bout des branches?

Évaluer la santé des conifères

Les conifères ont habituellement la vie dure. Je ne connais pas de conifères génétiquement faibles à part les genévriers 'Skyrocket' et 'Mounbatten', car certaines personnes m'ont rapporté des problèmes à leur sujet.

Il est normal qu'un conifère perde des aiguilles. Toutefois, si les aiguilles des extrémités des branches jaunissent, le problème est sérieux, car un conifère sain perd surtout ses aiguilles intérieures. Si les aiguilles de vos conifères jaunissent par l'extérieur ou sont attaquées par des ravageurs ou des maladies, il est possible qu'ils soient très vieux ou dans le mauvais biotope.

Évaluer la santé des arbustes

Un arbuste peut vivre de très nombreuses années et même parfois se régénérer de la base, comme pour le lilas commun. Les principaux signes de mauvaise santé sont la présence de ravageurs ou de maladies, des branches séchées ou mortes et des feuilles séchant à la mauvaise période. Le plus souvent, cela est dû au fait que l'arbuste n'est pas implanté dans le bon biotope ou qu'il a été mal taillé.

Question!

Vous êtes-vous renseigné sur les bonnes techniques de taille?

Dans certains cas, les arbustes mal taillés sont irrécupérables, dans d'autres, on peut les sauver par des techniques de régénération précises. Il existe de bons livres sur le sujet et le site Internet du Jardin botanique de Montréal propose des informations de qualité sur ce sujet (voir références bibliographiques).

Il est possible de récupérer un arbuste mal taillé en pratiquant une taille de régénération.

© B. Dumont/Horti Média

Évaluer la santé des plantes vivaces, annuelles et des bulbes

Des feuilles qui sèchent à la mauvaise période, des fleurs qui apparaissent difficilement ou en moindre quantité que chez les parents proches, la présence de maladies et d'insectes sont les signes de plantes herbacées en mauvaise santé.

Question!

Vos plantes sont-elles dans le bon biotope?

Le plus souvent, cela est dû au fait que la plante est implantée dans le mauvais biotope. Certaines pratiques, malheureusement trop fréquentes, tels des excès d'arrosage ou de la surfertilisation, sont aussi à l'origine d'un dépérissement.

Évaluer la santé des herbes à gazon

Vos herbes à gazon sont des vivaces qui ont des besoins et des rôles comme toutes les autres vivaces de votre jardin. À partir du moment où vous considérez vos herbes à gazon comme des vivaces ordinaires, vous tendez davantage vers une approche écologique.

Si vous désirez une «pelouse parfaite», sans herbes sauvages, comme lorsque l'on déroule du gazon en plaques, alors vous êtes dans la culture du pâturin des prés (*Poa pratensis*) communément appelé, à tort, pâturin du Kentucky. La particularité de cette graminée vivace est que son biotope optimum est très restreint: un sol meuble, moyennement riche, frais et drainé, au pH entre 6 et 7, en milieu ensoleillé ou à l'ombre légère. Hors de cette niche, les herbes sauvages l'envahissent et les ravageurs se manifestent.

Le pâturin des prés a aussi besoin d'un apport annuel d'engrais azoté pour maintenir son hégémonie sur les plantes sauvages qui cherchent à le supplanter. Ce besoin en fertilisation provient sans doute du fait que le *Poa pratensis* n'est pas une plante indigène et que, dans son lieu d'origine, en Eurasie, le cycle de dégradation des matières organiques est probablement plus rapide qu'au Québec. C'est sans doute ainsi qu'il a accès plus rapidement à l'azote dont il est friand.

La «pelouse parfaite» est un milieu un peu artificiel, en ce sens qu'on la coupe régulièrement, qu'on doit la fertiliser annuellement et qu'on doit l'arroser lors de périodes de sécheresse intense pour conserver son hégémonie sur les autres plantes.

Bon à savoir

Les pelouses diversifiées sont même plus belles et plus vertes que les pelouses de pâturin des prés non irriguées lors de sécheresses.

Question!

Quel type de pelouse et d'entretien désirez-vous?

De nombreux jardiniers préfèrent une pelouse diversifiée (un mélange d'herbes à gazon et d'herbes sauvages), beaucoup plus écologique et qui permet d'éviter les inconvénients reliés à la monoculture. Contrairement à ce que pensent certaines personnes, de tels gazons sont très beaux et s'intègrent de manière très esthétique à un jardin paysager écologique. La cohabitation de cultivars d'herbes à gazon et de plantes sauvages élimine habituellement les problèmes des insectes ravageurs et des maladies, réduit ou supprime les besoins en arrosage et en fertilisation et diminue la fréquence des tontes.

D'autres jardiniers réduisent tout simplement leur surface de pelouse en agrandissant leurs plates-bandes.

Évaluer vos herbes à gazon, c'est donc évaluer vos attentes, les herbes à gazon que vous voulez faire pousser et le biotope qui les accueille. Entre la «pelouse parfaite» de pâturin des prés, la pelouse diversifiée et pas de pelouse du tout, il existe toute une gamme de possibilités.

Lorsque vous déroulez du gazon en plaques, la plupart du temps, vous déroulez une colonie de pâturin des prés. © B. Dumont/Horti Média

© B. Dumont/Horti Média

Le gazon : un paysage exotique !

Jusqu'au milieu des années cinquante, presque tous les architectes paysagistes qui aménagent les parcs et espaces verts au Québec viennent des États-Unis et sont fortement influencés par les paysages de l'Angleterre qu'ils connaissent très bien.

Par exemple, Frederick Law Olmsted et son équipe de Boston qui ont aménagé Central Park à New York, Golden Gate Park à San Francisco et Fenway Park à Boston, structurent le parc du Mont-Royal à Montréal et travaillent également pour les villes de Westmount et de Sherbrooke. Disciple de Calvert Vaux, un architecte paysagiste anglais installé aux États-Unis, Frederick Law Olmsted donne de l'importance à la pelouse, très présente dans les grandes propriétés bourgeoises anglaises et parfaitement adaptées au climat humide et pluvieux de la Grande-Bretagne.

Un modèle de développement suburbain (la banlieue) imaginé par Frederick Law Olmsted, et qui s'articule autour du gazon, devient même la norme. Contrairement à certains pays d'Europe où les devantures de maisons sont souvent fermées par des murs ou des haies, dans le nord de l'Amérique, les grandes façades des bâtiments (maisons, usines et institutions) seront gazonnées et ouvertes sur la communauté, favorisant ainsi les échanges et le partage dans la démocratie naissante.

Comme, naturellement, il n'y a pas de prairie au Québec, on peut dire que le gazon a été emprunté à un autre paysage, une autre culture. Quand les jardiniers prennent conscience de ce fait, ils comprennent pourquoi maintenir une pelouse parfaite exige tant de soins.

Le bonheur des uns…

Utiliser de grandes surfaces de gazon pour créer un sentiment de communion entre les différentes résidences d'un quartier est un principe louable. Toutefois, l'application d'une telle philosophie repose sur l'utilisation généralisée des herbes à gazon. Jusqu'au début des années soixante, cela ne causait pas trop de problèmes, car la vision de la pelouse et les variétés d'herbes à gazon utilisées alors, souvent du mil et du trèfle qui prospéraient dans presque tous les sols, ne nécessitaient aucun fertilisant, eau ou pesticide pour survivre.

Après cette date, le développement rapide des banlieues et de l'industrie de l'aménagement paysager change radicalement la situation. L'arrivée des rouleaux de gazon en plaques (généralement composés de pâturins des prés) et un marketing judicieux des entreprises développent chez le consommateur la vision d'une « pelouse parfaite » : une monoculture pure, sans diversité. Contrairement au mil et au trèfle, le pâturin des prés nécessite un sol frais et une humidité atmosphérique élevée, comme en Angleterre. Hors de ces paramètres très précis, cette graminée nécessite l'aide de systèmes d'irrigation et souvent de pesticides pour conserver l'apparence d'une pelouse parfaite.

Le passage de la polyculture (mil et trèfle, des plantes à large spectre environnemental et peu exigeantes) à une monoculture (pâturin des prés, au biotope très restreint et nécessitant une fertilisation annuelle) a été payant pour l'industrie (cette variété nécessite beaucoup de produits et d'entretien pour se maintenir)… mais pas forcément bon pour les jardiniers et l'environnement.

Si votre pelouse est envahie de plantes sauvages, le biotope existant ne correspond pas à la niche écologique de vos herbes à gazon, mais bien plutôt au biotope de ces végétaux. Les plantes sauvages sont mises en place par la nature pour améliorer les fonctionnalités d'un écosystème.

Question !

Votre pelouse est-elle envahie d'herbes sauvages ?

Le pissenlit est une des meilleures plantes pour améliorer la richesse de votre sol et il le fait tout à fait gratuitement.

© B. Dumont/Horti Média

Le pissenlit, par exemple, peut, avec sa longue racine, ramener de l'eau et des éléments minéraux lessivés dans la couche inférieure du sol et recréer une connexion entre cette couche et la couche du dessus. Ses radicelles favorisent l'agrégation du sol en petites boulettes mieux que ne pourrait le faire le meilleur des outils aratoires. En creusant de larges galeries avec ses racines, le pissenlit crée aussi des voies d'entrée pour l'air et des autoroutes pour les organismes du sol. À l'aide d'une pelle, observez le travail qu'il fait dans le sol.

Quelle est la vigueur des plantes existantes ?

Portez maintenant votre attention sur l'équilibre des plantes entre elles. Observez la vigueur de celles-ci dans vos plates-bandes. Peut-être êtes-vous constamment en train d'intervenir pour restreindre les ardeurs de certains végétaux qui en envahissent d'autres ? Quelles sont les plantes qui semblent avoir des vigueurs similaires ? Commencez à faire des classements : très envahissantes, envahissantes, vigoureuses, croissance moyenne, fragile. La plante se multiplie-t-elle par rhizomes agressifs comme pour le chiendent, par stolons agressifs, comme pour les fraises, ou par graines prolifiques, comme pour l'impatiente de l'Himalaya ? Les plantes qui ne possèdent pas ces attributs sont généralement moins envahissantes. Les astilbes hybrides, par exemple, sont vigoureuses, mais peu envahissantes. Elles ne se multiplient ni par rhizomes, ni par stolons et leurs graines sont stériles. Ces observations vous permettent de regrouper ensemble sur une même parcelle des plantes de vigueurs similaires et de limiter ainsi votre entretien.

Question !

Considérez-vous avec respect le travail des plantes sauvages sur votre terrain ?

Les impatientes de l'Himalaya peuvent devenir envahissantes par la profusion de leurs semences.

© B. Dumont/Horti Média

Question!

Observez attentivement les plantes qui poussent dans votre aménagement et dans les jardins que vous visitez. Ayez en tête ces questions: Quelle est la vigueur des plantes? Quelles sont les associations de plantes qui semblent se côtoyer sans s'envahir?

Attention aux plantes très envahissantes

Certaines plantes très envahissantes sont de véritables impérialistes. Si on les introduit au jardin, elles colonisent un biotope et supplantent les plantes existantes. Parfois leur élimination représente un véritable casse-tête. Reportez-vous au chapitre « Sélectionner des végétaux adaptés à votre écosystème » pour connaître les plantes qu'il ne faut jamais introduire dans une plate-bande de fleurs au risque de perdre toutes ses plantes à la faveur de ces expansionnistes.

Observer les organismes animaux de votre site

Tout comme l'observation des plantes, l'observation du comportement des animaux vous fournit des informations cruciales sur l'état de votre écosystème. Une fois encore, voici donc une série de questions pour vous permettre de découvrir la communauté des animaux qui habitent votre jardin.

Quelles sortes d'oiseaux visitent votre jardin?

Dans les milieux naturels, la faune ailée est très diversifiée. Dans les milieux urbains appauvris écologiquement, on rencontre principalement des moineaux, des pigeons et des étourneaux. Ces derniers sont des *oiseaux généralistes* qui peuvent s'adapter à différents environnements perturbés.

Question!

Votre aménagement attire-t-il des oiseaux généralistes ou des oiseaux de milieux naturels?

La présence d'oiseaux généralistes indique souvent un manque d'arbustes indigènes et de conifères dans votre aménagement et dans votre voisinage. Ces oiseaux démontrent que les aménagements existants sont insuffisants pour soutenir un minimum de biodiversité. Si les oiseaux de milieu naturel sont absents, on peut présumer que beaucoup d'autres organismes sont également absents.

Les organismes du sol sont-ils présents?

Vous avez constaté, dans les chapitres précédents, l'importance pour les plantes d'être en contact avec leur réseau d'entraide dans le sol. Si vous percevez cette vie, sous forme de petits trous dans le sol, de petites boulettes de terre agglutinées, de nodules sur les racines… c'est bon signe, votre sol est vivant.

Par contre, si la litière organique que vous laissez au pied de vos plantes s'accumule, c'est le signe qu'il existe un problème avec les organismes du sol. Dans la forêt, l'épaisseur de cette litière ne dépasse pas 5 à 7 cm. Donc, si la litière s'accumule (à part celle des plantes productrices de débris organiques très stables comme des conifères), cela est peut-être dû à un manque d'air, à l'emploi abusif de pesticides ou d'engrais chimiques ou à d'autres facteurs qu'il vous faut identifier.

Feutre

Communément appelé «chaume», c'est une accumulation de rhizomes d'herbes à gazon causée par l'absence d'organismes dans le sol pour les décomposer.

Un autre signe d'une déficience de la vie microbienne du sol est l'accumulation de **feutre** sur le sol à la base de vos brins de gazon.

Cette accumulation est le signe d'une faible activité biologique. Les organismes du sol peuvent être détruits par l'utilisation des pesticides chimiques. À moins que ce ne soit parce qu'ils ne sont pas nourris et qu'ils meurent alors littéralement de faim. Par exemple, si vous ramassez le gazon coupé, riche en azote et stimulant pour les organismes du sol, et que vous n'apportez pas d'engrais organique ou de compost pour compenser ces pertes.

Si votre pelouse accumule du feutre, «défeutrez-la» en aérant le sol et en terreautant avec du compost. Cela stimulera les décomposeurs du sol qui se chargeront eux-mêmes de dégrader le feutre. © Michel Renaud

Question!

La litière organique au pied de vos plantes et le feutre sous vos brins de pelouse se dégradent-ils rapidement et correctement?

Question!

Si les limaces, les perce-oreilles ou tout autre insecte vous causent des problèmes majeurs, recherchez-vous la cause de ce déséquilibre et ce qui pourrait ne pas fonctionner dans votre écosystème?

Les limaces et les perce-oreilles vous causent-ils des problèmes?

Beaucoup de jardins abritent des limaces. C'est normal, elles font partie de la biodiversité. C'est aussi normal qu'à l'occasion, elles fassent des trous dans les feuilles de certaines plantes. Si par contre votre jardin recèle des endroits où les limaces font des dégâts importants, par exemple plus de 20% des feuilles, c'est qu'il y a un problème.

En 30 ans de jardinage, je n'ai jamais connu de problème majeur de limaces dans les jardins que j'ai créés ou entretenus. Il est difficile de savoir exactement pourquoi, mais j'ai ma théorie là-dessus. Premièrement, les jardins écologiques abritent une grande biodiversité d'organismes: la prolifération des limaces est donc limitée par les autres organismes présents dans le milieu. Deuxièmement, ces limaces mangent constamment des matières organiques, car le sol est préparé avec des composts actifs et que la litière organique produite par les plantes est laissée au sol. Troisièmement, sans m'en apercevoir, j'ai privilégié des espèces d'hostas résistantes dont je vous donne la liste au chapitre «Éviter les végétaux génétiquement faibles». Quatrièmement, mon seuil de tolérance est élevé. Que quelques feuilles aient des trous, c'est normal; c'est ainsi que la nature fonctionne.

Quand ils ne sont pas installés dans le bon biotope, certains hostas peuvent être gravement attaqués par les limaces et les perce-oreilles. © B. Dumont/Horti Média

Pour les perce-oreilles, ces insectes à la carapace dure, la situation est la même. En 30 ans, j'ai eu un seul problème avec eux. C'était dans des pots à fleurs de plantes exotiques pas vraiment implantées dans le bon biotope.

Ainsi, si vous observez des dégâts importants causés par des limaces, des perce-oreilles ou la plupart des autres insectes, c'est un signal d'alarme : quelque chose ne fonctionne pas dans l'écosystème.

Pour identifier la ou les causes du déséquilibre, vérifiez si la plante est génétiquement faible et sinon, évaluez si elle est dans le bon biotope.

Votre pelouse est-elle détruite par des vers blancs ou autres ravageurs ?

Si vos herbes à gazon sont la proie d'insectes comme les vers blancs, le message est clair : vos herbes à gazon ne sont pas dans le bon biotope et leur réseau d'entraide est inopérant. La nature veut les remplacer par de nouvelles associations plantes-organismes mieux adaptées et elle envoie ces *agents équilibrants.*

Les vers blancs sont des agents équilibrants au message très clair.
© B. Dumont/Horti Média

Personnellement, je n'ai jamais observé de problèmes majeurs d'insectes sur des herbes à gazon implantées dans un biotope correspondant à leur niche écologique.

Consultez le chapitre « Sélectionner des végétaux adaptés à votre écosystème » pour connaître le biotope des herbes à gazon.

Question !

Problème d'insectes dans votre pelouse ? Avez-vous vérifié si vos herbes à gazon sont dans le bon biotope et vous interrogez-vous sur la pertinence des gestes d'entretien que vous posez ?

Les communautés de votre jardin vous parlent

En observant la communauté des plantes et des organismes animaux de votre jardin, vous en apprenez énormément sur votre écosystème. Chaque fois que vous jardinez, je vous suggère d'observer, d'analyser et de mémoriser les observations (par écrit ou par électronique au besoin) faites sur votre environnement. Observer et agir en fonction de ces observations est l'essence même du jardin écologique. Lorsque vous faites cela, vous êtes au cœur de l'écologie.

© Michel Renaud

Créer

Choisir les bons végétaux et les placer dans le bon écosystème permet de créer de magnifiques jardins.

© Michel Renaud

Sélectionner des végétaux adaptés à votre écosystème

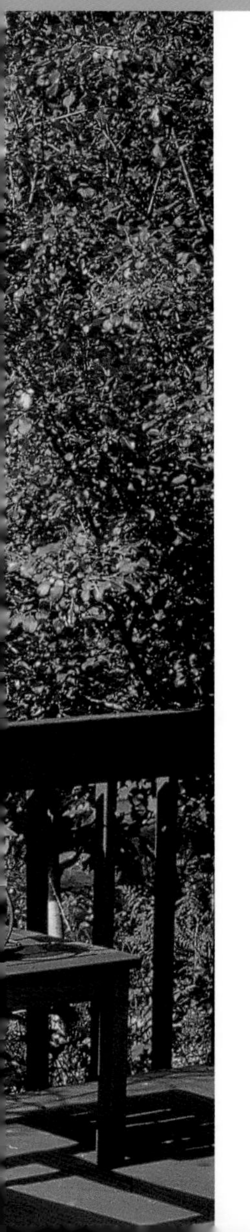

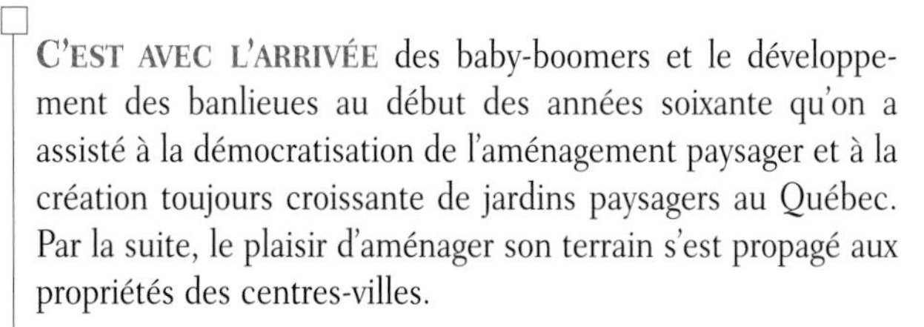

C'EST AVEC L'ARRIVÉE des baby-boomers et le développement des banlieues au début des années soixante qu'on a assisté à la démocratisation de l'aménagement paysager et à la création toujours croissante de jardins paysagers au Québec. Par la suite, le plaisir d'aménager son terrain s'est propagé aux propriétés des centres-villes.

Après 30 années de ce qu'il est convenu d'appeler aujourd'hui l'aménagement paysager, il est possible d'en faire un bilan. Avec les méthodes de sélection des végétaux conventionnelles, il faut souvent beaucoup d'eau, de fertilisants, de pesticides et d'entretien pour les plantations. Lors de la sélection, les jardiniers vérifient habituellement seulement la rusticité d'une plante et la luminosité requise. C'est une méthode simple, qui demande très peu de planification… mais qui a son revers. Plusieurs plantes tombent malades ou sont envahies par d'autres plantes. L'apparente facilité du début se transforme alors en jardin à entretien maximal. En pratiquant un jardinage non écologique, les jardiniers se sont éloignés des habitudes gagnantes de la nature et de ses mécanismes de régulation, et ils en ont payé le prix.

Aujourd'hui, les choses sont différentes. Il existe en effet une méthode de sélection des plantes qui, en respectant les exigences de la nature, permet d'atteindre un meilleur résultat avec moins d'entretien.

Voici donc cette méthode qui vous permettra de choisir les bons végétaux, ceux qui sont adaptés à vos différents biotopes et à votre écosystème en général.

Il faut toujours garder en mémoire que la façon la plus simple et la plus écologique de s'entourer de végétaux adaptés consiste à laisser faire la nature et à admirer la succession de

Climax

« C'est le dernier stade d'une succession naturelle où une communauté est capable de se maintenir elle-même tant que le climat ne change pas. » Weier, T. E.; Stocking C. R.; Barbour, M. G. et Rost T. L., *Botany: An Introduction to Plant Biology.*

plantes indigènes ou naturalisées d'une année à l'autre. Toutefois, pour de nombreuses raisons, cette façon de faire ne répond pas toujours à vos besoins et attentes. Par exemple, la forêt qui est généralement le **climax** de la nature québécoise peut ne pas être votre paysage de rêve. De nombreuses municipalités vous obligent aussi à « aménager » votre façade. Peu importe les raisons, pratiquement tous les propriétaires citadins, banlieusards ou campagnards, se retrouvent un jour devant le plaisir ou la nécessité de sélectionner des végétaux. Autant utiliser des méthodes écologiques !

Fidèle à mon habitude, je vous suggère des questions et des réflexions pour faciliter votre sélection de plantes adaptées à votre écosystème.

Implanter une plante au jardin écologique, ce n'est pas jouer à la loterie, c'est déterminer, à partir d'une série de questions, si elle pourra vivre et prospérer dans l'environnement que vous lui offrez.

© B. Dumont/Horti Média

Bon à savoir

Une plante qui prospère atteint sa pleine vigueur et peut jouer pleinement ses rôles et se défendre dans un biotope. Une plante qui survit est beaucoup plus sujette aux maladies et aux problèmes. La différence est cruciale.

Où trouver de l'information sur les niches écologiques des plantes ?

Avant de sélectionner des végétaux adaptés à vos biotopes, vous devez, avant toute chose, identifier ces biotopes (les chapitres précédents vous y aideront). Vous recherchez maintenant des plantes qui peuvent non seulement y survivre, mais surtout y prospérer. Il vous faut pour cela connaître les niches écologiques des plantes que vous voulez y implanter.

Une façon de connaître les plantes qui peuvent pousser dans un milieu donné est d'observer celles qui poussent dans un biotope similaire. Toutefois, cette méthode peut être longue puisqu'il vous faudra partir à la recherche des mêmes biotopes que les vôtres, et vous assurer qu'ils en sont les équivalents avant d'identifier les plantes qu'ils regroupent.

Dans le souci de vous simplifier la tâche, l'horticulteur Bertrand Dumont a regroupé les plantes par biotopes (en se basant sur les définitions retenues dans ce livre) pour que vous puissiez réaliser facilement vos sélections. Cela a mené à la publication de deux ouvrages (chez le même éditeur). Le livre *Les niches écologiques des arbres, arbustes et conifères* présente les biotopes, mais aussi de nombreuses informations sur leurs rôles écologiques, de 1 500 arbres, arbustes, conifères, plantes grimpantes et rosiers. Pour sa part, *Les niches écologiques des vivaces et plantes herbacées* présente plus de 2 600 plantes vivaces, fougères, graminées, fleurs annuelles, plantes annuelles grimpantes, bulbes et plantes non rustiques.

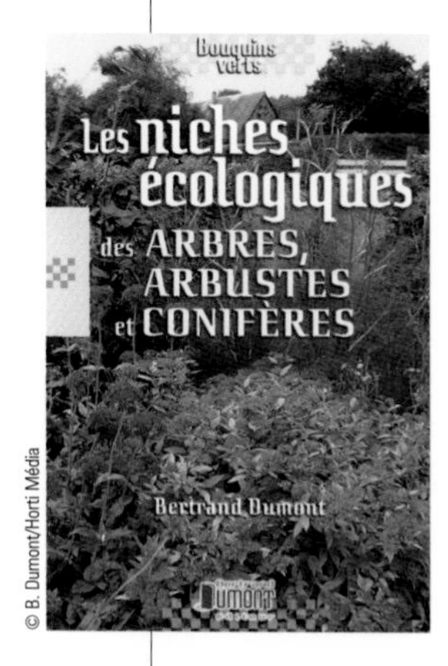

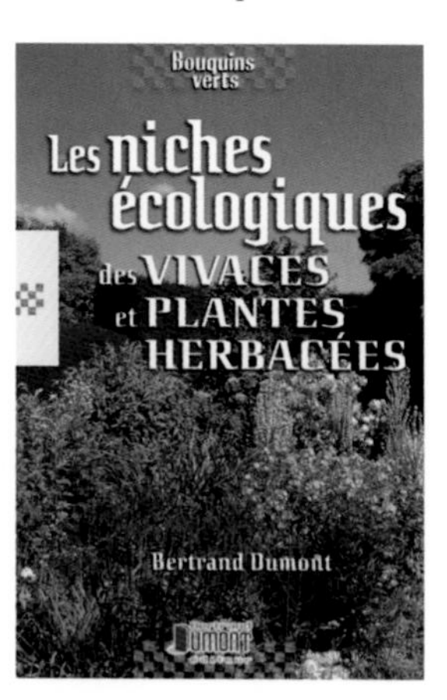

© B. Dumont/Horti Média

Ces deux livres sont des outils indispensables pour réaliser un écosystème paysager chez vous. Les trois premiers livres de la collection *Bouquins verts* sont des compléments naturels qui forment un tout.

Des compléments naturels

Dans les deux livres complémentaires de Bertrand Dumont, vous trouverez :

- *une liste de tous les biotopes décrits, qui vous permettra d'accéder à la liste de plantes qui poussent dans ce milieu. Après avoir identifié quatre ou cinq biotopes dans votre jardin, il vous suffit donc de consulter ces livres pour connaître la liste des végétaux qui s'y plaisent et y prospèrent ;*
- *une liste des plantes (nom latin et nom français) qui vous permettra de vérifier le biotope d'une plante que vous possédez ou que vous souhaiteriez acquérir.*

Pour chaque plante citée, vous trouverez les informations suivantes :

- *les qualités esthétiques : les dimensions, le port, la forme et la couleur des feuilles, des fleurs, des fruits, leur parfum s'il y a lieu, la période de floraison et la coloration automnale, etc. Pour les plantes grimpantes, le type de tige est décrit (volubiles, sarmenteuses, à ventouses, etc.) ;*
- *des données physiologiques : on note le type d'enracinement du végétal, sa vitesse de croissance, sa propension à être envahissant, sa faculté de transplantation, sa durée de vie, etc. ;*
- *les principaux rôles écologiques : on indique si la plante attire ou nourrit les oiseaux, les colibris, les papillons, si ses fruits sont comestibles, si elle est toxique, allergène ou si elle est résistante (ou sensible) aux chevreuils, aux mulots, aux rongeurs ou aux écureuils, etc. On précise aussi s'il s'agit d'une plante qui nécessite des connaissances horticoles plus élaborées par la mention « pour jardinier averti ».*

Cependant, si vous ne possédez pas ces deux livres et que vous recherchez des végétaux à implanter dans vos biotopes, il vous faudra d'abord dresser une liste de vos plantes préférées, puis vérifier dans des livres, ou sur des sites Internet crédibles, si ces plantes sont adaptées et peuvent prospérer dans vos biotopes et quels sont les rôles écologiques qu'elles peuvent ou doivent jouer.

Conserver son sens critique

Dans le domaine de l'horticulture ornementale, comme dans la plupart des autres domaines, il existe toutes sortes de qualités de publications sur le marché. Certains livres ou publications sont de véritables mines d'or, alors que d'autres recèlent des erreurs ou sont incomplets. L'information lue dans un livre, une revue, sur Internet ou entendue à la télévision n'est donc pas nécessairement vraie. Même le plus consciencieux des auteurs peut faire des erreurs. Malgré tout le soin mis à la rédaction, ce livre ne fait pas exception à la règle. Il est donc prudent de garder votre sens critique face à ce que vous lisez, entendez ou voyez. Lors de sélections importantes, la consultation de plusieurs sources (à tout le moins deux) est souvent recommandée. Le test ultime étant toujours ce qui se passe sous vos yeux, dans votre jardin.

Bon à savoir

Certains catalogues incluent des données sur la résistance des plantes aux chevreuils ou leur attrait pour les oiseaux.

Comment trouver des informations sur les rôles écologiques des plantes?

Au jardin comme dans la nature, les plantes ne jouent pas seulement des rôles esthétiques. Elles attirent les oiseaux ou les papillons, filtrent et assainissent les eaux par les racines, stabilisent les pentes, jouent des rôles thérapeutiques auprès des humains, etc. Ces rôles sont bien documentés. Votre libraire ou mieux un libraire spécialisé en horticulture peuvent vous aider à trouver des informations pertinentes sur ces sujets. Si vous êtes familier avec Internet, il est aussi assez facile de glaner des informations sommaires en tapant par exemple «plantes et oiseaux» ou «plantes et stabilisation de pentes» sur un site de recherche. Cependant, sur Internet, la qualité des informations est très variable.

D'autres informations sont beaucoup plus difficiles à trouver. Il existe, par exemple, très peu de recherches sur le compagnonnage des plantes ornementales, c'est-à-dire l'effet bénéfique, ou au contraire défavorable, que les plantes ont entre elles quand elles sont placées côte à côte. Beaucoup de recherche reste encore à faire sur les rôles écologiques des plantes. Ceci constitue un vaste champ d'exploration.

Les plantes aromatiques tels les thyms, les lavandes (en photo) ou les achillées protègent des plantes sensibles telles que les rosiers, grâce à leur odeur qui repousse certains insectes nuisibles.

© B. Dumont/Horti Média

Quelques plantes qui attirent les colibris au jardin

Ces charmants oiseaux préfèrent les fleurs en forme de trompette, aux couleurs voyantes (rouge notamment) et qui renferment un abondant nectar.

Plantes vivaces

Alcea rosea (Rose trémière)

Aquilegia sp. (Ancolie et colombine)

Delphinium sp. (Pied-d'alouette)

Dicentra spectabilis (Cœur-saignant)

Digitalis sp. (Digitale)

Lobelia cardinalis (Lobélie cardinale)

Monarda sp. (Monarde, notamment 'Cambridge Scarlet')

Salvia sp. (Sauge)

Fleurs annuelles

Abutilon sp. (Érable à fleurs)

Fuchsia sp. (Fuchsia)

Ipomoea sp. (Gloire du matin)

Mimulus sp. (Mimule)

Phaseolus coccineus 'Scarlet Runner' (Haricot d'Espagne 'Scarlet Runner')

Salvia sp. (Sauge)

Salvia elegans (Sauge ananas)

Arbustes

Buddleia davidii (Arbre à papillons)

Lonicera sp. (Chèvrefeuille grimpant)

Lonicera tatarica (Chèvrefeuille à haie)

Rhododendron sp. (Rhododendron et azalée)

Syringa sp. (Lilas)

Mise en présence de plantes indigènes et de cultivars, la faune semble très souvent préférer les espèces indigènes.

© B. Dumont/Horti Média

Comment trouver de l'information sur le biotope optimal des plantes?

La consultation de livres, de magazines ou de sites Internet de qualité est une première avenue. Identifier les caractéristiques du milieu dans lequel une plante prospère depuis plusieurs années sans l'aide de pesticides en est une autre. Se renseigner auprès d'un voisin passionné, d'un jardinier expérimenté, d'un professionnel compétent ou par le biais de conférences ou de cours sont d'autres avenues complémentaires. Finalement, faire une démarche d'essais et d'erreurs chez soi, dans ses plates-bandes, est une autre excellente façon de connaître les habitats des plantes.

Voici quelques trucs pour déchiffrer le langage et les informations contenues dans les publications horticoles et même vérifier la qualité de ces informations.

Livres et expérimentations

Chaque auteur a plus ou moins sa façon de nommer les différents types d'habitats. Malheureusement, les termes utilisés dans de nombreuses publications pour décrire ceux-ci sont rarement définis au départ. Un livre peut indiquer qu'une plante pousse dans un sol «humide», alors que dans un autre, cette même plante est réputée pousser dans un sol «frais et bien drainé». Ce peut être le même habitat auquel on n'a pas donné la même définition ou encore deux informations contradictoires.

C'est pourquoi il est important que, tout en apprivoisant le langage des spécialistes et des auteurs consultés, vous observiez vos biotopes pour arriver à faire des corrélations entre les mots employés et la situation réelle de votre jardin.

Pour cette raison, il est plus facile de consulter souvent les mêmes livres ou les mêmes personnes-ressources, car on s'habitue ainsi à la signification des termes employés.

La rusticité

C'est un critère relativement facile à trouver. On peut d'abord identifier la rusticité d'une plante en notant sa présence dans une zone donnée où elle croît sans protection hivernale. Les publications horticoles et les étiquettes accompagnant les végétaux dans les jardineries sont aussi des sources relativement fiables (mais pas toujours).

Bon à savoir

Les indications sur la rusticité d'une plante doivent être prises comme des tendances plutôt que comme une vérité.

Là où vous accumulez votre neige, vous bénéficiez d'un microclimat. © Michel Renaud

TRUCS ET CONSEILS

Si votre priorité est l'entretien minimal, jouez de prudence et implantez des végétaux qui possèdent une zone de rusticité égale ou inférieure à celle établie pour vos biotopes.

La zone de rusticité d'une plante est toujours mentionnée dans les publications canadienne et américaine (attention aux différences entre les deux systèmes!). Dans les publications européennes, la situation est différente car, sous ces climats, le critère de la rusticité, moins important, est rarement inclus.

Lorsqu'un auteur mentionne qu'une plante est rustique en zone 4b, cela signifie qu'elle survivra à des hivers normaux en zone 4b et encore plus facilement en zone 5 (a et b) qui sont des zones plus clémentes, mais difficilement dans des zones inférieures (3a).

En général, les zones indiquées pour les plantes cultivées depuis plusieurs années sont assez bonnes. La situation est différente pour les nouvelles plantes, introduites depuis peu sur le marché. Les spécialistes manquent alors de données concernant leur comportement sous nos climats. Il faut donc être méfiant.

La luminosité

Ce critère est toujours très bien indiqué dans les publications et sur les étiquettes de plantes dans les jardineries. Ces informations sont relativement fiables. Cependant, d'un spécialiste à l'autre, les termes employés peuvent varier légèrement. Certaines catégories citées par un auteur, par exemple « ombre claire », peuvent être ignorées par d'autres spécialistes. Vous devriez toujours vérifier quelles définitions l'auteur donne aux termes qu'il emploie. Si ce n'est pas possible, il faut recouper les informations.

Bon à savoir

Dans les livres, le terme «humifère» signifie habituellement: sol riche et organique. Toutefois, il peut aussi faire référence à un sol qui contient beaucoup de matières organiques très stables, donc plus pauvres.

La fertilité du sol

Cette information est souvent plus difficile à trouver. Dans les jardineries et même dans plusieurs livres et catalogues, cette donnée est souvent absente. Dans certaines publications, on confond l'humidité du sol avec la fertilité du sol. Ainsi, sous la rubrique «sol», vous allez trouver des mots comme «humide», «sec», «lourd» ou «riche» sans distinctions… ni définitions.

Les bons auteurs vous fourniront le type de fertilité (pauvre, moyenne ou riche) propice pour une plante. Certains vous fourniront en plus la texture du sol propice (sables, limons, argiles ou léger, meuble ou lourd). Lors de l'achat d'un livre, vérifiez donc si le critère «sol» est présent et bien défini.

Des synonymes?

Voici quelques termes équivalant à:

- ***sol pauvre**: infertile, inculte, sablonneux, pierreux, rocailleux, etc., ou* poor, infertile, sandy, rocky, *etc.*
- ***sol plus ou moins riche ou moyennement riche**: terre à jardin, terre ordinaire, etc., ou* ordinary soil, average soil, garden soil, *etc.*
- ***sol riche**: fertile, humifère, terre franche, etc., ou* rich, fertile, humus soil, *etc.*

Astilbe à feuilles simples 'Bronze Elegans' © B. Dumont/Horti Média

Confronter la réalité

Pour vérifier la terminologie utilisée et la compétence des auteurs, vérifiez les informations concernant certaines plantes repères que vous connaissez bien. Par exemple, les astilbes d'Arends ou celles à feuilles simples prospèrent dans des sols riches, meubles, légèrement acides et humides en situation mi-ensoleillée. Les spirées japonaises prospèrent en sol plus ou moins riche, légèrement acide, frais, et bien drainé, au soleil ou à la mi-ombre. En vérifiant avec quelques plantes repères, vous pouvez rapidement identifier si l'auteur vous fournit les informations recherchées.

Trucs et conseils

Dans certains livres et catalogues, on indique les biotopes dans lesquels les plantes peuvent survivre, donc un biotope très large, plutôt que les biotopes optimaux où les plantes prospèrent, nuance importante. Pour un meilleur succès au jardin, privilégiez les publications qui indiquent les biotopes optimaux des plantes.

L'humidité du sol

Différentes terminologies sont utilisées pour définir l'humidité. Prenez toujours la précaution de bien comprendre la terminologie d'un auteur avant d'utiliser les informations fournies.

Encore des synonymes!

Voici quelques termes équivalant à:

- ***sol sec**: drainé, aride, desséché, etc., ou* dry, drained, well drained, *etc.*
- ***sol frais et bien drainé ou moyennement humide**: humide drainé, humidifié, etc., ou* moist, average moist, *etc.*
- ***sol humide**: mouillé, fréquemment gorgé d'eau, etc., ou* wet, humid, *etc.*
- ***sol très humide**: détrempé, mouillé, inondé, etc., ou* very wet, very humid, flodded, *etc.*

Le biotope propice d'une plante est une information essentielle, mais d'autres critères concernant l'origine et la vigueur des plantes sont intéressants à considérer.

Privilégier des végétaux indigènes

Dans une perspective écologique, favoriser l'implantation de végétaux indigènes dans son jardin est recommandé. Ceux-ci ont souvent plus de facilité à s'adapter dans leur milieu d'origine que des plantes exotiques ou des cultivars. Par exemple, les plantes indigènes sont plus adaptées au type de matières organiques produites dans le domaine d'où elles proviennent. De plus elles attirent, abritent et nourrissent la faune et le réseau d'entraide propre à cette région mieux que ne le font la plupart des cultivars, un critère très important dans l'équilibre et la pérennité des écosystèmes.

Il manque souvent des informations essentielles sur les étiquettes et dans les petits catalogues de photos des centres-jardin. Ne partez donc pas au centre-jardin sans apporter avec vous quelques bons livres.

© B. Dumont/Horti Média

Les domaines floristiques

Pour être indigène, une plante implantée dans votre jardin doit être originaire du même domaine de végétation que votre site et même, idéalement, de la même sous-section du grand domaine floristique. Afin de vous aider à sélectionner judicieusement des plantes indigènes, voici donc quelques informations géographiques.

Le Québec, à l'état naturel, est couvert de forêts, à l'exception du *domaine arctique* à l'extrême nord et des pics de montagnes qui reproduisent le type de végétation rencontrée dans ce domaine. Le climax du territoire québécois est donc la forêt boréale au nord et la forêt tempérée mixte au sud. À l'état naturel, la prairie n'existe pas.

CARTE DU DOMAINE FLORISTIQUE ET DE PAYSAGES VÉGÉTAUX DE L'AMÉRIQUE DU NORD

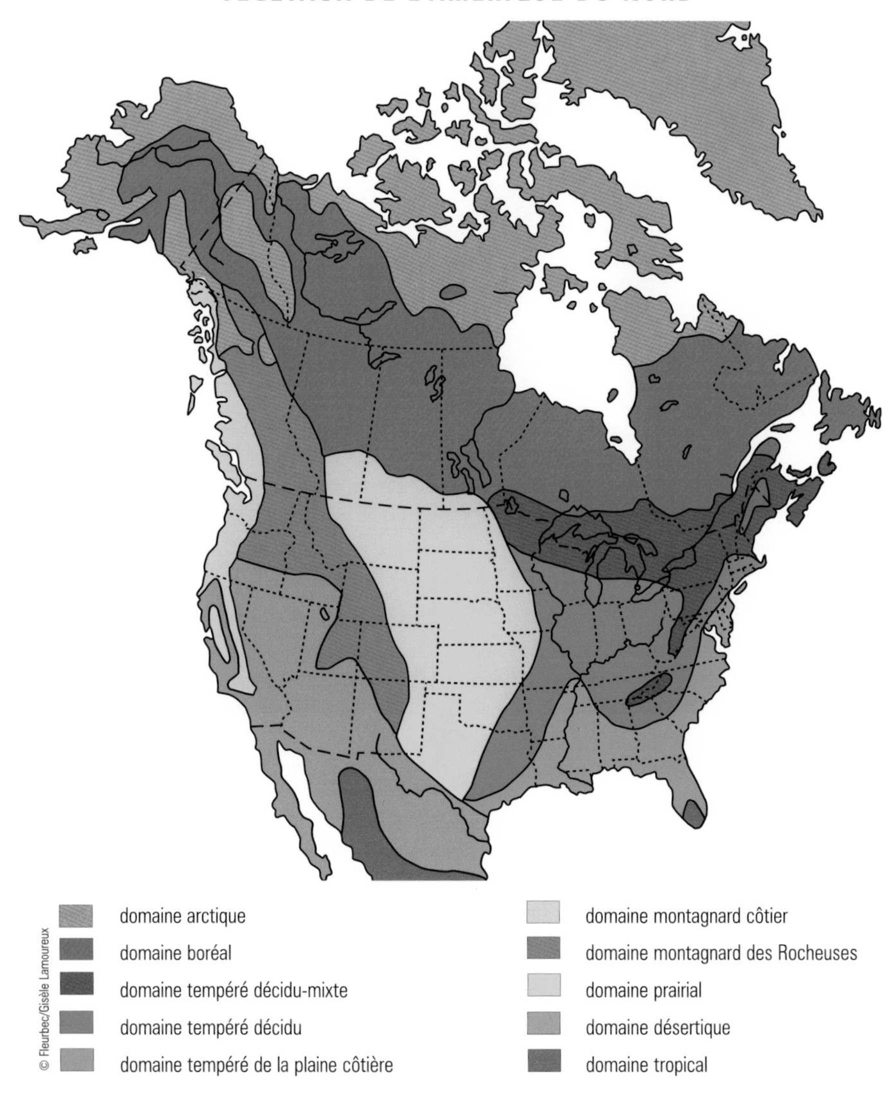

© Fleurbec/Gisèle Lamoureux

© B. Dumont/Horti Média

Le domaine boréal

Ce vaste territoire englobe la majeure partie des forêts du Québec et du Canada. La forêt boréale est caractérisée par un climat froid, de faibles précipitations, une courte saison de végétation ainsi que des sol acides et assez pauvres. Elle est principalement composée de conifères et produit des débris et des humus très stables.

Bon à savoir

La majorité des plantes indigènes du nord-est américain prospèrent dans des sols contenant une large proportion de matières organiques très stables, ce qui n'est pas le cas des plantes de plusieurs autres régions du monde.

Le domaine de la forêt tempérée mixte

Dominé par les arbres feuillus, ce sont les changements saisonniers flamboyants, la présence de gel, l'absence de période sèche comme dans les pays tropicaux et une saison de végétation et des précipitations plus importantes que pour la forêt boréale qui caractérisent ce domaine. Les spécialistes le décrivent comme un *territoire de transition*. On y rencontre des forêts de feuillus sur des versants moyennement humides et des types de végétations s'apparentant à la forêt boréale dans les baissières humides et sur des sommets rocheux et secs.

Au Québec, toutes les herbes à gazon ainsi que les « mauvaises herbes » des pelouses sont des plantes non indigènes.
© B. Dumont/Horti Média

© B. Dumont/Horti Média

Bon à savoir

Au Québec, on peut considérer que les champs agricoles et les pelouses des jardins et espaces verts maintiennent une prairie artificielle. Si vous cessez de tondre votre pelouse, vous verrez celle-ci traverser différents stades de transition et parvenir, en moins de dix ans, au stade de jeune forêt.

Le domaine prairial

Au Québec, comme on le constate sur la carte, le domaine prairial est absent. Toutefois, sur la planète, le domaine prairial naturel couvre près du quart des terres émergées. On l'observe principalement dans la partie sud de l'Amérique du Nord, en jaune sur la carte, en Amérique du Sud, en Russie et en Afrique du Sud (Gisèle Lamoureux, *Flore printanière : guide d'identification Fleurbec*). Le domaine prairial naturel se maintient entre autres grâce à des feux périodiques d'origine naturelle. Les humains, par leurs pratiques, peuvent maintenir un système prairial artificiel.

Chaque grand domaine floristique est divisé en sous-sections, légèrement différentes les unes des autres. Par exemple, le domaine de la forêt tempérée mixte est divisé en trois domaines de végétation : l'érablière à bouleaux jaunes, l'érablière à tilleuls et l'érablière à caryers.

Question!

Lorsque vous faites votre sélection de plantes, considérez-vous la possibilité d'implanter des plantes indigènes de votre région?

Utiliser des plantes indigènes

Même si certaines plantes indigènes sont très vigoureuses et peuvent s'adapter à une foule de situations, d'autres, au contraire, ont un spectre environnemental très restreint et ne peuvent survivre que dans un type de biotope très limité.

Généralement, une plante indigène, tout comme les cultivars, ne s'adapte donc pas à toutes sortes de conditions. La sélection d'une plante indigène commence par l'identification du biotope du site où l'on veut la placer et de sa niche écologique pressentie.

Privilégier des végétaux qui se naturalisent ou presque

L'entretien minimal étant une priorité dans plus de 90 % des projets où je suis engagé, j'ai une approche qui tend le plus possible vers la **végétalisation** ou la **naturalisation.**

Tous les végétaux indigènes ont, par définition, puisqu'ils survivent sans aide dans la nature, la capacité de se « naturaliser » ou de « végétaliser » votre site, s'ils sont implantés dans un biotope similaire à leur milieu d'origine. La plupart des cultivars d'arbres et d'arbustes de bonne dimension ont cette même capacité.

Végétalisation

Technique qui consiste à imiter la nature en implantant des associations végétales indigènes reproduisant en accéléré ce que la nature aurait fait en davantage de temps. Il s'agit en fait d'une implantation réussie de végétaux indigènes dans leur région d'origine.

Naturalisation

Technique qui consiste à implanter des cultivars ou des plantes indigènes hors de leur région d'origine. Lorsqu'elles s'adaptent et survivent dans la nature sans aucune aide des humains, on dit que ces plantes se naturalisent.

La sanguinaire du Canada (Sanguinaria canadensis) *est une magnifique plante indigène de sous-bois.* © B. Dumont/Horti Média

Question !

Si une de vos priorités est l'entretien minimal, sélectionnez-vous des plantes qui peuvent se naturaliser ou végétaliser votre site ?

La situation est cependant différente pour certains cultivars de vivaces, de bulbes ou de petits arbustes qui ne peuvent se maintenir sans l'aide de jardiniers, tout comme une vache ne pourrait survivre dans la nature sans le fermier. Ce peut être parce que les hydrideurs ont privilégié certains attributs esthétiques au détriment de la vigueur de ces plantes ou que leur feuillage est trop léger pour empêcher la germination des plantes sauvages. Toujours est-il que certains cultivars de vivaces requièrent moins de soins que d'autres au jardin.

Les bulbes que je vous propose se naturalisent facilement. Ceux-ci refleurissent année après année, presque de façon aussi spectaculaire que la première fois, et ce, sans autre intervention que de veiller à ce que le sol ne s'acidifie pas trop.

Des bulbes qui se naturalisent

Début du printemps (très hâtif)

- *Anemona blanda* (Anémone des bois)
- *Crocus* sp. (Crocus)
- *Galanthus nivalis* (Perce-neige)
- *Iris denticulata* (Iris denticulé)
- *Muscari* sp. (Muscari)
- *Scilla sibirica* (Scille de Sibérie)
- *Tulipa tarda* (Tulipe jaune)
- *Tulipa greigii* (Tulipe Greigii)
- *Tulipa fosteriana* (Tulipe Fosteriana)

Printemps (hâtif et mi-saison)

- *Fritillaria imperialis* (Fritillaire impériale)
- *Narcissus* sp. (Narcisse à fleurs simples)
- *Tulipa* sp. (Tulipe botanique)
- *Tulipa* sp. (Tulipe à fleurs simples)
- *Tulipa* sp. (Tulipe à fleurs doubles)

Fin de saison

- Tulipe hybride de Darwin
- Tulipe à fleurs de lis
- Tulipe frangée

Les scilles se naturalisent facilement en sous-bois.

© B. Dumont/Horti Média

Parmi les milliers de plantes qui vous sont offertes dans les centres-jardin et les catalogues horticoles, certaines sont très vigoureuses et peuvent se naturaliser alors que d'autres ont une courte durée de vie ou demandent plus de soins pour survivre.

© B. Dumont/Horti Média

Des plantes vivaces vigoureuses au feuillage dense

Des plantes vivaces vigoureuses au feuillage dense requièrent moins d'entretien pour se maintenir en bonne santé. Lors de vos achats au centre-jardin, essayez de les repérer. Un bon indice pour déceler la vigueur d'une plante vivace est d'observer tout simplement son comportement dans son pot. Sur un étalage de plantes d'une même espèce, quelques-unes se démarquent très souvent par leur vigueur, prennent toute la place et débordent même parfois de leur pot alors que d'autres semblent chétives et perdues dans un pot trop grand.

Par exemple, dans un étalage de dix variétés d'hémérocalles, il y en a qui se démarquent par leur vigueur. Quoique ce seul indice soit loin d'être infaillible à cause de multiples autres facteurs en cause, c'est tout de même souvent une bonne indication. Bien entendu, le véritable test est la visite d'un jardin écologique et le constat de visu de la vigueur d'une plante et sa capacité à se maintenir sans entretien. Le test ultime est l'essai chez vous.

TRUCS ET CONSEILS

À la jardinerie, laissez-vous attirer par les plantes qui semblent plus vigoureuses que les autres. Puis, à l'aide des livres que vous avez apportés, à partir de leur nom, cherchez à connaître leur biotope et leurs caractéristiques écologiques et esthétiques.

La grande vigueur et la densité du feuillage de la plupart des roseaux de Chine empêchent les plantes sauvages de s'établir. C'est donc une plante qui se naturalise facilement.

© B. Dumont/Horti Média

Des plantes à large spectre

Vous savez maintenant que la très grande majorité des plantes prospèrent dans des biotopes aux caractéristiques très précises. Cependant, certaines plantes exceptionnelles ont un spectre environnemental plus large. Elles peuvent ainsi s'adapter à un large éventail de biotopes ou s'accommoder plus facilement des changements environnementaux.

Le nombre limité de ces *plantes généralistes* n'est pas suffisant pour satisfaire tous les goûts et toutes les situations rencontrées. Il est intéressant de connaître quelques-unes de ces plantes qui sont tout indiquées pour des jardiniers débutants qui manquent de connaissances, pour les jardiniers pressés ou pour aménager des sites où les conditions de création et d'entretien risquent d'être difficiles (terrains commerciaux ou institutionnels).

Bon à savoir

Si vous sélectionnez des plantes qui doivent être arrosées pour survivre, vous êtes à la merci des conditions climatiques et des réglementations municipales.

Aronie noire © B. Dumont/Horti Média

Patte-de-lion © Michel Renaud

TRUCS ET CONSEILS

Un facteur important à considérer est l'adaptabilité des plantes à différents biotopes. Entre deux plantes également attrayantes et répondant à vos besoins, privilégiez-vous la plante à plus large spectre?

Le saule arctique tolère toutes les conditions de fertilité, de texture et d'humidité de sol en milieu ensoleillé. S'il n'est pas taillé, il peut croître jusqu'à quatre mètres de hauteur.
© Michel Renaud

Quelques plantes à large spectre

ARBUSTES

Acer ginnala (Érable de l'Amour)

Acer ginnala 'Flame' (Érable de l'Amour 'Flame')

*Aronia melanocarpa** (Aronie noire)

*Cornus alba** (Cornouiller blanc)

*Cornus stolonifera** (Cornouiller stolonifère)

Cotoneaster acutifolius (Cotonéaster de Pékin)

*Diervilla lonicera** (Diervillée chèvrefeuille)

Euonymus alatus (Fusain ailé)

Euonymus alatus 'Compacta' (Fusain ailé nain)

*Myrica gale** (Myrique baumier)

*Physocarpus opulifolius** (Physocarpe à feuilles d'obier)

Physocarpus opulifolius 'Nanus' (Physocarpe nain)

Salix purpurea 'Gracilis' (Saule arctique nain)

*Sambucus canadensis** (Sureau du Canada)

Sambucus canadensis 'Adams' (Sureau du Canada 'Adams')

Sambucus canadensis 'Maxima' (Sureau du Canada 'Maxima')

*Sambucus pubens** (Sureau pubescent)

Sorbaria sorbifolia (Spirée à feuilles de sorbier)

*Symphoricarpos albus** (Symphorine blanche)

Symphoricarpos orbiculatus (Symphorine à feuilles rondes)

Syringa meyeri 'Palibin' (Lilas de Corée nain)

VIVACES COUVRE-SOL

Aegopodium podagraria 'Variegatum'▪ (Herbe aux goutteux panachée)

Alchemilla mollis (Patte-de-lion)

Geranium macrorrhizum (Géranium à grosses racines)

Geranium sanguineum (Géranium sanguin)

Lamiastrum galeobdolon 'Variegata' (Ortie jaune panachée)

Mentha sp.▪ (Menthe)

Pachysandra terminalis (Pachysandre)

Hemerocallis x 'Stella de Oro' (Hémérocalle hybride 'Stella de Oro')

Symphytum officinale▪ (Consoude officinale)

VIVACES DE 45 À 125 CM DE HAUTEUR

Calamagrostis acutifolia 'Karl Foerster' (Calamagrostide 'Karl Foerster')

Echinacea purpurea (Rudbeckie pourpre)

Hemerocallis fulva (Hémérocalle orange)

Hemerocallis sp. (Hémérocalle [la plupart])

Monarda x 'Cambridge Scarlet' (Monarde hybride 'Cambridge Scarlet')

Rudbeckia fulgida sullivantii 'Goldsturm' (Rudbeckie orangée 'Goldsturm')

VIVACES À FLORAISON AUTOMNALE

Anemone vitifolia 'Robustissima'▪ (Anémone d'automne robuste)

*Aster novi-belgii** (Aster de la Nouvelle-Angleterre)

Helenium automnale 'Praecox' (Hélénie d'automne précoce)

Note : * = plantes indigènes. ▪ = plantes envahissantes.

Bon à savoir

Il est très difficile de désherber les plantes très envahissantes. Cela peut être dû au fait que leurs racines sont trop profondes ou qu'elles se brisent facilement et que chaque petit bout cassé produit un plant très vigoureux. Ou encore que leurs graines prolifiques restent longtemps dans le sol, resurgissant année après année.

Considérer avec respect les plantes envahissantes

Certaines plantes envahissantes se développent de façon naturelle en formant de vastes colonies. L'introduction au mauvais endroit de ces plantes expansionnistes pourrait vous causer bien des problèmes. Les introduire dans une plate-bande de plantes *ordinaires,* par exemple, aurait pour effet, presque à coup sûr, d'éliminer ce type de plante. C'est pourquoi, dans la liste de plantes à large spectre dont la majorité ne sont pas des expansionnistes, les plantes très envahissantes sont identifiées.

Les plantes impérialistes sont cependant des alliées précieuses des jardiniers pour des espaces isolés et éloignés des plates-bandes de fleurs et où l'entretien minimal est recherché. Les plantes qui se naturalisent facilement sont souvent, au départ, envahissantes. C'est ainsi qu'elles peuvent résister à l'assaut des autres plantes sauvages et même se multiplier sans aucune aide.

Quelques plantes très envahissantes

ARBUSTES

Rhus typhina (Vinaigrier)

VIVACES

Aegopodium podagraria 'Variegatum' (Herbe aux goutteux panachée)

Coronilla varia (Vesce bigarrée)

Equisetum sp. (Prêle)

Fallopia Japonica (Bambou)

Helianthus tuberosus (Topinambour)

Lotus corniculatus (Lotier corniculé)

Macleaya microcarpa 'Kelway's Coral Plume' (Bocconie 'Kelway's Coral Plume')

Miscanthus sacchariflorus (Miscanthus géant)

Petasites japonicus giganteus (Pétasite du Japon géant)

Physalis alkekengi franchettii (Lanterne chinoise)

Polygonum cuspidatum (Bambou sauvage)

Symphytum officinale (Consoude officinale)

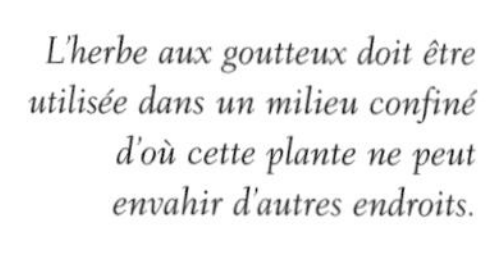

L'herbe aux goutteux doit être utilisée dans un milieu confiné d'où cette plante ne peut envahir d'autres endroits.

Des plantes à entretien minimal

Certaines plantes se naturalisent facilement ou se maintiennent au jardin avec un minimum de soins. Ce sont des plantes à entretien minimal. Pour ce faire, elles doivent être implantées dans le bon biotope, de la bonne façon et recevoir des soins adéquats les deux premières années d'implantation (voir le chapitre : « Modifier ou recréer un écosystème »).

La liste présentée ici n'est pas exhaustive, il existe d'autres plantes à entretien minimal. Entre autres, les plantes indigènes. Les *Plantes à large spectre* et les *Plantes très envahissantes* sont également des plantes à entretien minimal lorsqu'elles sont bien implantées. La particularité de cette dernière liste, c'est que ces plantes nécessitent un biotope bien précis pour prospérer sans entretien et qu'elles ne sont pas envahissantes.

Rappelez-vous toujours que les indications présentées ici sont des tendances. Dans votre jardin, qui est un lieu unique, le comportement des plantes peut être différent des informations données. C'est toujours la réalité de votre jardin qui prime.

Arbustes qui se naturalisent ou qui ne requièrent qu'un entretien minimal

- *Rhus aromatica* (Sumac aromatique)
- *Syringa vulgaris* (Lilas commun)
- *Spiraea arguta* (Spirée arguta)
- *Spiraea japonica* 'Anthony Waterer' (Spirée 'Anthony Waterer')
- *Spiraea japonica* 'Froebelii' (Spirée de Froebel)
- *Viburnum cassinoides** (Viorne cassinoïde)
- *Viburnum dentatum** (Viorne dentée)
- *Viburnum lantana* (Viorne commune)

Note : * = plantes indigènes.

Viorne dentée
© B. Dumont/Horti Média

Plantes vivaces qui se naturalisent ou qui ne requièrent qu'un entretien minimal

Couvre-sol

Astilbe arendsii (Astilbe d'Arends)

Astilbe chinensis taquetii (Astilbe de Chine)

Astilbe thunbergii (Astilbe de Thunberg)

Convallaria majalis (Muguet)

Lamium maculatum 'Beacon Silver' (Lamier maculé 'Beacon Silver')

Thymus pseudolanuginosus (Thym laineux)

*Viola odorata** (Violette odorante)

45 à 150 cm de hauteur

Achillea filipendulina (Achillée filipendule)

Achillea ptarmica 'La Perle' (Achillée ptarmique 'La Perle')

Aruncus dioicus (Barbe-de-bouc)

Echinops banaticus 'Taplow Blue' (Boule azurée 'Taplow Blue')

Echinops banaticus 'Blue Globe' (Boule azurée 'Blue Globe')

Echinops ritro 'Veitch's Blue' (Boule azurée 'Veitch's Blue')

*Eupatorium maculatum** (Eupatoire maculée)

Geranium sp* (Géranium vivace [la plupart])

Hosta sieboldiana 'Elegans' (Hosta de Siebold 'Elegans')

Hosta sieboldiana 'Frances Williams' (Hosta de Siebold 'Frances Williams')

Iris sibirica (Iris de Sibérie [la plupart])

Iris pseudacorus (Iris des marais)

Iris versicolor (Iris versicolore)

Liatris spicata (Liatride)

Ligularia sp. (Ligulaire [la plupart])

Lysimachia clethroides (Cou d'oie [légèrement envahissant])

Lysimachia punctata (Lysimaque ponctuée)

Oenothera tetragona (Oenothère [légèrement envahissant])

*Polygonatum odoratum** (Sceau de Salomon)

Rudbeckia fulgida sullivantii 'Goldsturm' (Rudbeckie orangée 'Goldsturm')

*Smilacina racemosa** (Faux sceau de Salomon)

Smilacina stellata (Smilacine)

Tanacetum vulgare (Tanaisie vulgaire)

Veronicastrum virginicum (Véronique de Virginie)

Floraison d'automne

Miscanthus sinensis (Roseau de Chine [la plupart])

Miscanthus purpurascens (Roseau pourpre)

Rudbeckia x 'Herbstsonne' (Rudbeckie hybride 'Herbstsonne')

Sedum spectabilis (Sédum d'automne)

Solidago sp.* (Verge d'or [la plupart])

Note : * = plantes indigènes.

Bon à savoir

Des plantes identiques peuvent se comporter de manières différentes, car elles peuvent provenir de plants mères différents, à la manière des enfants issus d'une même mère.

Lamier maculé 'Beacon Silver' © B. Dumont/Horti Média

Géranium vivace à fleurs noires 'Samobor' © B. Dumont/Horti Média

Ligulaire dentée 'Othello' © B. Dumont/Horti Média

Véronique de Virginie © B. Dumont/Horti Média

Barbe de bouc © B. Dumont/Horti Média

Verge d'or © B. Dumont/Horti Média

Des herbes à gazon adaptées

Les pelouses occupent une place importante dans la plupart des aménagements paysagers. Il est donc important de bien connaître le biotope des trois principales herbes à gazon des pelouses résidentielles standard ainsi que de leurs alternatives à entretien minimal.

Herbes à gazon courantes des pelouses résidentielles

Poa pratensis – Pâturin des prés

Poa pratensis – Pâturin des prés

© B. Dumont/Horti Média

C'est la graminée présente dans les plaques de gazon couramment vendues.

BIOTOPE FAVORABLE

- **Rusticité**: zone 3a et plus, dépendant des cultivars.
- **Luminosité**: soleil à mi-ombre.
- **Fertilité**: moyennement riche (à riche dans une pente).
- **Type de sol**: sablo-limoneux à terre franche. Plus la pente est forte et le drainage excessif, plus la proportion de limons et d'argiles peut augmenter (jusqu'à 50% de la terre totale). Dans le cas inverse, et avec un piétinement important, la proportion de sable peut augmenter jusqu'à 75%.
- **Texture du sol**: légère à meuble dépendant de la pente et du piétinement.
- **pH**: 6 à 7,5.
- **Humidité du sol**: frais et bien drainé.

QUALITÉS

Son feuillage d'un beau vert bleuté est très doux pour les pieds nus. Lorsqu'il est implanté dans la bonne niche écologique, il est très rustique et très durable, et résiste à la chaleur, à la sécheresse, aux maladies et aux insectes ravageurs. Il récupère aussi très bien, suite à un stress, grâce à son système de rhizomes puissants.

INCONVÉNIENTS

Son biotope optimal est très restreint et il nécessite une fertilisation annuelle élevée si on désire une «pelouse parfaite». Il a une faible tolérance à l'ombre, ses semences germent lentement (28 jours) et elles sont coûteuses. Il jaunit par temps chaud et sec, car il entre en dormance à 27 °C.

© B. Dumont/Horti Média

Bon à savoir

Dans certains mélanges à entretien minimal, vous allez trouver des fétuques ovines (Festuca ovina) et des fétuques durettes (Festuca ovina duriuscula). Ces deux graminées prospèrent dans des sols pauvres et secs au soleil, et à la mi-ombre pour la fétuque ovine.

Festuca rubra – Fétuque rouge traçante

BIOTOPE FAVORABLE

- **Rusticité**: 3a.
- **Luminosité**: soleil, mi-ombre à ombre (mais avec une bonne lumière indirecte).
- **Fertilité**: pauvre à moyennement riche.
- **Texture du sol**: légère.
- **pH**: 5,5 à 6,5.
- **Humidité du sol**: sec à frais et bien drainé.

QUALITÉS

Cette vivace est tolérante à la sécheresse et prospère au soleil, à la mi-ombre et à l'ombre, si la lumière indirecte est intense. Elle nécessite moins de fertilisant et d'eau que le pâturin des prés.

INCONVÉNIENTS

Elle a une faible tolérance au piétinement, à la chaleur et au mauvais drainage. À cause de ses rhizomes peu développés, elle récupère difficilement suite à un stress. Elle est donc plus facilement envahie par les herbes sauvages.

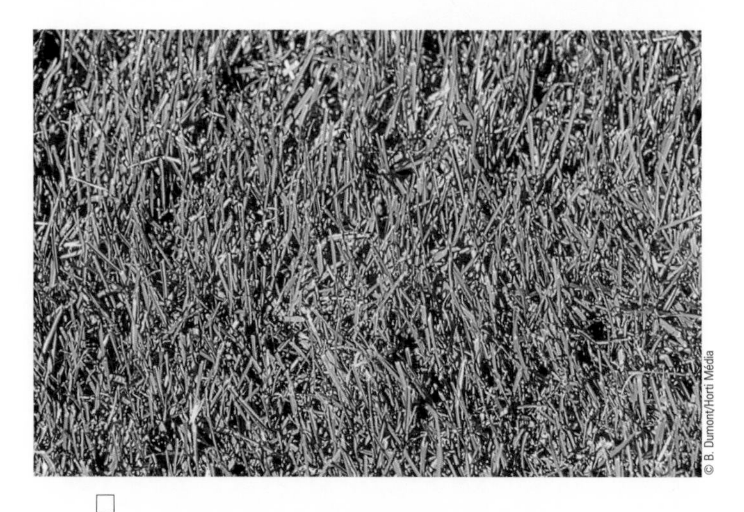

Lolium perenne – Ray-grass ou ivraie vivace

BIOTOPE FAVORABLE

- **Rusticité**: zone 5b, avec couverture de neige.
- **Luminosité**: soleil à mi-ombre.
- **Fertilité**: moyennement riche, mais tolère un sol pauvre.
- **Type de sol**: sablo-limoneux.
- **Texture du sol**: légère à meuble.
- **pH**: 6,0 à 7.
- **Humidité du sol**: frais et bien drainé.

QUALITÉS

Cette plante germe très rapidement (8 jours) et le coût de sa semence est faible.

Bon à savoir

Au Québec, un hiver sans neige est habituellement fatal au ray-grass.

INCONVÉNIENTS

Il n'est rustique qu'en zone 5b et sous une couverture de neige. Il meurt donc chaque hiver. Il a aussi une faible capacité à coloniser une parcelle de pelouse dénudée, car il ne se propage pas par rhizomes, mais en agrandissant sa couronne.

Les mélanges à gazon courants

Les mélanges de semences à gazon courants dans le commerce sont composés de pâturins des prés, très vigoureux et très esthétiques, mais dont la germination est lente et les semences coûteuses; de fétuques rouges qui offrent une bonne performance en terrain plus pauvre, sec et à la mi-ombre et de ray-grass qui servent de plantes protectrices grâce à leur germination rapide et dont les semences sont économiques. C'est le meilleur des trois mondes.

Bon à savoir

Les agrostides ne sont plus utilisées dans les mélanges à usage résidentiel. On réserve maintenant ces graminées à entretien important pour les golfs.

Herbes à gazon à entretien minimal

Celles-ci nécessitent moins de fertilisants, d'eau, de tonte et de soins, mais elles n'ont pas la même apparence ni la douceur des pâturins des prés.

© B. Dumont/Horti Média

Phleum pratense – Mil ou fléole des prés

BIOTOPE FAVORABLE

- **Rusticité**: 2a.
- **Luminosité**: soleil.
- **Fertilité**: pauvre à riche, indifféremment.
- **Texture du sol**: légère à lourde, indifféremment. Tolère les sols argileux.
- **pH**: 5,5 à 7.
- **Humidité du sol**: frais et bien drainé, mais s'adapte à des sols secs ou humides.

QUALITÉS

Cette plante de soleil s'adapte à un très large spectre de biotopes. Cette vivace de longue durée, très tolérante au froid, germe aussi très rapidement (8 jours) et est très économique. Sa culture est donc extrêmement facile. Pour toutes ces raisons, c'est l'herbe à foin préférée des agriculteurs québécois. Pour un entretien minimal, le mil est un champion, principalement utilisé dans les campagnes et sur de grands terrains.

INCONVÉNIENTS

Une fois tondu, le mil est plus rugueux, moins dense et moins doux pour les pieds nus que le pâturin des prés.

© B. Dumont/Horti Média

TRUCS ET CONSEILS

Au début des années soixante, les mélanges d'herbes à gazon contenaient souvent du mil et du trèfle. Dans certaines situations, il est pertinent de revenir à ces semences à entretien minimal.

Trifolium repens nana – Trèfle blanc nain

BIOTOPE FAVORABLE

- **Rusticité** : 4a.
- **Luminosité** : soleil à mi-ombre.
- **Fertilité** : moyennement riche, tolère les sols riches et pauvres.
- **Texture du sol** : légère, tolère les sols lourds.
- **pH** : 6,5 à 7,5.
- **Humidité du sol** : frais et bien drainé à humide, mais tolère les sols secs.

QUALITÉS

Le trèfle blanc nain est une symbiose légumineuse et rhizobium qui peut fixer jusqu'à 2 kg/100 m^2 d'azote annuellement. L'ajout de trèfle dans un gazon permet donc de réduire ou même d'éliminer la fertilisation annuelle. Un gazon qui contient du trèfle nécessite moins de tonte qu'un gazon standard. De plus, le trèfle reste vert même par temps sec.

INCONVÉNIENTS

Il se propage par masses et ne forme pas toujours une pelouse uniforme. Sa floraison attire aussi des abeilles qui peuvent déranger les enfants.

© Michel Renaud

Lotus corniculatus – Lotier corniculé

Biotope favorable

- **Rusticité** : 3a.
- **Luminosité** : soleil.
- **Fertilité** : pauvre à moyennement riche, tolère les sols riches.
- **Texture du sol** : légère, tolère les sols lourds.
- **pH** : 5,5 à 6,5.
- **Humidité du sol** : sec à frais et bien drainé, mais tolère un mauvais drainage.

Qualités

Le lotier est une symbiose légumineuse et rhizobium. Il ne nécessite aucune fertilisation pour croître, et ce, même dans les sols pauvres qu'il enrichit rapidement.

Inconvénients

Cette plante est lente à s'établir (2 ans), puis elle devient très envahissante. Elle est considérée comme une mauvaise herbe dans les «pelouses parfaites».

© Michel Renaud

Coronilla varia – Vesce ou coronille bigarrée

On utilise cette plante pour remplacer la pelouse dans les endroits difficiles à tondre ou qu'on ne veut plus entretenir. C'est une plante couvre-sol de 45 cm de hauteur qu'on ne tond pas.

Biotope favorable

- **Rusticité** : zone 4a avec protection.
- **Luminosité** : soleil.
- **Fertilité** : pauvre à moyennement riche.
- **Texture du sol** : légère à meuble, tolère les sols lourds.
- **pH** : 6,5 à 7, mais tolère un pH de 6 à 8.
- **Humidité du sol** : sec à frais et bien drainé, tolère un mauvais drainage occasionnel.

Qualités

C'est une légumineuse qui fixe l'azote de l'air et ne nécessite donc pas de fertilisation pour se maintenir. Très performante, un seul plant peut couvrir 10 m^2 et se couvre de belles fleurs lilas durant l'été. La vesce a une tolérance moyenne aux sels de déglaçage.

Inconvénients

Cette plante est lente à s'établir (3 ans) et peu rustique hors de la zone 4. Une fois établie, elle est dangereusement envahissante si elle n'est pas dans un endroit isolé. On peut la contrôler en tondant une lisière de deux mètres tout autour.

© Michel Renaud

Thymus serpyllum – Thym serpolet

BIOTOPE FAVORABLE

- **Rusticité**: zone 3a.
- **Luminosité**: soleil.
- **Sol**: pauvre, sablonneux et caillouteux, ne tolère pas un sol riche.
- **Texture du sol**: légère.
- **pH**: 5,5 à 7,5.
- **Humidité du sol**: sec, ne tolère pas un mauvais drainage.

QUALITÉS

Cette magnifique plante vivace de longue durée, à feuilles persistantes, est très esthétique, avec ses fleurs roses, odorantes, en été. Elle supporte le piétinement.

INCONVÉNIENTS

Cette plante est lente à s'établir et les semences, ou les plants, sont très coûteux.

Pelouses standard ou pelouses à entretien minimal

Si vous recherchez une pelouse standard, l'établissement d'une pelouse avec du gazon en plaques (contenant exclusivement des variétés de pâturin des prés) ou l'ensemencement d'un mélange à pelouse contenant au moins 40% de pâturin des prés est ce qu'il vous faut.

La proportion de ray-grass (une semence très économique), n'a cessé de croître au cours des dernières années dans les mélanges de semences à gazon courants. Comme le ray-grass meurt habituellement au cours de l'hiver, un mélange qui en contient plus de 35% n'est habituellement pas le meilleur choix pour le consommateur, sauf dans le cas d'un terrain de jeux fortement utilisé que l'on doit ressemer régulièrement.

Si vous voulez conserver l'apparence du gazon en plaques de départ, réalisez de nouveaux semis occasionnels avec un mélange contenant exclusivement du pâturin des prés certifié ou avec un peu de ray-grass comme plante abri si vous réensemencez une parcelle dénudée sans gazon.

Si vous désirez un gazon à entretien minimal, recherchez plutôt un mélange à gazon contenant moins de 40% de pâturin des prés et au moins 5 à 15% de trèfle ou de lotier, le reste étant habituellement des fétuques et du ray-grass. Vous pouvez réensemencer avec des semences à entretien minimal sur une pelouse standard pour en changer la composition et ainsi réduire son entretien.

Un bon mélange pour l'établissement d'une pelouse à entretien minimal ressemble à ceci : 30 à 60% de fétuque rouge, 20 à 25% de pâturin des prés, 20 à 30% de ray-grass et 5 à 15% de trèfle blanc nain ou de lotier.

Cet autre mélange, plus économique, doit être acheté chez les distributeurs de semences agricoles ou dans les coopératives agricoles : 80% de mil et 20% de trèfle blanc nain.

Pour les réensemencements, utilisez le même mélange que celui que vous avez utilisé au départ.

Les gazons de mi-ombre

Les mélanges à gazon d'ombre vendus dans les jardineries ne poussent pas à l'ombre totale. Pour croître sous une ombre véritable, les mélanges doivent contenir du pâturin commun

(*Poa trivialis*) ou du pâturin des bois (*Poa numeralis*). Si une de ces deux herbes n'est pas indiquée sur la liste des ingrédients, ce qui vous est vendu est en fait un mélange de *mi-ombre* ou *d'ombre,* qui demande une bonne lumière ambiante ou quelques heures de soleil par jour.

À l'ombre, au lieu de vouloir implanter à tout prix du gazon (une prairie), imitez la nature et sélectionnez des plantes de sous-bois. © B. Dumont/Horti Média

CRITÈRES DE SÉLECTION DES HERBES À GAZON

VITESSE D'ÉTABLISSEMENT
Rapide
ray-grass vivace
fétuque fine
pâturin des prés
trèfle
lotier
Lente

TOLÉRANCE AU FROID
Bonne
lotier
trèfle
pâturins
fétuque fine
ray-grass vivace
Faible

QUALITÉS ESTHÉTIQUES
Élevées
pâturin des prés
ray-grass
fétuque fine
mil
trèfle
lotier
Basses

TOLÉRANCE À LA MI-OMBRE
Bonne
pâturin des bois
pâturin commun
fétuque fine
trèfle blanc nain
pâturin des prés
ray-grass
lotier
Faible

TOLÉRANCE À LA SÉCHERESSE
Bonne
lotier
trèfle blanc nain
fétuque
pâturin des prés
ray-grass
Faible

FERTILITÉ DU SOL
Riche
pâturin des prés
pâturin commum
ray-grass vivace
fétuque fine
mil
trèfle
lotier
Pauvre

TOLÉRANCE AU DRAINAGE DÉFICIENT
Bonne
pâturin commun
mil
trèfle
pâturin des prés
ray-grass
fétuque
Faible

RÉSISTANCE AU PIÉTINEMENT
Bonne
pâturin des prés
ray-grass vivace
lotier
trèfle
fétuque fine
pâturin commun
Faible

TOLÉRANCE À L'ACIDITÉ
Bonne
lotier
fétuque
trèfle
ray-grass vivace
pâturin
Faible

Illustration : Sébastien Gagnon

CRITÈRES DE SÉLECTION DES HERBES À GAZON PAR L'ENTRETIEN

ENTRETIEN GÉNÉRAL
Très élevé
pâturin des prés
pâturin commum
ray-grass vivace
fétuque fine
ray-grass annuel
mil
trèfle
lotier
Minimal

FERTILISATION
Très élevé
pâturin des prés
pâturin commum
ray-grass vivace
fétuque fine
ray-grass annuel
mil
trèfle
lotier
Minimal

FRÉQUENCE DE TONTE
Très fréquente
pâturin des prés
ray-grass
fétuque fine
mil
trèfle
lotier
Peu fréquente

Illustration : Sébastien Gagnon

Les plantes résistantes aux chevreuils

Les chevreuils sont attirés par les plantes des jardins et notre enthousiasme de vivre si près de la nature est refroidi lorsque ces charmantes créatures broutent nos plantes préférées. Que faire? Différentes techniques permettent de repousser les chevreuils: des enregistrements de hurlements de loups, des produits répulsifs maison ou commerciaux, un chien, une clôture, etc.

On peut aussi apprendre à vivre avec les chevreuils. Leur laisser des coins de plantes sauvages qu'ils préfèrent est de loin la meilleure solution pour une cohabitation harmonieuse.

Il ne faut cependant pas tenter le diable avec des plantes trop appétissantes pour ces cervidés. Ils raffolent entre autres des cèdres, des ifs, des pruches, de l'écore des jeunes pommiers, des hostas, des bourgeons à fleurs des lis et de la plupart des bourgeons d'arbres et d'arbustes.

Dans les régions à forte concentration de chevreuils, il serait ainsi mieux avisé de privilégier des arbustes qui font leurs bourgeons au printemps tels les spirées ou les saules arctiques (plutôt que des lilas et des fusains) et de protéger localement certaines plantes qu'ils aiment en les enveloppant de filets.

Bon à savoir

Plusieurs sites Internet sont consacrés aux plantes résistantes aux chevreuils [deer resistant plants en anglais].

Les chevreuils aiment goûter. Une plante broutée légèrement ne signifie pas nécessairement qu'elle fait partie de leur diète préférée.

© Michel Renaud

Quelques plantes résistantes aux chevreuils

Attention, les chevreuils ne savent pas lire. Il se peut qu'un jour ils broutent une plante qui est sur cette liste car leur diète s'enrichit de nouvelles plantes lorsque les troupeaux grandissent.

FINES HERBES ODORANTES

Toutes les plantes qui possèdent une forte odeur repoussent les chevreuils.

FLEURS ANNUELLES ET BISANNUELLES

Ageratum sp. (Agérate)
Antirrhinum majus (Muflier)
Argyranthemum sp. (Marguerite jaune)
Begonia semperflorens (Bégonia des jardins)
Digitalis purpurea (Digitale pourpre)
Helianthus annuus (Tournesol)
Impatiens sp. (Impatiente des jardins)
Ipomoea sp. (Gloire du matin)
Lobelia erinus (Lobélie annuelle)
Lobularia maritima (Alysse)
Mimulus hybrida (Mimule hybride)
Tagetes patula (Œillet d'Inde)
Tropaeolum majus (Grande capucine)
Papaver somniferum (Pavot somnifère)
Petunia sp. (Pétunia)
Salvia splendens (Sauge écarlate)

PLANTES VIVACES

Achillea millefolium (Achillée millefeuille)
Alchemilla mollis (Patte-de-lion)
Aquilegia sp. (Ancolie et colombine)
Anemona sp. (Anémone)
Artemisia sp. (Armoise)
Aster novae-angliae (Grand aster d'automne)
Astilbe sp. (Astilbe)
Calamagrostis x acutifolia (Calamagrostide)
Campanula sp. (Campanule)
Digitalis sp. (Digitale)
Echinacea (Échinacée)
Fougères (la plupart)
Geranium sp. (Géranium vivace)
Hesperis matronalis (Julienne des dames)
Hibiscus sp. (Hibiscus)
Iris sp. (Iris)
Leucanthemum x *superbum* (Marguerite)
Miscanthus sinensis (Roseau de Chine)
Myosotis sp. (Myosotis)
Paeonia sp. (Pivoine)
Rudbeckia sp. (Rudbeckie)
Salicaria sp. (Salicaire)
Tiarella sp. (Tiarelle)
Trillium sp. (Trille)
Veronica sp. (Véronique)

BULBES VIVACES

Allium sp. (Ail décoratif)
Colchicum sp.(Colchique)
Crocus sp. (Crocus)
Fritillaria sp. (Fritillaire)
Narcissus sp. (Jonquille et narcisse)
Galanthus nivalis (Perce-neige)
Scilla sibirica (Scille de Sibérie)

PLANTES GRIMPANTES

Clematis sp. (Clématite)
Lonicera sp. (Chèvrefeuille)
Parthenocissus tricuspidata (Lierre de Boston)
Parthenocissus quinquefolia (Vigne vierge)
Vitis sp. (Raisin)

COUVRE-SOL

Ajuga reptans (Bugle)
Asarum canadense (Gingembre sauvage)
Bergenia sp. (Bergénie)
Convallaria majalis (Muguet)
Duchesna indica (Fraisier sauvage)
Lamium maculatum (Lamier maculé)
Pachysandra terminalis (Pachysandre)
Sedum sp. (Orpin et sédum)
Sempervivum sp. (Joubarbe)

ARBUSTES

Berberis sp. (Épine-vinette)
Cornus sp. (Cornouiller)
Cotinus coggygria (Arbre à boucane)
Cotoneaster sp. (Cotonéaster)
Forsythia sp. (Forsythia)
Hibiscus syriacus (Hibiscus)
Philadelphus sp. (Seringat)
Salix purpurea (Saule arctique)
Spiraea sp. (Spirée)

CONIFÈRES

Picea glauca (Épinette blanche)

LÉGUMES

Courge, citrouille, concombre, oignon, ail, poireau et rhubarbe

Ail hybride 'Globe Master'
© B. Dumont/Horti Média

Arbre à perruque pourpre
© B. Dumont/Horti Média

Genévrier horizontal 'Blue Acres' © B. Dumont/Horti Média

Le cas des piscines

Bien que les piscines soient des équipements plutôt non écologiques (pensez aux importantes quantités d'eau potable qu'elles requièrent aussi bien pour le remplissage que l'entretien) et qu'il serait préférable de les remplacer par des étangs baignables sans chlore, les abords de celles-ci peuvent être aménagés de façon écologique. Toutefois, les plantes situées à proximité sont éclaboussées par le chlore et vivent dans un milieu très sec à cause du drainage entourant la piscine. Les végétaux résistants au chlore ont souvent le feuillage recouvert de cire.

PLANTES RÉSISTANTES AUX BORDS DE PISCINES

ARBRES ET ARBUSTES

Arctostaphylos uva-ursi	*Morus alba* 'Pendula'
Cotoneaster horizontalis	*Myrica pensylvanica*
Elaeagnus sp.	*Rhus aromatica*
Euonymus fortunei et cultivars	*Ribes alpinum*
Gaultheria procumbens	*Rosa rugosa*
Hippophae rhamnoides	*Vaccinium* sp.
Ilex x *meserveae*	

CONIFÈRES

Juniperus communis et cultivars	*Picea pungens* et cultivars
Juniperus horizontalis et cultivars	*Pinus mugo*
Juniperus scopulorum et cultivars	

VIVACES

Arabis caucasica	*Lythrum salicaria* sp.
Hemerocallis sp.	*Sedum spectabilis*
Lysimachia nummularia	*Thymus* sp.

GRAMINÉES

Helictotrichon sempervirens	*Miscanthus* sp.
Festuca sp.	

Même si elles présentaient des faiblesses évidentes en matière de résistance à certains insectes et maladies nuisibles, certaines plantes génétiquement faibles ont été commercialisées à cause de leurs qualités agroalimentaires ou esthétiques.

1. *Rosiers hybrides de thé*
2. *Gadelier à fruits rouges*
3. *Viorne boule-de-neige*
4. *Ancolies hybrides*
5. *Pommier 'MacIntosh'*

© B. Dumont/Horti Média

Éviter les plantes génétiquement faibles

AUCUN JARDINIER ne souhaite installer dans son jardin des plantes qui vont lui causer des problèmes. Il est donc très important de prendre conscience que certaines plantes sont génétiquement faibles. Ces végétaux, peu importe les soins qui leur sont apportés et même s'ils sont placés dans le bon biotope, sont très sensibles aux maladies et aux insectes ravageurs, ou en sont presque toujours la proie. Heureusement, ils sont rares.

Il est donc préférable d'éviter d'implanter ces plantes génétiquement faibles et même de s'en débarrasser si l'on en a dans son jardin. Toutefois, il est également possible de concevoir des aménagements particuliers pour minimiser les effets négatifs de leur non-résistance.

Lors de vos lectures horticoles ou de vos visites dans les jardineries (car malheureusement certaines jardineries vendent encore des plantes génétiquement faibles sans les identifier), gardez en tête cette question: Est-ce que cette plante est génétiquement forte et capable de croître sans problèmes si elle est implantée dans le bon biotope? Heureusement, le nombre de ces plantes à problèmes est très limité et il est facile de les remplacer en choisissant parmi les milliers d'espèces et de cultivars génétiquement forts mis en marché au Québec.

Les arbres génétiquement faibles

Crataegus x *mordenensis 'Toba'* – Aubépine 'Toba'

Cet arbre est victime de différents problèmes qui vont des cochenilles aux maladies du feuillage, en passant par les pucerons, et ce, malgré le fait que ce soit une plante à large spectre. Après l'avoir expérimenté plusieurs fois, j'en suis venu à la conclusion qu'il valait mieux éviter d'en planter.

Que faire si vous en avez un dans votre jardin?

1) Songez sérieusement à le remplacer.

2) Fournissez-lui le plus possible un bon biotope (zone 3b, soleil, sol pauvre à riche, léger à lourd, acide à alcalin, frais et bien drainé).

3) Si les problèmes persistent, utilisez des pesticides à faible impact pour vous débarrasser des maladies. De l'alcool à friction sur un coton ouaté peut diminuer le nombre de cochenilles collées à l'écorce.

Betula sp. – Bouleau

Dans la nature, les bouleaux sont des espèces pionnières qui précèdent les forêts d'érables, par exemple. À cause de cet aspect éphémère (le bouleau a une vie courte) et, du fait qu'ils doivent céder rapidement la place à d'autres arbres, presque tous les bouleaux sont fragiles. De plus, la plupart d'entre eux tolèrent très mal un sol argileux qui ne correspond pas du tout à leur biotope. Ils préfèrent les terrains frais et sableux.

Bouleau noir 'Heritage'
© B. Dumont/Horti Média

Dans des dépôts argileux de l'ancienne mer de Champlain (plaine du Saint-Laurent, donc presque toute la région métropolitaine), les bouleaux sont très souvent la proie d'insectes qui causent la défoliation de leur cime et éventuellement leur mort.

Le bouleau européen pleureur (*Betula pendula* 'Youngii'), même s'il préfère un sol pauvre, léger, légèrement acide, frais et bien drainé, résiste au milieu argileux et au pH neutre de la plaine du Saint-Laurent.

Pour cette région, c'est le bouleau noir, ou bouleau des rivières (*Betula nigra*), qui est conseillé parce qu'il aime un sol plus ou moins riche, lourd, légèrement acide et très humide.

Bouleau européen pleureur © B. Dumont/Horti Média

Que faire si vous jardinez dans un sol argileux ou que vous avez des problèmes avec un bouleau ?

1) Enlevez le gazon sous toute la surface du feuillage. Mélangez au sol une terre de plantation légère et du compost et plantez-y des plantes de milieux frais et bien drainés. Dans ces conditions, l'agrile du bouleau, qui migre vers le sol en hiver, rencontrera des prédateurs qui ne peuvent normalement se développer dans le gazon. De plus, la présence de plantes de sol frais sous sa ramure vous obligera à arroser si le sol devient trop sec, ce qui sera favorable aux bouleaux. Ils prospèrent dans ce type d'humidité.

2) Supprimez rapidement les branches malades ou brisées.

3) Plantez un autre arbre près du bouleau en prévision de la mort prématurée de celui-ci.

Les pommiers sont attaqués par de nombreuses maladies du feuillage. © B. Dumont/Horti Média

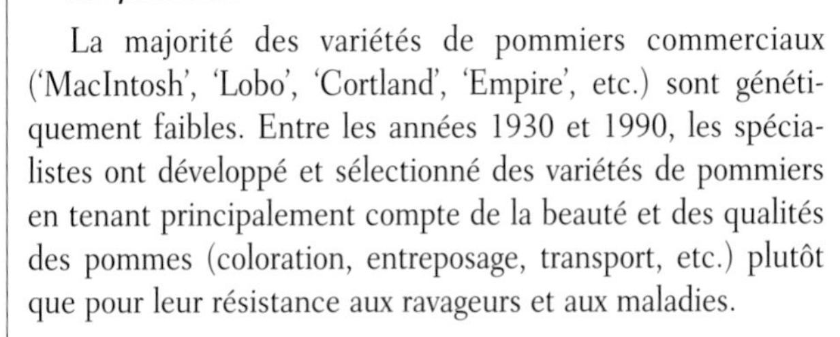

Arbres fruitiers

Les pommiers

La majorité des variétés de pommiers commerciaux ('MacIntosh', 'Lobo', 'Cortland', 'Empire', etc.) sont génétiquement faibles. Entre les années 1930 et 1990, les spécialistes ont développé et sélectionné des variétés de pommiers en tenant principalement compte de la beauté et des qualités des pommes (coloration, entreposage, transport, etc.) plutôt que pour leur résistance aux ravageurs et aux maladies.

La majorité des pommiers commerciaux ne sont donc pas résistants à la tavelure, une maladie fongique qui produit des taches noires sur les pommes et les feuilles, ni à plusieurs insectes.

Heureusement, il existe sur le marché, des variétés de pommiers résistantes à la tavelure. En voici quelques-unes: 'Belmac', 'Brite Gold', 'Dayton', 'Jonafree', 'Macfree', 'Liberty', 'Murray', 'Prima', 'Priscilla', 'Redfree', 'Richelieu', 'Rouville', 'Russet' et 'Trent'.

Cependant, même avec des variétés plus résistantes, la culture des pommiers demande beaucoup de soins. Pour avoir de belles pommes, année après année, cela exige des connaissances horticoles précises. Si vous n'êtes pas passionné par la lecture de livres d'arboriculture fruitière ni par l'entretien, la vaporisation et l'expérimentation au jardin, oubliez la culture des pommiers. Par contre, si vous acceptez de vous régaler de

Trucs et conseils

Si vous souhaitez un jardin à entretien minimal, oubliez la culture des fruitiers, car celle-ci exige beaucoup de soins.

pommes parfois légèrement abîmées et que, certaines années, votre récolte sera quasiment inexistante, vous pouvez vous lancer dans l'aventure des pommiers sans trop de connaissances.

Sachez que les chevreuils adorent l'écorce des jeunes pommiers au point de les tuer. Dans une région de cervidés, la culture des pommiers requiert des protections très élaborées.

Les poiriers

Les poiriers sont moins sensibles que les pommiers aux maladies et aux insectes ravageurs. Cependant, plusieurs cultivars sont sensibles à la brûlure bactérienne, une maladie mortelle. Généralement, leur faible rusticité, zone 5b, représente un problème. Si vous sélectionnez un poirier, soyez donc conscient de cet aspect et choisissez une variété résistante à la brûlure bactérienne.

Les poiriers peuvent prendre jusqu'à 12 ans avant de porter des poires en abondance.

Trucs et conseils

Si le sol de votre terrain est argileux, oubliez la culture des pommiers et des pruniers.

Les pruniers

Les pruniers sont sujets à une maladie qui s'appelle le nodule du prunier. Pour en minimiser l'impact, plantez-les dans un sol sableux limoneux avec un bon drainage et choisissez des variétés résistantes.

Les pêchers

Certaines jardineries offrent des pêchers. Au Québec, il est très rare qu'ils portent des fruits. Si vous voulez éviter les problèmes, éliminez cette plante de vos projets.

Malus sp. – Pommetier décoratif

Plusieurs cultivars de pommetiers, malheureusement les plus populaires, souffrent des mêmes problèmes que les pommiers. Ils font d'ailleurs partie de la même famille que ceux-ci. Parfois les problèmes de tavelure, de blanc et de rouille sont si importants que l'arbre est presque complètement défolié à la fin du mois d'août. L'arbre mourra rarement à cause des maladies fongiques, mais sa vigueur, son immunité (dans ces conditions, les plantes sont attaquées par des insectes) et sa longévité pourront être diminuées.

Certains pommetiers sont aussi sensibles à la brûlure bactérienne qui, elle, peut faire mourir le pommetier. Ainsi, lorsque vous achetez un pommetier, assurez-vous bien qu'il soit résistant aux maladies et à la brûlure bactérienne.

Le pommetier 'Sugar Tyme' est un des cultivars les plus résistants aux maladies du feuillage.

© B. Dumont/Horti Média

Quelques pommetiers résistants aux maladies

- **À fleurs roses**: *Malus* 'Adams', 'Brandywine', 'Indian Magic', 'Pink Spire', 'Robinson' et 'Thunderchild'.
- **À fleurs rouges**: *Malus* 'Cardinal', 'Centurion', 'Prairie Fire', 'Red Splendor' et 'Rudolph'.
- **À fleurs blanches**: *Malus* 'Harvest Gold', 'Maybride', 'Spring Snow' (sans fruits), 'Sugar Tyme', 'White Angel' et 'Winter Gold'.
- **Miniatures**: *Malus* 'Sir Lancelot', 'Lollipop', sargentii, et sargentii 'Tina'.
- **Pleureurs**: *Malus* 'Candied Apple', 'Molten Lava', 'Morning Princess' et 'Royal Beauty'.

Que faire si vous en avez un dans votre jardin?

1) Plantez un jeune arbre résistant aux côtés de celui qui est non résistant pour éventuellement le remplacer.
2) Chaque année, épandez un peu de compost (environ 0,5 cm) sous les branches de l'arbre. Les études prouvent que les composts réduisent les maladies fongiques.
3) Ramassez toutes les feuilles à l'automne et débarrassez-vous-en. Les champignons hibernent dans les feuilles.
4) Vaporisez du soufre microfin (fongicide à faible impact) en prévention, plusieurs fois par année, lors de périodes humides.
5) Tolérez le problème si l'arbre semble bien se porter malgré la défoliation de fin d'été ou la présence de tavelure sur les pommes.

Ulmus americana – Orme d'Amérique

Les ormes d'Amérique victimes de la maladie hollandaise de l'orme ont été décimés par l'introduction accidentelle d'un champignon venu d'outre-mer.

Il est peu recommandé et très hasardeux de planter cet arbre aujourd'hui.

Toutefois, il existe plusieurs hybrides d'ormes, au port assez semblable à celui de l'orme d'Amérique, qui peuvent être utilisés en remplacement. Il s'agit de: orme 'Morton' (*U.* x 'Accolade'), 'Discovery', 'Homestead', 'Patriot', 'Pioneer', 'Prospector' et 'Resista' (*U.* x 'Sapporo Gold').

L'orme hybride 'Resista' (U. x 'Sapporo Gold') est résistant à la maladie hollandaise de l'orme.

© B. Dumont/Horti Média

Que faire si vous en avez un dans votre jardin?

1) Brûlez ou débarrassez-vous rapidement des bûches, des branches ou des écorces d'ormes, car l'organisme pathogène s'y réfugie avant d'attaquer l'arbre.

2) Faites enlever rapidement toute branche morte, car la maladie pourrait s'y propager.

3) Faites évaluer votre arbre par un arboriculteur qui pourra vous prescrire les interventions adéquates à réaliser.

4) Plantez un petit arbre de remplacement aux côtés d'un gros orme, au cas où celui-ci viendrait à mourir.

Dans certaines communications horticoles, on mentionne que la plantation de sureaux du Canada sous la ramure des ormes protège ceux-ci contre les ravages du scolyte, insecte vecteur de la maladie hollandaise de l'orme. Malheureusement, aucune communication scientifique ne vient corroborer cette affirmation. Cependant, si je possédais un bel orme d'Amérique dans ma cour, je planterais sans hésiter quelques sureaux du Canada, au cas où cela fonctionnerait.

Sorbus sp. – Sorbier

Les sorbiers se plaisent en général dans des environnements où l'humidité atmosphérique est élevée et où le sol est profond et humifère, même si certains cultivars peuvent vivre dans des milieux plus pauvres et plus secs au haut des montagnes. On peut observer des sorbiers à profusion, le long du fleuve, dans Charlevoix, sur la Côte-Nord et dans le bas du fleuve, dans la région de Rimouski et de Rivière-du-Loup, où ils semblent aussi bien adaptés que des poissons dans l'eau.

Dès qu'ils sont hors de leur biotope et surtout en sol argileux et dans un milieu où l'humidité atmosphérique est faible, les sorbiers deviennent très sensibles à la brûlure bactérienne, une maladie mortelle. Le *Sorbus decora* et les *Sorbus aucuparia* 'Rossica' et 'Cardinal Rouge' seraient résistants, mais cela reste encore à prouver.

Que faire si vous en avez un dans votre jardin?

1) Identifiez l'espèce ou le cultivar et recherchez sa niche écologique.

2) Fournissez ensuite à votre arbre des conditions de biotope correspondant à sa niche écologique.

En recréant un biotope adapté pour mon sorbier, la maladie mortelle a régressé.

© Michel Renaud

3) Faites l'opération suivante (que j'ai moi-même réussie chez moi, la maladie ayant régressé): enlevez le gazon sous la ramure et réalisez un apport de 5 cm de compost et de 2,5 cm de tourbe de sphaigne. Implantez des plantes de sous-bois humide, comme des fougères et des ligulaires, dans la plate-bande que vous avez créée sous le sorbier. Arrosez lorsque le sol devient sec pour maintenir les plantes vivaces en vie… et du même coup apporter de l'eau au sorbier.

Tilia cordata 'Sheridan' – Tilleul 'Sheridan' ▪ *Tilia cordata* 'Glenleven' – Tilleul 'Glenleven'

Certains cultivars de tilleuls sont affectés par des excroissances sur le tronc d'où émergent de nombreuses pousses de branches. Ces proliférations entravent la circulation de la sève dans le tronc et favorisent éventuellement le dépérissement des plantes. Pour le moment, les études indiquent que seuls deux cultivars sont affectés par ce type de dépérissement.

TRUCS ET CONSEILS

Avant de sélectionner un arbre, assurez-vous que vous avez le bon biotope pour l'accueillir.

Plusieurs tilleuls, comme ici le cultivar 'Greenspire', sont des plantes génétiquement fortes quand elles sont plantées dans le bon biotope. © B. Dumont/Horti Média

Que faire si vous en avez un dans votre jardin?

1) Assurez-vous que votre plante est dans le bon biotope : soleil ou ombre légère, sol riche, meuble, légèrement alcalin, frais et bien drainé.

2) Si ce n'est pas le cas, modifiez vos conditions pour lui fournir le biotope adéquat.

3) Supprimez régulièrement les repousses qui apparaissent sur le tronc en bas des grosses branches primaires.

4) Plantez un jeune arbre en prévision du remplacement du tilleul.

Les arbustes génétiquement faibles

Lonicera tatarica – Chèvrefeuille à haie

Un grand nombre de chèvrefeuilles sont sensibles aux maladies, mais particulièrement le chèvrefeuille de Tartarie. À la fin du mois de juillet, les pousses terminales de cet arbuste se recroquevillent et se déforment, lui donnant une très mauvaise apparence que l'on appelle généralement *balai de sorcière*. On a remarqué que seules les plantes taillées font des balais de sorcière. Lorsqu'on les laisse se développer sans taille (H. : 2,50 m. L. : 1,75 m), les problèmes n'apparaissent pas.

La spirée arguta est un choix beaucoup plus intéressant que le chèvrefeuille si vous planifiez une haie.

© Michel Renaud

Que faire si vous en avez un dans votre jardin ?

1) Taillez les bouts de branches affectées lorsque les dégâts apparaissent au mois de juillet.

2) Tolérez ces problèmes, car ils ne mettent pas en danger la survie de l'arbuste.

3) Remplacez la haie de chèvrefeuille par des couronnes de mariée (*Spiraea* x *vanhouttei*) ou par d'autres arbustes à entretien minimal adaptés à votre biotope.

Arbustes fruitiers

La plupart des fraisiers, framboisiers, bleuets ou gadeliers requièrent de l'entretien pour produire des fruits appétissants. Plusieurs variétés sont souvent la proie des insectes et des maladies. Avant d'en acheter, posez-vous les bonnes questions : *Quel est l'objectif que je désire atteindre en installant ces plantes dans mon jardin ? Est-ce que je suis prêt à faire tout ce qui est nécessaire pour que ces plantes produisent des fruits ?*

Heureusement, il existe des bleuets, des fraisiers et des framboisiers résistants du moment qu'ils sont placés dans le bon biotope. À ma connaissance, toutes les variétés de gadeliers ou de groseilliers sont génétiquement faibles.

Que faire si vous en avez dans votre jardin ?

1) Éliminez les arbres et arbustes fruitiers non résistants.

2) Tolérez les problèmes et mangez les fruits même s'il ne sont pas parfaits.

3) Acceptez que certaines années vous n'ayez pas de fruits.

4) Faites l'acquisition des connaissances nécessaires à la culture des fruitiers.

5) Utilisez des pesticides à faible impact au besoin.

Les canneberges (Vaccinium macrocarpon), *plantes indigènes au Québec, sont des plantes sans problèmes si on les place dans le bon biotope : soleil, sol pauvre, tourbeux, très acide et très humide.* © B. Dumont/Horti Média

Rosa sp. – Rosier

Considérez que, sauf avis contraire, la plupart des rosiers, notamment les hybrides de thé, sont génétiquement faibles. Contrairement à la croyance populaire, plusieurs rosiers rustiques, même ceux de la célèbre série Explorateur, ne sont pas nécessairement sans problèmes. Certes, ils résistent à nos hivers sans protection, mais ils ne résistent pas tous aux maladies du feuillage sans protection. Ainsi, qu'ils soient rustiques ou hybrides de thé, la très grande majorité des rosiers sont non résistants aux insectes ravageurs ou aux maladies.

Si vous faites une recherche sur la résistance des rosiers aux ravageurs et aux maladies, vous trouverez parfois des qualificatifs tels que «non résistant», «sensible», «résistant» et «très résistant». Pour un jardin sans problèmes, ne considérez que les rosiers qualifiés de «très résistants». Oubliez les autres.

Il existe heureusement plusieurs rosiers très résistants. Je vous en présente cinq que j'aime bien et qui ne causent pas de soucis. Dans des conditions normales, et lorsqu'ils sont implantés dans les bons biotopes, tous ces rosiers produisent des fleurs à profusion et l'utilisation de fongicides et d'insecticides est inutile. Certaines années pluvieuses, le feuillage de certains rosiers peut être légèrement affecté et, tout dépendant de votre niveau de tolérance, vous pourrez ou non traiter avec des fongicides à faible impact. Personnellement, en ce qui a trait aux trois premiers rosiers que je vous présente et qui sont dans mon jardin de zone 4b, je ne les ai pas traités une seule fois au cours des trois dernières années.

Rosiers rustiques, vigoureux et sans problèmes

Les trois premiers rosiers prospèrent dans une exposition allant de soleil à ombre légère, dans un sol plus ou moins riche, léger, légèrement acide et frais et bien drainé. Ils tolèrent les sols pauvres et secs.

© Michel Renaud

Rosa rugosa 'Hansa' – Rosier rugueux 'Hansa'

Ce rosier de zone 3a, aussi haut (1,50 m) que large, est drageonnant. Il porte des fleurs rose magenta, très parfumées. Sa floraison principale en juin est suivie de floraisons sporadiques par la suite. Il se pare de gros fruits rouges à l'automne.

© B. Dumont/Horti Média

Rosa rugosa 'Jens Munk' – Rosier rugueux 'Jens Munk'

Ce rosier, très semblable au rosier rugueux 'Hansa' (zone 3a, dimensions et port similaires), porte des fleurs roses.

© B. Dumont/Horti Média

Rosa rugosa 'Thérèse Bugnet' – Rosier rugueux 'Thérèse Bugnet'

Ce rosier (zone 3a, H.: 1,50 m. L.: 1,20 m) drageonnant s'orne de très belles fleurs roses, doubles, très parfumées, au milieu du printemps. Sa floraison principale vient un peu plus tôt que chez le rosier rugueux 'Hansa' et elle est aussi suivie de floraisons sporadiques. Il porte de gros fruits rouges à l'automne.

© B. Dumont/Horti Média

Bon à savoir

Vous trouverez une sélection de rosiers non rustiques et rustiques, vigoureux et sans problèmes faite par Bertrand Dumont dans Les niches écologiques des arbres, arbustes et conifères.

Rosa hybrida 'Royal Bonica' – Rosier hybride 'Royal Bonica'

C'est un magnifique petit rosier (zone 5b, H.: 90 cm. L.: 1,20 m) qui se couvre tout l'été et de façon continuelle de très belles petites fleurs roses. Il porte des fruits à l'automne. Rosier de plein soleil, il aime un sol plus ou moins riche, meuble, neutre, frais et bien drainé.

D'autres choix

Les rosiers arbustifs ou couvre-sol à petites fleurs tels que 'Ballerina', 'Rosy Cushion' et 'The Fairy' sont d'autres rosiers qui me plaisent beaucoup et qui ont peu de problèmes.

Rosa hybrida 'Queen Elizabeth' – Rosier grandiflora 'Queen Elizabeth'

Ce rosier grandiflora (zone 5b avec protection, H.: 1,30 m. L.: 1,60 m) porte de très belles fleurs odorantes semblables à celles des rosiers hybrides de thé, quoique légèrement plus petites. C'est un rosier de plein soleil qui affectionne un sol riche, meuble, neutre, frais et bien drainé

© B. Dumont/Horti Média

Que faire si vous avez des rosiers génétiquement faibles dans votre jardin ?

1) Troquez vos pesticides de synthèse contre des pesticides naturels biodégradables à faible impact comme le soufre microfin pour les maladies de feuillage et le savon insecticide pour les insectes ravageurs.

2) Soyez tolérant.

Salix pentandra – Saule laurier

Cette plante est peu utilisée en aménagement paysager et c'est une bonne chose. Son feuillage est très souvent attaqué en été. Sa survie n'est pas vraiment affectée, mais son aspect esthétique, oui.

Que faire si vous en avez dans votre jardin ?

1) Tolérez les problèmes.

2) Débarrassez-vous de cet arbre et remplacez-le par une plante adaptée au biotope où vous voulez le planter.

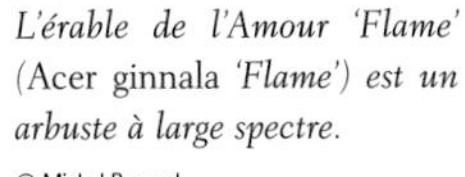

L'érable de l'Amour 'Flame' (Acer ginnala *'Flame') est un arbuste à large spectre.*

© Michel Renaud

Philadelphus x 'Virginal' – Seringat blanc

Cet arbuste, qui est aussi vendu sous le nom de *Philadelphus* x *virginalis* 'Virginal', se couvre de magnifiques fleurs blanches, doubles et très parfumées au printemps. Les pousses terminales du seringat blanc sont très souvent attaquées par des pucerons qui minent ses qualités esthétiques.

Pour éviter ce problème, plantez-le dans un sol sableux très pauvre. Ne le fertilisez pas et ne lui ajoutez pas de compost.

Le seringat 'Minnesota Snowflake' *peut remplacer le seringat blanc, car il lui ressemble beaucoup.*

© B. Dumont/Horti Média

© B. Dumont/Horti Média

Tolérez-vous le blanc ?

Dans certaines situations, les feuilles des lilas (Syringa *sp.*), *des symphorines* (Symphoricarpos *sp.*), *des chèvrefeuilles* (Lonicera *sp.*), *dont les chèvrefeuilles grimpants, et des gadeliers alpins* (Ribes alpinum) *se couvrent d'une pellicule blanche.*

Cette maladie fongique, le blanc, ne met pas en péril les plantes affectées et elle est relativement peu voyante. Les problèmes surviennent souvent lorsque ces plantes sont implantées dans des sols lourds et dans un milieu mi-ombragé et mal aéré. Il n'est pas toujours aisé de changer le sol ou la plante de place dans ces situations. Dans ce cas, la meilleure stratégie est de tout simplement tolérer la situation.

La viorne de Sargent 'Onandago' (Viburnum sargentii 'Onandago') peut remplacer les viornes boule-de-neige.

© B. Dumont/Horti Média

Viburnum opulus 'Roseum' – Viorne boule-de-neige

Ce magnifique arbuste, très spectaculaire, se couvre littéralement de boules blanches à la fin juin. Malheureusement, dès qu'il n'est pas dans son environnement idéal (soleil à ombre légère, sol riche, moyennement humide à humide et humidité atmosphérique élevée) il est attaqué par des insectes et des maladies.

Que faire si vous en avez une dans votre jardin?

1) Supprimez-la.

2) Remplacez-la par une plante adaptée au biotope où vous voulez faire une nouvelle plantation.

Viburnum opulus 'Nanum' – Viorne obier naine

La viorne obier naine souffre très souvent elle aussi de problèmes de feuillage qui la rendent inesthétique.

Que faire si vous en avez une dans votre jardin?

1) Supprimez-la.

2) Remplacez-la par une plante adaptée au biotope où vous voulez faire une nouvelle plantation.

La spirée naine 'Little Princess' peut être une plante intéressante pour remplacer la viorne obier naine. © Michel Renaud

Viburnum trilobum – Viorne trilobée ou pimbina

Cet arbuste indigène a des fruits rouges très caractéristiques dont on se sert pour faire de la gelée. Ses fruits sont aussi très appréciés des oiseaux. Le pimbina est un des rares arbustes indigènes qui peuvent vous causer des problèmes au jardin. Il pousse en zone 3a, au soleil ou à la mi-ombre, dans un sol riche, lourd, légèrement acide et humide et préfère une humidité atmosphérique élevée, près des rivières et des fossés, par exemple. Le spectre environnemental de cet arbuste est très mince et dès que vous ne lui offrez pas les conditions d'humidité et de sol requis, son feuillage est attaqué par des insectes défoliateurs. Son aspect esthétique laisse alors fortement à désirer, même si sa survie n'est habituellement pas en péril.

Que faire si vous en avez une dans votre jardin?

1) Assurez-vous que la plante est dans le bon biotope.

2) Modifiez le biotope au besoin.

Les fruits de la viorne trilobée ou pimbina attirent les oiseaux.

© B. Dumont/Horti Média

L'ancolie du Canada (Aquilegia canadensis, *zone 3) est une plante indigène qui pousse de l'ombre légère à la mi-ombre dans un sol plus ou moins riche, meuble, légèrement acide, frais et bien drainé.* © B. Dumont/Horti Média

Les plantes vivaces génétiquement faibles

Aquilegia hybrida – Ancolie hybride

Les ancolies sont, en général, des plantes vivaces de courte durée. Elles assurent souvent leur pérennité en se ressemant librement. Comme les ancolies hybrides ne peuvent se reproduire par leurs graines, elles ont souvent tendance à disparaître au bout de quelques années. Ces hybrides, notamment les cultivars 'McKana' et 'Biedermeier', de même que certaines autres ancolies, sont très souvent la proie de mineuses très voraces qui détruisent leur feuillage et causent souvent leur mort. La majorité des magnifiques ancolies hybrides sont donc génétiquement faibles.

Que faire si vous en avez dans votre jardin?

1) Utilisez des pesticides à faible impact.

2) Remplacez vos espèces génétiquement faibles par des espèces ou cultivars d'ancolies résistants (*Aquilegia alpina*, *A. canadensis* et *A. vulgaris*) qui peuvent s'adapter à votre biotope.

Aster alpinus – Aster alpin

Ces plantes basses, qui fleurissent en fin de saison, sont très souvent la proie de maladies du feuillage. Il y a tellement d'autres choix intéressants de plantes basses que, personnellement, je ne plante plus cette espèce.

L'aster hybride 'Flora's Delight' (Aster *x* frikartii *'Flora's Delight') peut facilement remplacer l'aster alpin.* © B. Dumont/Horti Média

Malgré leur feuillage attaqué, que je cache derrière d'autres plantes, je ne peux me passer de la magnifique floraison des asters de New York et de la Nouvelle-Angleterre.

© Michel Renaud

Aster novae-angliae – Aster de la Nouvelle-Angleterre ▪ *Aster novi-belgii* – Aster de New York

Ces populaires asters sont la proie de maladies du feuillage, notamment le blanc. Celui-ci ne met pas la vie des plantes en danger, mais les rend très disgracieuses.

Que faire si vous en avez dans votre jardin?

1) Assurez-vous que les asters de New York sont placés au soleil ou à l'ombre légère, dans un sol riche, meuble, légèrement acide et humide et que les asters de la Nouvelle-Angleterre ont la même exposition dans un sol riche, meuble, neutre, frais et bien drainé. De telles situations peuvent diminuer la présence des maladies.

2) Divisez-les tous les deux ou trois ans.

3) Pincez les bourgeons terminaux au début de l'été pour réduire l'incidence des dégâts.

4) Si, comme moi, vous ne pouvez vous passer de leur magnifique floraison automnale, placez-les en arrière-plan, derrière des plantes d'un mètre de hauteur qui cachent leur feuillage attaqué tout en permettant d'admirer leur floraison unique.

Bon à savoir

Les asters de Nouvelle-Angleterre 'September Ruby', 'Hella Nancy' ou 'Purple Dome' sont des cultivars génétiquement plus forts.

Le pied-d'alouette à grandes fleurs (Delphinium grandiflorum) *est peu affecté par les insectes et les maladies.*

© B. Dumont/Horti Média

Delphinium sp. – Pied-d'alouette

Ces plantes spectaculaires ne sont pas vraiment des plantes génétiquement faibles. Plusieurs jardiniers réussissent à faire pousser de beaux pieds-d'alouette. Dans mes jardins à entretien minimal, je n'ai cependant jamais eu de succès avec ces plantes. Ce sont d'abord des plantes vivaces de courte vie qui demandent à être divisées tous les deux ou trois ans maximum. Les variétés plus hautes doivent aussi, la plupart du temps, être tuteurées pour se maintenir debout. Elles demandent une situation ensoleillée, un sol riche en matière organique, meuble, au pH neutre, frais et bien drainé, ainsi que beaucoup d'espace pour les racines. Tous les pieds-d'alouette semblent affectés par diverses maladies et insectes ravageurs, à l'exception de *Delphinium grandiflorum*. Si, comme moi, vous n'avez pas trop de succès avec ces plantes, consolez-vous en vous disant qu'il existe beaucoup d'autres vivaces magnifiques qui demandent moins de soins.

Heliopsis scabra – Faux tournesol

Personnellement, j'ai éliminé de mon répertoire ces plantes qui sont toujours la proie de maladies du feuillage en fin de saison. Il faut de plus les diviser tous les deux ou trois ans pour maintenir leur vigueur.

Que faire si vous en avez dans votre jardin ?

1) Remplacez cette plante par des *Helenium autumnale*, des *Rudbeckia* x 'Herbstsonne' ou des *Helianthus decapetalus* (tout en tenant compte bien sûr de leur biotope), beaucoup moins sensibles aux maladies.

L'hélénie d'automne (Helenium autumnale) *peut remplacer le faux tournesol.*

© B. Dumont/Horti Média

Les grands asters d'automne à la floraison unique et les monardes rouges 'Cambridge Scarlet' qui attirent les colibris comme des aimants sont les seuls végétaux génétiquement faibles que je conserve dans mes jardins. © Michel Renaud

Monarda sp. – Monarde ▪ *Phlox paniculata* – Phlox des jardins ▪ *Alcea rosea* – Rose trémière

Plusieurs autres plantes de jardins sont la proie fréquente de maladies du feuillage. Entre autres, les très populaires phlox des jardins, les monardes et les roses trémières qui sont victimes de diverses maladies fongiques, notamment celle que l'on nomme le blanc.

J'ai longtemps pensé que le blanc qui tache les feuilles de ces plantes était favorisé par un excès d'humidité. En fait, c'est plutôt la sécheresse qui le favorise. Il ne peut se propager sur un feuillage mouillé. Lors d'étés pluvieux, vous constaterez moins de blanc sur vos feuilles.

Si vous désirez implanter ces végétaux, privilégiez des variétés et cultivars moins sensibles :

- **Monardes très résistantes au blanc** : Monarde x 'Blue Stocking', 'Marshall's Delight', 'Panorama', 'Scorpion' et 'Violet Queen' ;
- **Phlox de jardins résistants au blanc** : *Phlox paniculata* 'David' et 'Robert Moore' ;
- Il n'existe pas de roses trémières résistantes à la rouille.

Trucs ET CONSEILS

Le feuillage des échinacées et des rudbeckies est parfois la proie de blanc, surtout lors d'étés trop secs. Le problème est mineur et ne met pas en péril la survie, ni la floraison de ces vivaces. Personnellement je tolère le problème. Toutefois, je place habituellement ces plantes en deuxième rang derrière des plantes qui cachent leur feuillage, tout en laissant paraître leur floraison prolongée.

Que faire si vous en avez dans votre jardin?

1) Assurez-vous que les monardes sont installées au soleil ou à l'ombre légère dans un sol riche, meuble, neutre et humide, les phlox des jardins au soleil dans un sol riche, meuble, neutre, frais et bien drainé, et les roses trémières au soleil ou à l'ombre légère dans un sol riche, meuble, légèrement alcalin et humide.
2) Coupez le feuillage au ras du sol après la floraison et détruisez-le. Cela réduira les maladies fongiques, mais ne les éliminera pas.
3) Vous pouvez aussi installez devant ces plantes d'autres végétaux qui cacheront leur feuillage attaqué, tout en laissant paraître leur magnifique floraison.
4) Vous pouvez vaporiser du bicarbonate de soude (de la petite vache) à raison de 50 ml/litre d'eau dès que les premiers symptômes apparaissent, et, par la suite, tous les 7 à 14 jours (après une pluie).
5) Tolérez les maladies du feuillage, car elles ne mettent pas en péril la survie de ces plantes.

Hosta sieboldiana 'Elegans'

© B. Dumont/Horti Média

Le cas des hostas

Quelques personnes ont des problèmes avec des hostas dont les feuilles sont mangées par des limaces. Personnellement, je n'ai jamais eu de problèmes majeurs. Mes deux hostas préférés sont d'abord des hostas résistants. Il s'agit de Hosta sieboldiana *'Elegans' (H.: 75 cm. L.: 90 cm), au feuillage bleu et* Hosta sieboldiana *'Frances Williams' (H.: 65 cm. L.: 80 cm), au feuillage vert avec une marge jaune. Ils sont toujours plantés dans des écosystèmes fonctionnels, sans utilisation de pesticides et où le réseau d'entraide fonctionne. Un paillis est épandu au sol, mais le collet de la plante est dégagé tout autour sur au moins 5 cm. Leur biotope propice est la mi-ombre ou l'ombre, un sol riche, meuble, légèrement acide, frais et bien drainé à humide.*

Quelques autres hostas résistants: Hosta fluctuans *'Variegata'*, H. gracillima *'Vera Verde'*, H. montana *'Aureomarginata'*, H. tokudama *'Hadspen Blue'*, H. ventricosa *'Aureomarginata'*, H. x *'August Moon', 'Blue Angel', 'Fragrant Bouquet', 'Great Expectations', 'Halcyon', 'Sum and Substance', 'Sun Power' et 'Zounds'.*

Aegopodium podagraria 'Variegatum' – Herbe aux goutteux panachée

Au mois de juillet, le feuillage de ce couvre-sol envahissant se couvre de rouille. La solution est simple: tolérez ce problème, qui ne met pas en péril la survie de la plante, ou, lors de l'apparition de la rouille sur le feuillage, coupez les feuilles rouillées à la cisaille.

Lilium sp. – Lis

Les lis, particulièrement les grands hybrides orientaux, sont très souvent la proie d'un insecte ravageur du nom de criocère. Les dégâts sont particulièrement importants dans la région de Montréal, surtout si des lis ont déjà été cultivés chez vous ou près de chez vous.

Que faire si vous en avez dans votre jardin?

1) Récoltez les criocères à la main et tuez-les.

2) Vaporisez, dès le début du printemps ou dès que vous voyez un criocère, un insecticide à base de pyrèthre.

3) Supprimez-les et sélectionnez d'autres plantes.

Bon à savoir

Les chevreuils sont friands des bourgeons de lis.

Les lis du Canada (Lilium canadense) *sont moins attaqués par le criocère, mais peuvent l'être également.*

© B. Dumont/Horti Média

Plantes vivaces génétiquement faibles hors de leur région propice

Il arrive que des plantes qui s'adaptent bien dans une région soient très difficiles à implanter dans une autre région malgré tous les soins que l'on apporte à la plante et l'effort mis pour créer un biotope adéquat pour cette plante. Les conditions sont tout simplement trop différentes d'une région à l'autre pour être recréées adéquatement. Nous avons vu que les sorbiers très abondants sur la Côte-Nord et dans le Bas-Saint-Laurent sont très difficiles à implanter dans la région de Montréal. Quelques vivaces se comportent de la même façon.

Les lupins sont des vivaces sauvages très prolifiques hors des milieux argileux de la vallée du Saint-Laurent. © B. Dumont/Horti Média

Lupins

Le spectaculaire lupin, quasiment une « mauvaise herbe » dans les Maritimes, est presque impossible à cultiver dans les milieux argileux et alcalins des dépôts de l'ancienne mer de Champlain, dans la région de Montréal par exemple. Plus d'un jardinier s'y est essayé, réussissant une année ou deux, puis perdant ses plants. J'ai connu une jardinière qui avait réussi sur le bord de la rivière des Mille-Îles, dans un milieu où la conjonction de l'humidité atmosphérique et d'un sol rapporté plus ou moins riche, meuble, neutre et humide se rapprochait de ses conditions d'origine.

Donc si vous tentez de cultiver des lupins dans la région de Montréal et que ceux-ci sont victimes de ravageurs, c'est normal. Le lupin n'est pas adapté à cette région.

Dans les Cantons de l'Est, la digitale ambigua se ressème et se propage librement.
© Michel Renaud

Digitales

Il en est de même pour les digitales que j'ai essayé d'implanter maintes et maintes fois, sans succès, dans la région de Montréal. Dans les Cantons de l'Est, différentes variétés de cette bisannuelle se ressèment librement partout et l'on doit souvent les enlever des sentiers et des chemins pour les maintenir praticables. Si vous habitez un site où le sol est argileux et alcalin, considérez les magnifiques digitales comme des annuelles que vous devrez replanter chaque année.

Les iris à rhizomes

Depuis quelques années, dans la région métropolitaine, les iris à rhizomes (*Iris germanica*, *Iris pumila*, etc.) sont la proie d'un insecte vorace: le perceur de l'iris. L'aire de distribution de cet insecte s'étend d'année en année. On rapporte actuellement des dommages dans diverses autres régions.

Que faire si vous en avez dans votre jardin?

NOUVELLE PLANTATION

Si vous voulez être certain de ne pas avoir de problèmes, n'achetez pas d'iris à rhizomes. Sélectionnez plutôt des iris à racines fibreuses, comme les *Iris cristata*, *Iris ensata*, *Iris pseudacorus*, *Iris sibirica* ou *Iris versicolor*, tout en respectant bien leur biotope.

Soyez très vigilant quand vous achetez ou recevez en cadeau des iris à rhizomes. Vérifiez chaque rhizome minutieusement. Mettez les nouveaux iris en quarantaine pendant deux ans avant de les implanter près d'autres iris à rhizomes sains.

Dans certaines régions, les iris à rhizomes peuvent être remplacés par des iris à racines fibreuses, comme l'iris de Sibérie.
© B. Dumont/Horti Média

Rhizomes © B. Dumont/Horti Média

PLANTATION EXISTANTE

Si vos iris existants sont sains, attention quand vous implantez de nouveaux cultivars! Suivez scrupuleusement les conditions de culture et d'entretien prescrites. Pour les *Iris pumila* et *Iris germanica*, le biotope est le soleil et un sol plus ou moins riche, léger ou meuble, légèrement alcalin et sec.

SI VOS IRIS SONT DÉJÀ ATTAQUÉS,
VOUS AVEZ DEUX CHOIX:

1) Débarrassez-vous-en et remplacez-les par des iris à racines fibreuses ou d'autres vivaces.

2) Déterrez vos rhizomes, et débarrassez-vous de ceux qui sont mous ou qui sentent mauvais. Trempez les rhizomes sains dans une solution de pyrèthre ou de savon insecticide et replantez-les dans un autre endroit.

Il existe une foule de plantes retombantes pour créer de belles jardinières.

© B. Dumont/Horti Média

Les fleurs annuelles génétiquement faibles

Petunia 'Cascadia' – Pétunia cascade

Les pétunias retombants des jardinières et des boîtes à fleurs sont très sensibles aux pucerons. La plupart des autres pétunias sont résistants. Pour de nouvelles plantations, sélectionnez plutôt d'autres variétés d'annuelles retombantes.

Verbena x *hybrida* – Verveine annuelle

Seules les verveines annuelles de plates-bandes sont attaquées par diverses maladies et insectes. Les verveines retombantes des jardinières sont très résistantes.

Si vous aimez ces annuelles, achetez des zinnias de la série 'Profusion', qui semblent moins sujets aux maladies.

© B. Dumont/Horti Média

Zinnia sp. – Zinnia

Sauf exceptions, les zinnias sont très sensibles au blanc et à diverses autres maladies fongiques. Utilisez des fongicides naturels biodégradables à faible impact si vous avez des problèmes, tels le soufre ou le bicarbonate de soude.

Autres fleurs annuelles

Diverses autres annuelles sont sujettes aux maladies et aux insectes ravageurs. Mentionnons les bégonias, les basilics pourpres, les coléus, les nicotines, les phlox de Drummond et les tournesols mexicains. Pour réussir ces plantations, les conditions de culture et d'entretien doivent être suivies à la lettre.

Les plantes génétiquement faibles à éviter à tout prix

Pour ne pas rapporter à la maison certaines plantes qu'il faut absolument éviter, apportez cette liste chez les détaillants de produits horticoles.

ARBRES

Crataegus x *mordenensis* 'Toba' (Aubépine 'Toba')

Betula sp. En milieu argileux, presque tous les bouleaux, sauf le bouleau noir (*Betula nigra*) et le bouleau pleureur 'Youngii' (*Betula pendula* 'Youngii'), sont génétiquement faibles.

Malus sp. (Les pommiers et les pommetiers décoratifs non résistants)

Tilia cordata 'Sheridan' (Tilleul 'Sheridan')

Tilia cordata 'Glenleven' (Tilleul 'Glenleven')

Ulmus americana (Orme d'Amérique)

ARBUSTES

Rosa sp. (Les rosiers non résistants)

Viburnum opulus 'Roseum' (Viorne boule-de-neige, hors de son biotope parfait)

VIVACES

Aquilegia hybrida (Ancolie hybride)

Lupinus sp. (Lupin, dans la plaine argileuse du Saint-Laurent)

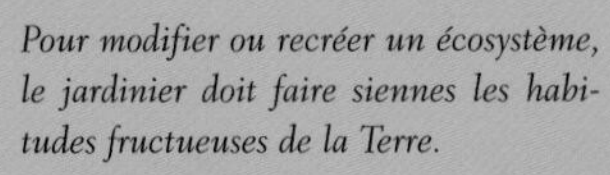

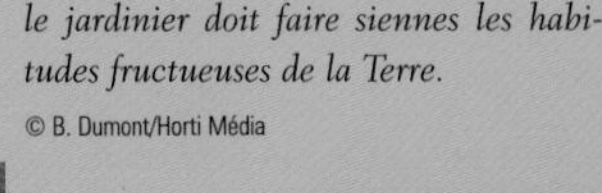

Pour modifier ou recréer un écosystème, le jardinier doit faire siennes les habitudes fructueuses de la Terre.

© B. Dumont/Horti Média

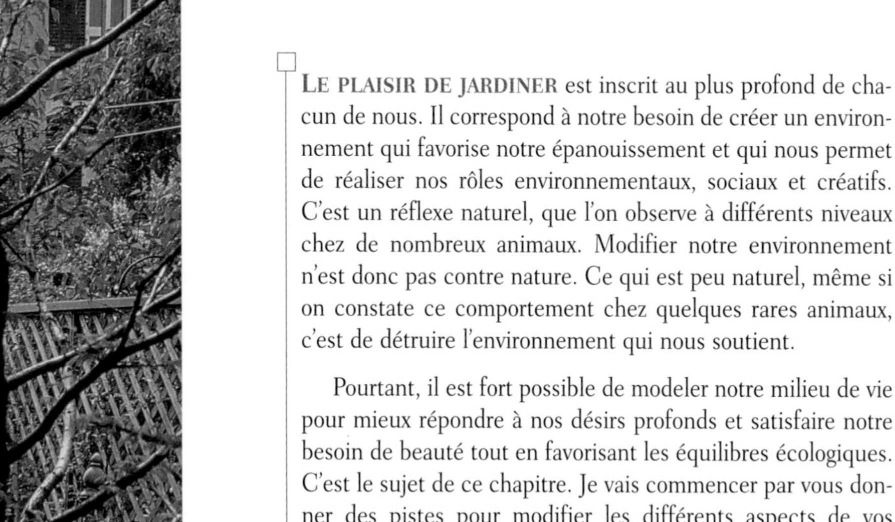

Modifier ou recréer un écosystème

LE PLAISIR DE JARDINER est inscrit au plus profond de chacun de nous. Il correspond à notre besoin de créer un environnement qui favorise notre épanouissement et qui nous permet de réaliser nos rôles environnementaux, sociaux et créatifs. C'est un réflexe naturel, que l'on observe à différents niveaux chez de nombreux animaux. Modifier notre environnement n'est donc pas contre nature. Ce qui est peu naturel, même si on constate ce comportement chez quelques rares animaux, c'est de détruire l'environnement qui nous soutient.

Pourtant, il est fort possible de modeler notre milieu de vie pour mieux répondre à nos désirs profonds et satisfaire notre besoin de beauté tout en favorisant les équilibres écologiques. C'est le sujet de ce chapitre. Je vais commencer par vous donner des pistes pour modifier les différents aspects de vos biotopes, puis des communautés qui les habitent dans une perspective écologique.

Modifier la rusticité, si nécessaire

Fondamentalement, pour changer la rusticité d'un site, il faut agir de façon à réduire la vélocité des vents et favoriser les accumulations de neige.

Des techniques simples

Plusieurs moyens simples sont à votre portée pour créer un milieu de vie plus accueillant et paisible et favoriser du même coup la survie des végétaux et des organismes de votre écosystème.

Pour encourager les amoncellements abondants de neige (la meilleure et la plus naturelle des façons de protéger vos végétaux contre les rigueurs du froid), vous pouvez prendre certaines actions simples. Il faut d'abord savoir que plus un

TRUCS ET CONSEILS

De nombreuses plantes vivent une période d'adaptation au climat de leur nouveau milieu. Le plus souvent, donc, certaines plantes demandent une protection hivernale les premières années, mais pas par la suite.

Bon à savoir

L'installation d'un brise-vent est souvent la meilleure façon d'apprécier les douceurs d'un jardin tout en protégeant ses plantes.

terrain est aménagé, et plus il y a de plantes (des arbres et des arbustes en particulier) et d'éléments qui arrêtent le vent, plus les quantités de neige amassée sont importantes. Ainsi, si vous laissez sur place toutes les tiges et résidus organiques de vos vivaces à l'automne, la neige y sera «emprisonnée» et fera office de protection hivernale. En outre, à cause de leur enchevêtrement un peu chaotique, les résidus végétaux conservent de l'air au niveau du sol, ce qui est également très bénéfique pour les organismes de votre écosystème.

Vous pouvez aussi recouvrir les végétaux de feuilles mortes, de paille, de branches de conifères (sans détruire pour cela des plantations existantes) ou de couvertures artificielles commerciales vendues dans les jardineries. Dans ce dernier cas, il faut bien évaluer les besoins pour ne pas rendre le jardin inesthétique en hiver.

Installer un brise-vent

La méthode la plus efficace pour réduire la vitesse des vents, et par le fait même favoriser l'accumulation de neige, est l'installation d'un brise-vent. L'effet de celui-ci se fera sentir aussi bien l'hiver que l'été.

L'effet d'un brise-vent n'est pas immédiat. Il faut souvent quelques années pour que son efficacité soit optimale. C'est pourquoi il est conseillé de l'implanter sans attendre quand on arrive sur un nouveau site, ouvert à tous les vents.

La mise en place d'un tel dispositif demande de suivre quelques règles.

Installer un brise-vent permet de réduire la vélocité du vent et favorise de ce fait les accumulations de neige protectrice à l'hiver. © Michel Renaud

Règle n° 1 : l'orientation

Commencez par déterminer la direction du vent. Au Québec, en hiver, celui-ci vient principalement de l'ouest ou du nord-ouest.

Pour une efficacité maximale, il faut implanter le brise-vent perpendiculairement (à 90°) aux vents dominants. À partir de cet angle droit, on peut faire varier l'angle de 15° de chaque côté de celui-ci.

Règle n° 2 : la perméabilité

Le vent est un élément naturel très fort qu'il est difficile d'éliminer. Lorsqu'il frappe un mur, une haie dense ou un bâtiment, une zone de turbulence se crée immédiatement derrière ceux-ci. La vitesse du vent s'accélère et la protection est limitée à la seule hauteur du brise-vent ou un peu plus.

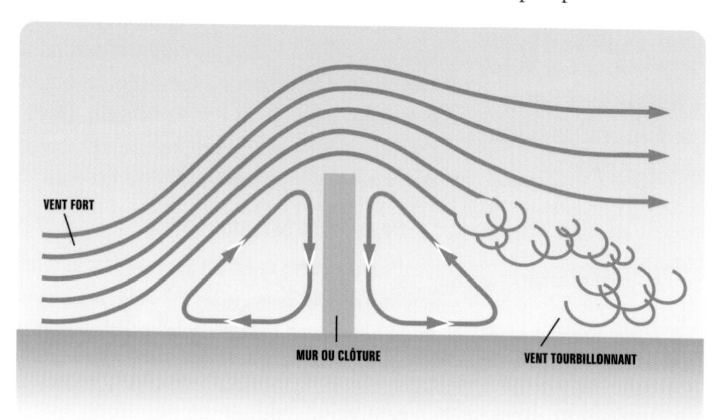

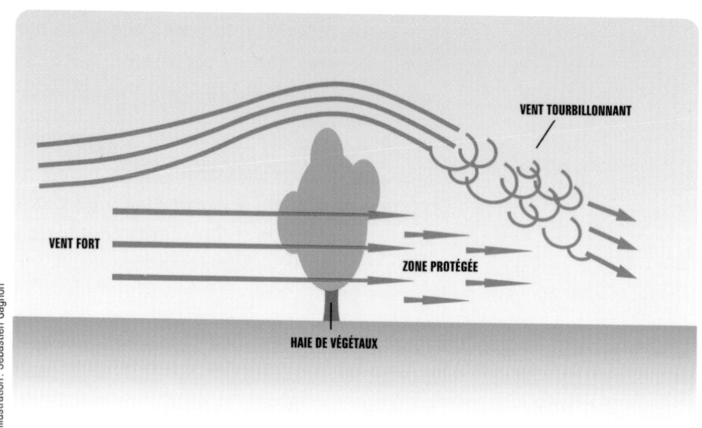

Illustration : Sébastien Gagnon

Pour bénéficier d'une zone de protection plus importante, il faut implanter un brise-vent *perméable*, c'est-à-dire que celui-ci doit ralentir le vent sans le stopper complètement. Un brise-vent perméable à 50% représente la situation optimale pour réduire la vélocité du vent, offrir le maximum de surface protégée et réduire de façon importante la vitesse des tourbillons.

Règle nº 3 : la hauteur

Celle-ci est directement proportionnelle à l'étendue de terrain que vous voulez protéger. Réalisé selon les règles, un brise-vent de deux mètres de hauteur, perméable à 50%, assure une protection sur 20 m de longueur au sol. À 3 m, ce sont 30 m qui sont protégés. Une hauteur de 10 m assure une protection d'environ 100 m.

Bon à savoir

Dans un jardin paysager résidentiel, il faut trouver l'équilibre entre l'efficacité du brise-vent et la place dont on dispose.

Règle nº 4 : la longueur

Un brise-vent doit être suffisamment long pour que le vent ne s'engouffre pas par les côtés. Il perdrait ainsi de son efficacité. Pour une efficacité optimale, la longueur de celui-ci doit être équivalente à dix fois sa hauteur. Dans le cas où le terrain est trop petit pour permettre un tel étalement, le brise-vent doit être prolongé sur les côtés adjacents.

Règle nº 5 : la largeur

Plus le brise-vent est large, plus la vitesse du vent qui s'y engouffre est ralentie et plus le brise-vent est efficace. Un large boisé peut par exemple absorber plus de 75% du vent. La protection d'un tel boisé peut alors s'étendre sur plus de 25 fois sa hauteur.

Règle n° 6 : l'homogénéité

Bien entendu, si le vent s'engouffre par des trous à l'intérieur du brise-vent ou par sa base, celui-ci perd de son efficacité. Dans un bon brise-vent, il n'y a pas de trous.

Pour visualiser facilement la perméabilité d'un brise-vent, dessinez celui-ci sur une feuille de papier. Tout ce qui n'est pas végétal représente les ouvertures. Le pourcentage des ouvertures par rapport à l'ensemble du brise-vent représente le pourcentage de perméabilité.

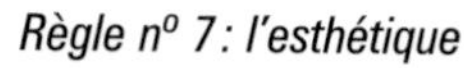

Règle n° 7 : l'esthétique

© Michel Renaud

Si la haie brise-vent sert de toile de fond à des vivaces ou à une sculpture, elle doit être uniforme et sans éclat, pour laisser la vedette à qui de droit. Au contraire, si la haie est un élément vedette, l'implantation d'arbustes à feuillage spectaculaire, comme le cornouiller panaché ou le fusain ailé, doit être favorisée.

Bon à savoir

En plus d'avoir un effet positif en hiver, un brise-vent freine l'évapotranspiration des plantes en été.

Règle n° 8 : des végétaux adaptés

On privilégie habituellement des conifères pour créer des haies brise-vent efficaces en toutes saisons. Les pruches et les épinettes comptent parmi les meilleurs conifères pour cet usage. Leur taux de perméabilité, qui avoisine souvent les 50 %, est excellent. Cependant, sur de petits terrains où la largeur de la protection est moins importante, des cèdres du Canada font très bien l'affaire. Bien entendu, les végétaux sélectionnés doivent s'adapter aux biotopes du site.

Vous pouvez faire d'une pierre deux coups en implantant dans votre haie brise-vent des végétaux qui attirent les oiseaux tels des sureaux (Sambucus *sp.*)*, des viornes* (Viburnum *sp.*)*, des amélanchiers* (Amelanchier *sp.*) *et des conifères. La plupart de ces derniers attirent et abritent les oiseaux, et les nourrissent de leurs fruits.*

Règle n° 9 : une croissance rapide

Puisque, habituellement, la présence du vent est une nuisance immédiate, on sélectionne des essences à croissance rapide.

TRUCS ET CONSEILS

Il est important de bien évaluer la santé de vos arbres [voir le chapitre « Observer les communautés qui vous entourent »] et, si nécessaire, de planter de jeunes arbres avant même la perte prévisible d'un arbre qui fait de l'ombre sur des plantations.

Modifier la luminosité, si nécessaire

En écologie, il est assez rare que l'on doive modifier la luminosité d'un site. On préfère implanter des végétaux qui s'adaptent à la luminosité existante et prévoir l'accroissement éventuel des branches d'un arbre. Cependant, si pour une raison ou une autre vous devez modifier la luminosité d'un site, voici quelques balises et trucs.

Diminuer la luminosité

Dans un jardin, des zones d'ombre sont toujours appréciées. Elles permettent de se rafraîchir les jours de canicule et de varier le choix de ses plantations. La plantation d'arbres feuillus de grande dimension réduit aussi de façon importante les frais de climatisation d'une maison en interceptant les rayons du soleil d'été avant qu'ils atteignent votre maison et en laissant passer le soleil d'hiver sous leur ramure élevée.

Certaines situations nécessitent des interventions. Si la perte d'un arbre crée des conditions d'ensoleillement mortelles pour les plantations qu'il abritait sous ses frondaisons, vous pouvez diminuer l'ensoleillement rapidement en aménageant une structure temporaire à l'aide de piquets et de toiles. C'est une technique qu'on peut aussi utiliser aussi lors de transplantations hors saison alors que les rayons de soleil sont ardents.

Pour une solution plus permanente, par la suite, replantez des arbres ou des arbustes à croissance rapide.

Toute intervention visant à supprimer des branches doit être faite dans le respect des pratiques écologiques.

© B. Dumont/Horti Média

Augmenter la luminosité

Pour obtenir un tel effet, on peut accroître le pouvoir réfléchissant des surfaces. Par exemple, en peignant une clôture ou un mur d'une couleur claire, on est susceptible d'accentuer la luminosité d'un lieu.

Il est aussi possible d'enlever des éléments qui empêchent la luminosité du jour de pénétrer un lieu. En coupant, par exemple, des branches d'arbres, en déplaçant ou en supprimant un arbuste ou une construction désuète.

Si vous n'êtes pas certain de bien maîtriser les techniques d'élagage, faites appel à un spécialiste. L'argent ainsi investi est souvent minime en regard des sommes à dépenser pour régler un problème.

© B. Dumont/Horti Média

Tailler un arbre

Lorsque vous enlevez des branches d'un arbre ou d'un arbuste, vous intervenez dans la structure même de l'arbre, l'équivalent de votre squelette. Vous touchez également à son système énergétique, l'équivalent de votre système nerveux. En plus, vous enlevez des feuilles, ses panneaux solaires et sa première source d'énergie et de nourriture. Enlever une branche n'est donc pas un acte anodin. Cette opération devrait être effectuée par une personne qui a acquis une connaissance minimale des règles de l'art de la taille, car il s'agit bien ici d'un art.

Trucs ET CONSEILS

N'enlevez jamais plus de 15 % des branches d'un arbre à la fois. Si vous devez en supprimer plus, à moins que vous ne possédiez les bonnes techniques, faites appel à un spécialiste.

Chaque section de branche porte un chef de section, un bourgeon terminal qui dirige la circulation de la sève et le flux énergétique dans la branche : c'est la *dominance apicale*. Ce chef de section est plus fort que les bourgeons latéraux et peut même inhiber leur croissance au besoin. Ce sont ces bourgeons dominants qui reçoivent le flux énergétique principal de la plante et c'est par eux qu'elle grandit. En fait, une plante ligneuse ne sort pas de terre pour croître, elle grandit plutôt en allongeant ses branches.

Le grand chef est, quant à lui, le bourgeon le plus haut. Il attire la plus grande part du flux énergétique et orchestre sa redistribution. Parfois, un végétal peut avoir deux ou trois dominances apicales principales lorsque deux ou trois bourgeons de même hauteur sont plus hauts que tous les autres. Les bourgeons dominants qui se rapprochent de la cime d'un végétal sont plus importants pour la répartition du flux énergétique que ceux qui sont près du sol. À mesure que l'on se rapproche du tronc et du sol, la vigueur des bourgeons diminue.

Par conséquent, couper un bourgeon ou une branche dominante près de la cime (le haut de l'arbre) produit beaucoup plus d'effet que de couper un bourgeon ou une branche située près du sol ou à l'intérieur de l'arbre. Si la taille est mal faite, le déséquilibre est alors plus important.

TRUCS ET CONSEILS

Traitez vos arbres avec respect. Avant d'entreprendre une taille importante, demandez-vous toujours s'il n'existe pas d'autres solutions pour régler la situation à laquelle vous faites face.

Lorsqu'on coupe une dominance apicale, il se produit habituellement une stimulation de plusieurs bourgeons latéraux qui veulent devenir grand chef à leur tour. Ainsi, on peut voir apparaître trois ou quatre branches dominantes là où il n'y en avait qu'une seule. Si l'objectif est d'augmenter la lumière, il est donc important de tout faire pour éviter de couper les bourgeons et les branches dominantes. Élaguer de la bonne façon les branches intérieures ou les branches basses du végétal de l'arbre est la façon la plus efficace de *faire de la lumière*.

Sauf exception, le meilleur moment pour élaguer un arbre feuillu est la période qui s'étend entre les mois de novembre et mars, lorsque les températures oscillent entre - 1 et - 10 °C. Si la taille est légère, les mois de juin et juillet, hors des temps de grandes canicules, sont aussi propices.

Pour faire de la lumière sous un arbre

Les deux meilleures techniques sont :

- *enlever complètement quelques branches basses ;*
- *élaguer les branches de l'intérieur de l'arbre.*

Apprendre à tailler fait partie de l'apprentissage incontournable du jardinier écologique. Que vous cueilliez une rose ou du basilic, ou que vous tailliez un arbre ou un arbuste, vous êtes en relation avec un être vivant. Tailler les végétaux sans conscience apporte bien des problèmes. Dans le cadre de ce livre, je ne peux vous fournir toutes les connaissances nécessaires pour bien le faire. Je vous invite donc à consulter d'autres sources (voir références bibliographiques) ou à suivre un cours de taille, de loin la meilleure façon d'apprendre à tailler. Les Amis du Jardin botanique de Montréal et plusieurs Sociétés d'horticulture et d'écologie organisent des cours de taille durant la belle saison avec atelier pratique sur le terrain.

Modifier l'humidité du sol, si nécessaire

Il existe plusieurs façons d'éliminer l'eau en excès ou de la retenir si elle se draine trop rapidement. La conjonction de différentes méthodes est souvent la meilleure solution pour améliorer cette facette de l'aménagement.

Retenir l'eau

Au jardin, il existe plusieurs manières de favoriser la rétention d'eau dans le sol.

CHEMINEMENT DES EAUX DE SURFACE

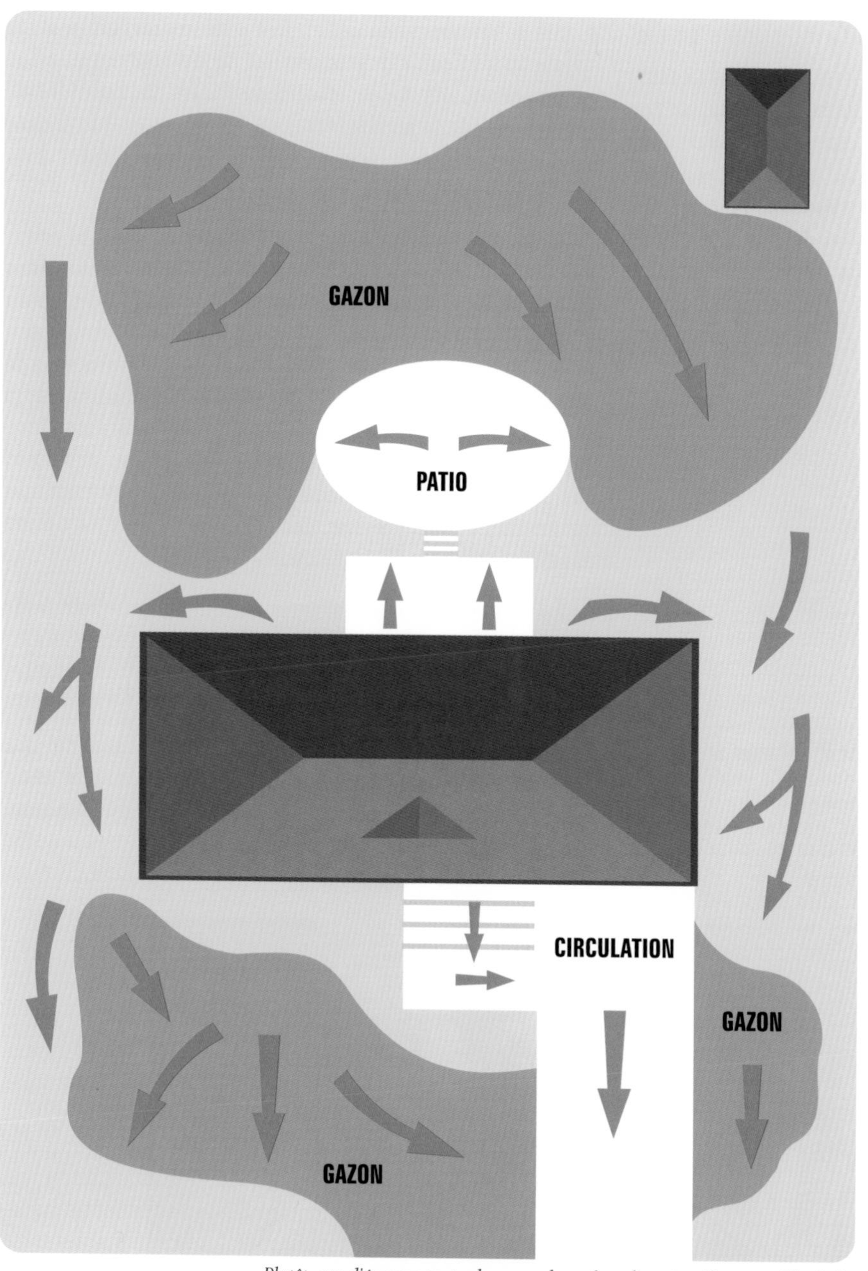

Illustration: Sébastien Gagnon

Plutôt que d'évacuer toutes les eaux de surface d'un site, il est possible de les rediriger vers les plates-bandes où le ruissellement est moins important.

TRUCS ET CONSEILS

Il est préférable, d'un point de vue écologique, de récupérer l'eau du drain dans une plate-bande ou sur la pelouse plutôt que de l'évacuer dans un fossé pluvial ou dans les égouts.

L'une d'elles consiste à incorporer des humus (composts, tourbe de sphaigne, certaines terres noires pures) qui peuvent retenir 10 à 15 fois leur poids en eau ou des argiles, qui, elles, en retiennent 4 à 5 fois. Toutefois, il faut bien prendre en compte que de telles interventions modifient en profondeur les qualités (structure, texture, pH) du sol. Elles doivent donc être faites en toute connaissance de cause.

Une autre technique consiste à diriger les eaux d'écoulement vers les endroits trop secs au lieu de les acheminer hors du site. Par exemple, on peut récupérer l'eau des gouttières pour la diriger vers des plantations. On peut aussi travailler, ou retravailler, les pentes d'écoulement de manière à diriger les eaux de surface vers des plates-bandes spécifiques. L'inclinaison de la pente sur le gazon ne doit pas rendre son utilisation désagréable. À l'intérieur de la plate-bande, donner une inclinaison qui favorise la rétention de l'eau plutôt que son écoulement hors du terrain. Dans tous les cas, conformément à la loi, on ne doit pas drainer ses eaux de surface chez les voisins.

La création et l'aménagement de baissières (des endroits plus bas où l'eau s'accumule) est une autre bonne façon, de retenir l'eau sur un site. Il est aussi beaucoup plus écologique d'aménager une baissière existante que de la combler à tout prix.

Tout au long du livre, je vous incite à favoriser la connexion entre les différentes couches de sol de façon à faciliter, entre autres, le drainage. Toutefois, si votre intention est de retenir l'eau plus longtemps dans le sol, le fait de déposer une couche de terre sur une autre couche sans créer de connexion entre

L'amélioration de la connexion entre les différentes couches de sol est une façon de faciliter le drainage si la nappe phréatique n'est pas trop haute. On retire les premiers 30 cm de terre d'une plate-bande et on défonce la croûte, puis on remet la terre en place. © Michel Renaud

J'ai drainé la totalité de cette cour en connectant des drains de plastique provenant de différentes parties du terrain à un puits sec de 1,50 m de profondeur sur 1,25 m de largeur, situé au milieu du chemin de pierres. © Michel Renaud

elles encourage une certaine rétention d'eau. Dans une telle situation, après une pluie ou un arrosage, et à cause des différences de pression entre les strates, la première couche de sol doit être saturée d'eau avant de commencer à se drainer vers la couche inférieure. Ce phénomène se produit même si la couche inférieure est composée de graviers. La couche supérieure doit cependant avoir une épaisseur minimale de 45 cm pour permettre un développement sain des racines et des organismes du sol.

Évacuer les surplus d'eau

Il se trouve des situations où il y a trop d'eau pour les plantes ou pour les activités qui se déroulent sur la pelouse.

Dans un sol argileux, l'ajout de sables grossiers et d'humus actifs a souvent un effet positif sur le drainage. Par contre, si le sol est dépourvu d'humus actifs, l'apport de sables produira une sorte de ciment et le drainage ne sera pas amélioré.

Un *puits sec* produit des effets spectaculaires sur le drainage d'un sol. Il s'agit en fait d'un trou rempli de gravier qui fait office de drain vertical pour évacuer l'eau. Plus il est volumineux et profond, plus sa performance est spectaculaire.

Il est installé à 15 cm sous la surface du sol. On creuse dans le sol un trou d'une profondeur d'un mètre et plus ainsi que de 60 cm et plus de longueur et de largeur. On installe un géotextile, on le remplit de gravier ou de roches, on rabat le géotextile et on recouvre le tout de terre avant d'installer du gazon.

La pose d'un drain perforé en plastique noir est une autre avenue très efficace et largement utilisée pour le drainage. Le tuyau capte l'eau sur toute la longueur de son passage. Pour l'installer, on creuse une tranchée de 45 à 60 cm de profondeur avec une légère pente vers le lieu d'écoulement.

Trucs et conseils

Vous savez observer la terre et le sol, identifier vos biotopes. Vous avez aussi appris à déterminer la niche écologique d'une plante. Pour pouvoir, si nécessaire, modifier votre sol de façon écologique, vous devez garder en tête toutes ces informations.

On dépose ensuite une couche de gravier, puis on installe le drain que l'on recouvre complètement de gravier avant de refermer le trou. Il est aussi parfois nécessaire d'ajouter de la toile géotextile autour du gravier pour éviter que les espaces qui servent au drainage de l'eau ne soient bouchés par la terre.

On peut utiliser un modèle enveloppé de textile blanc, plus cher à l'achat, mais qui ne nécessite pas l'installation de graviers et qui peut être enterré directement dans le sol.

Eau de ruissellement et écologie

Dans la nature, avant d'atteindre les cours d'eau, l'eau s'infiltre souvent entre les racines des plantes qui la filtrent. Cependant, dans les secteurs urbanisés, l'eau s'écoule très rapidement sur les toits, les entrées de garage et les surfaces dures, puis ruisselle vers les égouts sans être filtrée. Cette eau charrie avec elle des huiles, des sels de déglaçage et d'autres produits toxiques. Lors de fortes pluies, les systèmes d'égouts sont souvent débordés et l'eau non traitée est alors directement déversée dans les cours d'eau. À la campagne, c'est un peu la même chose. Lors de fortes pluies, les fossés et marais filtrants débordent et les eaux souillées se déversent directement dans les lacs et rivières, provoquant leur dégradation et des inondations.

Retenir les eaux de ruissellement sur son terrain et s'en servir pour abreuver ses plantes est donc un acte d'écologie et de civisme.

Modifier le sol, si nécessaire

Il est plus simple, plus écologique et plus économique de planter des végétaux qui s'adaptent au sol existant. Modifier un sol implique des ajouts de matières fertilisantes, des efforts et de l'argent. Cependant, il est fréquent que l'on doive, pour une raison ou une autre, modifier un sol pour y introduire des plantes. Dans certains développements domiciliaires, par exemple, il est même souvent nécessaire de modifier les terres puisque celles-ci sont en fait des terres de sous-sols.

Je vous présente ici ma méthode pour modifier simplement la fertilité d'un sol. Je l'utilise depuis des années avec beaucoup de succès. Vous pourrez, avec l'expérience, l'adapter à votre réalité.

Pour modifier le sol existant sur votre terrain, il faut y mélanger des matières fertilisantes.

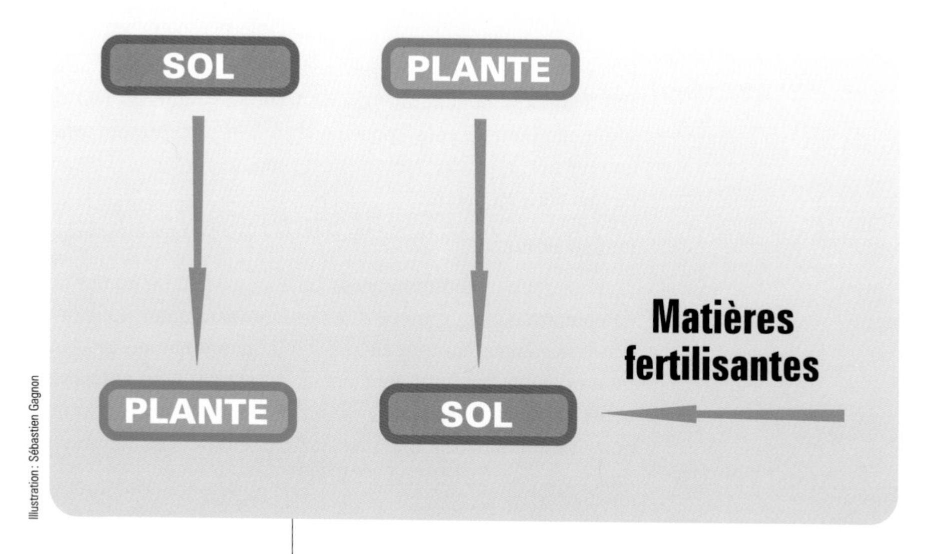

Illustration : Sébastien Gagnon

TRUCS ET CONSEILS

Vous ne devriez jamais acheter de la terre sans l'avoir évaluée au préalable. Il est facile de remplacer ou de changer des plantes de place. Il est plus difficile de changer de terre, une fois que vous y avez fait pousser des plantes.

Il est donc important de bien connaître les qualités (et les défauts) des matières auxquelles on a facilement accès avant d'établir les quantités et les méthodes utilisées pour les incorporer au sol.

Les matières fertilisantes

Après toutes ces années d'expérience, j'ai fini par sélectionner des produits que vous pouvez facilement trouver dans le commerce ou votre jardin, et que j'utilise avec beaucoup de succès.

Les produits commerciaux vendus en vrac

Chez les fournisseurs de terre ou dans certaines jardineries, on peut acheter en vrac des terres, des composts, des paillis, des sables ou des terres noires.

Les terres

Les terres peuvent porter différentes appellations : *Top soil* traduit par « terre de surface », *terre de plantation*, *terre de plantation améliorée*, *terre à pelouse*, etc. Sous une même appellation, la terre peut en fait être composée de constituants très différents, dépendant du commerçant et de la région dans laquelle vous vous trouvez. Parfois, d'une année à l'autre, la composition d'une terre vendue sous une même appellation par un même commerçant peut également changer.

Je commande rarement donc de la terre en vrac sans l'avoir vue et évaluée. Chez le fournisseur de terre, je fais le tour de tous les tas. Je recherche la présence d'agrégats, soupèse, hume, roule la terre dans mes mains pour en évaluer la fertilité. Parfois je ramène un peu de terre pour faire un test de sédimentation. Je vous conseille d'en faire autant pour vous assurer que le produit qui vous est proposé correspond bien à ce que vous recherchez.

Les composts

Beaucoup de fournisseurs de terre possèdent un ou des tas de compost. Ce sont souvent des composts fermiers ou même des composts à base de biosolides (boues d'égouts) plus ou moins compostés. Il est donc possible de trouver des composts actifs chez ces fournisseurs. Toutefois, la qualité de ces composts varie énormément. N'hésitez pas à poser des questions ou à exiger un **compost certifié**.

Compost certifié

Actuellement, toutes sortes de matières organiques sont commercialisées sous le nom de compost. Afin d'assurer une qualité minimale, certains producteurs vendent des composts certifiés. Même si la certification ne vous assure pas de trouver le meilleur compost au meilleur prix, celle-ci vous offre une protection minimale. En cas de doute, choisissez un compost certifié et demandez ce qui est certifié.

Les paillis

Comme ce sont des matières organiques non décomposées, je n'en incorpore jamais lors de la préparation des sols. Toutefois, j'en installe par la suite. Je reviendrai donc sur ce sujet à la fin de ce chapitre.

Les produits commerciaux vendus en sac

Je n'utilise pas tous les engrais et produits en vente dans les commerces. Voici des informations sur ceux que j'emploie pour modifier un sol.

Les terres et les composts industriels

Dans la presque totalité du commerce de détail horticole, les producteurs de tourbe de sphaigne sont souvent les fournisseurs quasi exclusifs de toutes les *terres*, *terreaux*, *composts* et *tourbe de sphaigne* vendus en sacs.

Ainsi, pour la plupart de ces produits, le principal ingrédient est souvent de la tourbe de sphaigne, des tourbes noires ou des terres noires. Par exemple, l'ingrédient dominant de certains fumiers de mouton est la tourbe noire, une tourbe récoltée dans les tourbières, mais dont la couleur est noire plutôt que brune ou blonde à cause de phénomènes géologiques et climatiques qui ont eu lieu il y a des milliers d'années.

Bon à savoir

Très souvent, les vendeurs peuvent vous fournir une analyse chimique (phosphore, potasse, pH, matières organiques, etc.), mais l'analyse de granulométrie est rarement proposée. Pour connaître les constituants et la fertilité de ces terres, il vous faudra faire vous-même les tests maison présentés au chapitre «Identifier vos biotopes».

Il existe un vaste choix de matières fertilisantes vendues en sac. Toutes n'ont pas les mêmes qualités. Vous devez sélectionner celles qui répondent le mieux à vos besoins.

© B. Dumont/Horti Média

On peut donc considérer que la majorité des terres, terreaux et composts vendus en sac chez les détaillants de produits horticoles sont des sources d'humus très stables. Toutefois, ils contiennent aussi des éléments minéraux assimilables pour les plantes et les organismes provenant des autres constituants, par exemple des carapaces de crevettes, ce qui présente un intérêt certain. On ajoute parfois aux terreaux de plantation des engrais de synthèse et de la chaux pour apporter des éléments nutritifs et réduire leur acidité.

La vaste majorité de ces produits sont rarement des sources d'humus actifs.

Tourbe de sphaigne et développement durable

Un des rôles écologiques importants des tourbières à l'échelle planétaire est d'accumuler le gaz carbonique de l'atmosphère qui est ensuite transformé en charbon et en pétrole au cours des âges.

En effet, lors de la photosynthèse, les plantes captent le gaz carbonique (CO_2) qui s'accumule dans leurs tissus. Habituellement, ce carbone est remis en circulation principalement lors de la dégradation de la litière organique. Dans une tourbière, comme il n'y a pas ou très peu de dégradation, la plus grande partie du carbone y est conservée formant ainsi des **puits de carbone.**

Si on fait la somme de tout le carbone emprisonné dans les tourbières de par le monde, on obtient l'équivalent des deux tiers du CO_2 présent dans l'atmosphère d'aujourd'hui. De nombreux spécialistes affirment que, pour cette seule raison, il est important de préserver les tourbières.

Les tourbières sont un milieu de vie tout à fait unique. Cette sarracénie pourpre ne pousse que dans ces conditions «extrêmes».

© B. Dumont/Horti Média

Puits de carbone

Écosystème qui fixe plus de CO_2 qu'il n'en relâche.

(Roulet, Moore, Richard, *2001*)

Bon à savoir

Au Québec, on vend du fumier de mouton en grande quantité. Pourtant, lors de promenades à la campagne, on remarque très peu de moutons. Cette simple constatation devrait vous inciter à toujours lire attentivement les ingrédients des produits que vous achetez. À l'instar des aliments, le premier élément de la liste des ingrédients mentionnés est le plus important.

On estime que 3 à 4% de la surface des terres du globe est couverte de tourbières (Lappalainen, 1996) qui peuvent s'accumuler à un rythme aussi lent que de 10 cm par 100 ans (Centre québécois de valorisation des biomasses et des biotechnologies, La tourbe, une ressource d'avenir*). Aux Pays-Bas, en Pologne et en Allemagne, il reste moins de 15% des tourbières originelles. C'est pourquoi, en Europe, l'utilisation de la tourbe de sphaigne en horticulture est largement remise en question.*

Au Canada, la situation est fort différente: 17%, du territoire est couvert de tourbières, soit environ 170 millions d'hectares. L'industrie canadienne de la tourbe n'en utilise actuellement que 17 200 hectares soit 0,01% (Hood et Sopo, 1999). Toutes ces exploitations sont concentrées près des marchés, les tourbières du Grand Nord restant intactes. Ainsi, dans la région du Bas-Saint-Laurent et de la Gaspésie, on dénombre plus de 3 000 hectares de tourbières en exploitation, auxquels il faut ajouter celles qui sont perturbées par d'autres activités agricoles et industrielles. Des études restent à faire sur l'effet cumulatif de telles activités sur les équilibres écologiques d'une région.

Conscients des critiques possibles, les producteurs de tourbe financent des recherches pour connaître les impacts de leurs pratiques et les améliorer. Comme pour la forêt, il existe des façons de récolter qui perturbent moins les équilibres écologiques. Mais les recherches sont toujours en cours pour adapter la récolte commerciale de la tourbe aux impératifs écologiques de survie et de restauration des tourbières. À quand la première tourbe de sphaigne certifiée écologique?

Les composts artisanaux

Dans les marchés de quartier, ce sont souvent les producteurs de fleurs et de légumes qui ensachent leurs fumiers et composts qu'ils prennent la plupart du temps chez des éleveurs de vaches ou de bovins. Les matières premières de ces composts sont donc des déjections animales mêlées à du foin ou de la paille. Ils ne contiennent généralement pas de tourbe de sphaigne, ni de terre noire. Ces composts fermiers jeunes et souvent grossiers sont une source d'humus très actifs.

La chaux

Ce produit permet de réduire l'acidité du sol et de favoriser sa structuration. Il se présente sous deux formes.

Bon à savoir

Les limons fins et les argiles sont absents de chez les détaillants de produits horticoles. Heureusement, plus souvent qu'on ne le croit, ils sont présents au jardin.

La *chaux horticole*, un produit économique qui se dégrade rapidement dans le sol.

La *chaux dolomitique*, qui se dégrade moins vite, mais qui contient du magnésium.

Les engrais

La *poudre d'os* est la source de phosphore la plus utilisée par les jardiniers écologiques pour pallier le manque de cet élément dans les sols québécois. Une partie se dégrade la première année, puis le reste en quelques années, suivant les conditions du milieu.

La *roche de phosphate* ou «os fossile» est beaucoup plus économique que la poudre d'os, sa dégradation est plus lente, et cet engrais reste plus longtemps dans le sol.

Le *Sul-po-mag*, qu'on ne trouve que dans certaines jardineries, est une source de potasse.

Le *fumier de poulet granulaire* est une source d'azote, de phosphore et de potasse relativement économique.

Les engrais de synthèse ou engrais minéraux chimiques

Ce sont des produits naturels dont la composition chimique et les propriétés ont été transformées en usine. Ils sont complètement solubles, donc directement assimilables par les plantes sans passer par l'intermédiaire des microbes. À cause de leur solubilité, ils sont plus facilement lessivables, ne stimulent aucunement une bonne proportion des organismes du sol et ne favorisent nullement la structure du sol. Au contraire, une utilisation exclusive et répétée de ces produits chimiques a pour effet de réduire l'activité biologique d'un sol et de favoriser sa déstructuration. Si on n'a pas une bonne connaissance des sols et une solide expérience, il vaut mieux les éviter en jardinage écologique.

Les produits issus du jardin

Dans votre jardin, dans votre sol et même dans votre maison, vous pourrez trouver des matières fertilisantes uniques.

Dans votre sol se trouvent peut-être des *limons fins* et des *argiles*, deux constituants souvent très difficiles à obtenir dans le commerce.

Le compost maison est une bonne source de matières fertilisantes, car on peut en contrôler la qualité. © Michel Renaud

Votre tas de *compost*, la *litière organique* qui s'accumule au sol et les *engrais verts* que vous pouvez semer, et sur lesquels je reviendrai plus loin, sont des sources d'humus actifs et de matières facilement dégradables qui sont aussi parfois difficiles à trouver en magasin.

La *cendre de bois franc* de votre foyer est un engrais très concentré en potasse et en calcium qui peut même remplacer la chaux pour réduire l'acidité du sol et le Sul-po-mag comme source de potasse.

Si vous ne trouvez pas la liste des ingrédients contenus dans les sacs de terre, terreau et compost, faites-en la remarque au gérant du magasin et n'achetez pas le produit.

Soyez vigilant!

Les spécialistes en marketing jouent beaucoup avec les mots organique *et* biologique *et sur* l'image écologique. *L'emballage peut donner l'impression qu'un produit est naturel alors que la majorité des ingrédients qui le composent sont chimiques. Par exemple, un engrais à base organique est, très souvent, un engrais chimique, auquel on a ajouté 15 % de matières organiques. Fiez-vous à la liste des ingrédients inscrits sur l'emballage pour faire des choix judicieux.*

Les méthodes pour transformer un sol

Modifier la fertilité d'un sol se fait habituellement dans les premiers 20 cm, bien que pour de gros arbustes ou des arbres cette modification du sol puisse être plus profonde. Cependant, il faut aussi veiller à ce qu'il existe une connexion entre les différentes couches de sol.

Comme prémisses de base pour transformer le sol, nous allons supposer que l'épaisseur de la terre arable, cette couche de sol où la majorité des racines se développent, est de 20 cm. Certaines plantes développent un système racinaire plus profond alors que d'autres maintiennent des racines plus près de la surface. Une moyenne de 20 cm est donc représentative. Vous pourrez faire des ajustements à la pièce, en évaluant la profondeur et l'ampleur du système radiculaire des plantes.

Modifier ou remplacer

D'un point de vue économique, écologique et horticole, il est assez rare que l'on doive remplacer complètement la terre existante. Celle-ci contient toujours un ou plusieurs des constituants

Dans le cas des plantes de sol acide comme les rhododendrons ou les azalées, il est parfois obligatoire de changer complètement la terre pour leur offrir le milieu propice à leur épanouissement. © B. Dumont/Horti Média

de base. Si la terre recèle des produits toxiques non dégradables, on peut envisager un tel remplacement. Si vous soupçonnez que votre terre a reçu de fortes doses d'engrais chimiques, arrosez-la profondément pour lessiver les sels qui auraient pu s'y accumuler.

Transformer le pH d'un sol

Commencez par identifier le pH idéal pour les plantes sélectionnées.

Si le pH de votre sol est *trop acide*, ajoutez de la chaux ou de la cendre de bois. Il est préférable de relever le pH d'un sol par étapes si celui-ci est différent de plus d'une unité par rapport au pH recherché. Pour la chaux, les doses recommandées varient en fonction de votre sol (sableux ou argileux), du pH à relever et du type de chaux que vous utilisez. La façon la plus simple pour déterminer la dose à appliquer consiste à lire les recommandations sur le sac et à ne jamais en mettre plus. Personnellement, j'en mets même toujours un peu moins, mais j'en remets au besoin, après avoir fait des analyses.

Si vous n'avez pas épandu de chaux fréquemment, utilisez de la chaux dolomitique, qui contient du magnésium, un élément important et assez rarement en excès au Québec, sauf dans quelques régions (les comtés de Beauce, Mégantic, Wolfe et Richmond) et sauf si les analyses démontrent que votre sol contient suffisamment de magnésium.

Vous pouvez aussi utiliser de la cendre de bois franc, exempte de produits toxiques, à des doses ne dépassant pas 10 kg/100 m^2 ou 1 kg/10 m^2.

Le compost, la poudre d'os et la roche de phosphate ont aussi des effets alcalinisants, mais moins marqués que la chaux ou la cendre de bois franc.

Si le pH de votre sol est *trop basique*, utilisez du soufre microfin, un produit naturel, en vous fiant aux instructions sur l'emballage. Vous pouvez aussi incorporer de la tourbe de sphaigne ou de la terre noire. Recouvrir le sol d'un paillis de cèdre ou d'aiguilles de pin acidifie également le sol.

Transformer la texture du sol

Si vous voulez passer d'un *sol léger à un sol meuble*, des apports modérés de limons fins, d'argiles et d'humus actifs et très stables sont recommandés.

Les apports d'humus modifient la texture du sol. © B. Dumont/Horti Média

Bon à savoir

La méthode que je vous propose pour transformer un sol est très efficace dans la mesure où vous faites preuve de jugement et que vous développez une vision globale des plantes que vous voulez implanter, du sol existant et des matières fertilisantes que vous apportez.

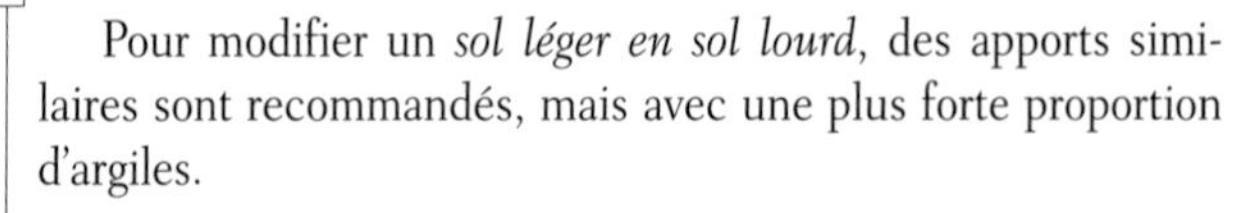

Pour modifier un *sol léger en sol lourd,* des apports similaires sont recommandés, mais avec une plus forte proportion d'argiles.

Pour changer un *sol lourd en sol léger,* des apports très importants de sables grossiers et d'un peu d'humus sont nécessaires.

Pour transformer un *sol lourd en sol meuble,* des apports modérés de sables et d'humus sont recommandés.

Appauvrir un sol trop riche

Cette technique est simple. En fait, il s'agit d'ajouter au sol des constituants pauvres, tels des sables, des limons grossiers, de la poussière de pierre, des humus très stables, etc., pour arriver à une proportion de 75 % et plus de ces éléments pauvres dans le sol.

L'apport de poussière de pierre permet d'appauvrir un sol trop riche pour recevoir les plantes de sol pauvre. © B. Dumont/Horti Média

Prenons un exemple. Supposons que le test de sédimentation (voir le chapitre « Identifier vos biotopes ») indique que votre sol ne contient que 50 % de sables, de limons grossiers ou de poussière de pierre. Dans ce cas, il faudra ajouter des constituants pauvres jusqu'à ce que leur proportion dans le sol arrive à 75 %. Pour connaître les quantités, faites les opérations mathématiques suivantes :

1) calculez le nombre de centimètres de constituants pauvres dont doit être composé un sol pauvre à 75 % : 75 % x 20 cm (premiers 20 cm du sol) = 15 cm.

2) calculez le nombre de centimètres de constituants pauvres dans votre sol : 50 % x 20 cm = 10 cm.

3) calculez la différence entre les deux : 15 cm – 10 cm = 5 cm.

Il ne vous reste plus qu'à ajouter 5 cm de constituants pauvres (sables, poussière de pierre, etc.) aux 20 premiers centimètres de votre sol existant.

Il est important de comprendre que ce calcul est très relatif. Il vous indique en fait la tendance de l'intervention à effectuer. La transformation d'un biotope n'est pas une science exacte. Ce calcul un peu *simpliste,* mais *efficace,* ne tient pas compte de tous les facteurs qui pourraient modifier légèrement les résultats. Chaque cas doit être pris à la pièce.

TRUCS ET CONSEILS

Si vous êtes incapable de trouver des composts actifs, il vous faudra peut-être ajouter chaque année un peu d'engrais naturel azoté, tel du fumier de poulet granulaire par exemple. Vous fournirez ainsi aux plantes et aux organismes les éléments minéraux qui devraient normalement provenir de la dégradation continuelle [minéralisation secondaire] des humus contenus dans les composts actifs.

L'apport de composts, notamment ceux qui contiennent des humus actifs, est un bon moyen d'enrichir un sol.

© B. Dumont/Horti Média

Enrichir un sol trop pauvre

Plusieurs situations peuvent se présenter.

CAS N° 1

Votre sol existant est constitué d'une mince couche de 10 à 15 cm de terre sableuse déposée sur un sous-sol composé d'argiles et de limons fins. Vous avez donc des argiles, des limons fins et des sables. Il n'y manque donc que des humus actifs pour structurer le sol, améliorer le drainage, stimuler la vie microbienne et apporter des éléments nutritifs. Pour améliorer la fertilité de ce sol pauvre, prenez le temps de mélanger la couche de sous-sol contenant des argiles et des limons fins avec la couche de surface contenant des sables, tout en incorporant en même temps des humus actifs (sous forme de composts fermiers, par exemple). Pour connaître la dose de compost à apporter, utilisez le même calcul que précédemment en utilisant la terre obtenue après avoir mélangé sol et sous-sol. Analysez la composition des premiers 20 cm de sol et apportez-y les éléments manquants.

Dans ce cas-ci, environ 3 cm de composts actifs et 3 cm de tourbe noire (terre noire pure) ou de compost à base de tourbe de sphaigne fourniront les apports d'humus actifs et très stables nécessaires pour transformer ce sol sablo-argileux pauvre en sol meuble et riche. Il est possible de varier la proportion entre les deux types d'humus, mais on doit alors conserver un ratio minimum de 1/3 d'humus actifs pour 2/3 d'humus très stables. Il est cependant possible de n'amener que des humus actifs, car une certaine proportion de cet humus se transformera en humus très stables avec le temps.

On peut aussi utiliser un fumier plus ou moins composté en préparant le sol l'automne précédant la plantation. Mélangez les quantités adéquates, puis brassez à quelques reprises avant l'hiver et au début du printemps pour faciliter sa dégradation. Les organismes du sol se chargeront alors eux-mêmes de composter le fumier pour autant que celui-ci ne soit pas enfoui plus profondément que 12 cm.

En diminuant de moitié ces mêmes apports d'humus, le sol pauvre existant est alors transformé en un sol moyennement riche.

Il ne faut pas oublier que, dans presque tous les cas, il faudra faire en plus un apport de 2 kg/10 m^2 de poudre d'os ou de roche de phosphate pour suppléer au manque de phosphore probable. Pour la potasse, vous pouvez compter sur les argiles, les limons fins et les composts actifs pour en relâcher habituellement des quantités plus que suffisantes dans le sol.

Cas n° 2

Les terres très lourdes doivent être travaillées à la fourche à bêcher. © B. Dumont/Horti Média

Votre sol existant est une terre de sous-sol lourde, composée d'argiles et de limons fins avec un peu de sables, mais sans humus. Dans ce cas-ci, brisez cette terre (à l'aide d'une fourche à bêcher, par exemple) et incorporez-y par la suite 4 à 5 cm d'un type de terre de plantation contenant 80 % de tourbe noire et 20 % de sables ainsi que de 2 à 3 cm de composts actifs. Vous pourriez aussi, tout simplement, mélanger au sol existant une terre de plantation améliorée contenant de la tourbe noire et des composts actifs. Si les sables sont absents des terres de plantation, un léger apport de ce constituant pourrait être bénéfique. Ces matières fertilisantes transformeront rapidement cette terre lourde et sans vie en une terre riche et meuble grouillante de vers de terre et d'organismes (dans la mesure où le drainage est adéquat). N'oubliez pas d'ajouter 2 kg/10 m^2 de poudre d'os pour suppléer au manque de phosphore possible.

Pour transformer ce sol pauvre en un sol moyennement riche, des apports de 2,5 cm de terre de plantation, de 1,5 cm de compost actif et de 2 kg/100 m^2 de poudre d'os feront l'affaire, mais dans ce cas, le sol demeurera assez lourd.

Manque de phosphore

Nous avons vu que, pour des plantations de cultivars ou d'espèces exotiques, les sols québécois manquent souvent de phosphore, ce qui peut réduire leur floraison. La poudre d'os est le fertilisant le plus couramment employé pour combler cette carence. Il faut savoir que 11 % de cet engrais est assimilable au moment où vous l'incorporez au sol (Parnes, 1980). Certaines écoles remettent en question la pertinence d'utiliser ce produit à cause de sa vitesse de dégradation. Cependant, dans un milieu biologiquement vivant, l'expérience démontre que cette dégradation est suffisamment rapide pour faire croître les plantes des jardins et leur permettre de fleurir et de porter des fruits.

Trucs ET CONSEILS

L'entretien de la fertilité d'un sol riche est très simple si, au départ, vous avez préparé le sol adéquatement. Il suffit de laisser au sol la litière organique produite par les plantes. Ainsi, chaque année, la dégradation de cette litière retourne au sol les éléments minéraux que les plantes y ont puisés. Si vous ramassez la litière, vous devrez alors ajouter chaque année des composts actifs ou des engrais naturels azotés granulaires.

La roche de phosphate peut également être utilisée. Son altération est moins rapide, mais son coût est plus bas. La roche de phosphate se dégrade mieux à des pH inférieurs à 6 (Parnes, 1980).

Pour des raisons économiques, je mélange parfois ces deux produits à raison de 1 kg/10 m² pour chacun et j'obtiens de bons résultats lorsque le sol contient déjà un peu de poudre d'os.

Ces deux produits sont insolubles et se déplacent très lentement dans le sol (moins de 2,5 cm par année). Il est donc recommandé de les incorporer dans toute la couche de sol arable (20 cm) pour qu'ils touchent aux racines des plantes dès leur incorporation.

Cas nº 3

Votre sol existant est un sable pur, du type de celui que l'on observe sur les anciennes plages de la mer de Champlain. Dans ces conditions, il est préférable de sélectionner des plantes de sol pauvre et plus ou moins riche qui poussent dans des conditions de sécheresse, surtout si vous ne pouvez trouver des argiles et des limons fins.

Vous pouvez certes créer un sol riche par un apport massif d'humus stables et actifs, mais un sol organique sans argiles ni limons fins est beaucoup moins stable. Votre sol organique s'asséchera très vite. Il aura aussi tendance à s'affaisser au bout de quelques années, car la matière organique est toujours plus ou moins en transition. N'oubliez pas de rajouter de la poudre d'os. En outre, pour les sols organiques, il est habituellement nécessaire d'ajouter du Sul-po-mag (2 kg/10 m²) pour combler les carences en potasse ainsi que de la chaux pour réduire l'acidité du sol. Vous pouvez aussi ajouter de la cendre de bois franc qui contient ces deux éléments.

Il est toujours possible de faire venir des terres de plantation améliorées et de planter directement dedans. Toutefois, dans ces terres, souvent à 80 % organiques, sans argiles ni limons fins, la structure, l'activité microbienne, la rétention d'eau et la stabilité sont tout autres que dans un sol franc, bien pourvu en humus actifs.

Incorporer les matières fertilisantes

Je vous donne maintenant quelques trucs pour incorporer ces matières fertilisantes au sol existant de la bonne façon.

TRUCS ET CONSEILS

Il est préférable de mettre des gants et un masque lors de l'épandage de la poudre d'os.

Les *terres*, les *composts très stables*, la *poudre d'os* ou les *roches de phosphate* sont habituellement incorporés au sol à l'aide d'une fourche à bêcher, dans les 20 premiers centimètres de sol.

Les *composts* et les *fumiers actifs* sont, quant à eux, mélangés dans les 10 premiers centimètres de sol pour permettre aux organismes décomposeurs, avides d'air, de réaliser leur travail de transformation.

Évitez d'utiliser trop fréquemment le *motoculteur,* qui brise les agrégats et transforme le sol en farine. Cela oblige les organismes du sol à refaire les agrégats. C'est pourquoi, pour de petites surfaces, la fourche à bêcher est idéale, car le travail est plus grossier et moins déstructurant que celui fait par un motoculteur.

Il faut bien sûr éviter de créer une couche de surface complètement distincte et sans connexion avec la terre de sous-sol (à moins de vouloir limiter le drainage dans un sol trop sableux comme expliqué plus haut). Au contraire, favorisez le contact entre les couches, par exemple en plantant votre fourche plus profondément que 20 cm puis en brassant vigoureusement sans retourner la terre.

Dans l'approche écologique, on bêche toute la plate-bande ou le lit de plantation et non seulement les trous de plantation. La croissance des plantes est aussi bien souvent doublée, les racines n'étant pas restreintes au trou de plantation, mais bien invitées à prendre leur place dans la plate-bande en entier. En outre, si on doit déplacer une plante de quelques centimètres, il n'y a pas de nouveau trou à faire.

Enrichir le sol d'une pelouse existante

Bien qu'il soit impossible de changer rapidement la composition du sol d'une pelouse existante sans la retirer, certaines interventions peuvent améliorer la performance à long terme. Vous pouvez par exemple l'améliorer en retirant des carottes de sol, à l'aide d'un aérateur, puis, par la suite, en terreautant avec des composts actifs. Si votre drainage est adéquat, un terreautage de 0,6 cm de compost actif une fois tous les trois ans enrichira votre sol.

De plus, il faudra faire un apport annuel de fertilisant à pelouse 100% naturel.

Les terreautages réguliers avec les bonnes matières fertilisantes permettent souvent de « récupérer » un gazon mal implanté.

© B. Dumont/Horti Média

L'apport de tourbe de sphaigne est de peu d'utilité pour enrichir un sol. Celle-ci peut même ralentir l'activité microbienne et favoriser la formation de feutre.

Modifier la communauté existante

Lorsque vous planifiez l'implantation de végétaux sur un nouveau site, il existe très souvent des organismes et des plantes déjà présents sur les lieux. Cette communauté existante est souvent très bien adaptée à l'écosystème existant et n'est pas prête à laisser la place à d'autres.

Il faut souvent éliminer les plantes existantes sous peine de voir vos nouvelles plantations envahies. Peut-être les ravageurs présents sur un site vous effraient-ils aussi, et vous vous demandez si vous ne devriez pas faire quelque chose pour les éliminer avant de planter.

Voici quelques informations qui vous permettront de trouver vos propres réponses.

Les insectes sont souvent spécifiques à une espèce donnée.

© B. Dumont/Horti Média

Éliminer les organismes animaux indésirables

Commençons par les insectes ravageurs et les maladies qui existent peut-être aussi sur la parcelle que vous voulez aménager et qui vous ont causé des problèmes auparavant. Les organismes équilibrants sont, la plupart du temps, très spécifiques. Par exemple, le champignon mortel qui s'attaque aux ormes d'Amérique est propre à cette essence, il ne s'attaque pas aux érables ou aux épinettes. Les insectes qui affectent le feuillage des ancolies n'attaquent pas les autres vivaces. Ainsi, un ravageur prospère lorsqu'il rencontre à la fois des conditions environnementales propices et une plante hôte favorable. Si l'une de ces deux conditions n'est pas là, l'organisme ne peut se multiplier.

Donc, lorsque vous implantez des plantes différentes de celles qui étaient là auparavant, vous n'avez pas à vous soucier des ravageurs qui s'y trouvent (à moins que ces ravageurs aient la réputation de s'attaquer également à cette nouvelle plante). Dans un tel contexte, les ravageurs disparaissent habituellement d'eux-mêmes et cesseront tout au moins de causer des problèmes majeurs. Par exemple, si vous mettez des plantes à fleurs dans un sol de pelouse où se trouvent des vers blancs qui ont causé des problèmes aux herbes à gazon, il serait très surprenant que ces ravageurs causent des problèmes à vos fleurs, dans la mesure, bien entendu, où les mécanismes normaux d'un écosystème fonctionnent.

Si vous plantez le même type de plantes que celles qui étaient là auparavant et qui étaient affectées, vous devez changer les conditions environnementales qui ont mené à l'affaiblissement de la plante hôte et qui ont permis le développement des organismes équilibrants.

Quant aux organismes associés aux plantes existantes sur un site avant sa modification, une partie de ceux-ci disparaîtront avec les plantes qui laisseront leur place aux nouvelles colonies. De nouvelles associations fructueuses se formeront si les méthodes utilisées les favorisent.

Éliminer des plantes existantes

Seules les plantes très envahissantes (je vous ai donné des exemples au chapitre précédent) pourraient s'implanter dans une communauté de plantes vigoureuses déjà en place. Si vous optez pour des plantes *non envahissantes*, il faut éliminer les plantes existantes et planter sur sol nu au risque de voir vos nouvelles plantes éliminées par les plantes en place. Une mauvaise préparation du site de plantation est une erreur courante du jardinier débutant qui se retrouve souvent avec une ou des plates-bandes envahies d'herbes sauvages après une ou deux années.

Je vous propose maintenant quelques méthodes pour éliminer les plantes existantes. En commençant par les plus conventionnelles et les plus exigeantes en travail, pour finir avec des méthodes qui requièrent moins d'efforts.

La méthode conventionnelle pour ouvrir une plate-bande demande beaucoup d'énergie.

© B. Dumont/Horti Média

La méthode conventionnelle

La méthode conventionnelle pour ouvrir une plate-bande ou un massif consiste tout simplement à enlever la végétation existante avec ses racines et une bonne partie de la terre qui s'y rattache. Cette méthode a l'avantage d'être rapide, mais elle a le désavantage de demander un effort physique important et de vous laisser avec une masse de mottes de gazon ou d'herbes sauvages dont vous devrez disposer (au compost idéalement).

La méthode agricole

Le fermier, lorsqu'il ouvre un champ, n'enlève pas toute la végétation existante… il la *composte* plutôt sur place. À l'aide d'une charrue, il expose d'abord les racines des végétaux à l'air pour les faire sécher. Puis, après quelques jours, il secoue les mottes séchées avec une herse pour séparer la terre des mottes

TRUCS ET CONSEILS

Si vous utilisez un motoculteur, ne le faites que pour la première opération, soit celle de briser les mottes. Par la suite, il ne ferait qu'enfouir plus profondément les racines et les empêcherait de sécher.

et faire encore mieux sécher les racines à l'air. Cette opération est répétée deux ou trois fois sur une période de deux semaines par temps chaud, venteux et sec. Au bout de ce temps, les végétaux et leurs systèmes racinaires sont complètement desséchés. Les résidus végétaux sont en morceaux assez petits pour être enfouis superficiellement dans le sol et digérés par les organismes du sol.

Vous pouvez faire la même chose au jardin en utilisant une fourche à bêcher, un motoculteur ou tout autre outil adéquat pour d'abord briser et retourner les mottes végétales et ensuite faire sécher les racines à l'air. N'oubliez pas de secouer les mottes dès qu'elles sont sèches pour en détacher la terre et exposer des parties encore humides au soleil.

Cette méthode est plus écologique, car on transforme sur place les débris végétaux en humus et en éléments minéraux assimilables. Néanmoins, elle demande plus de temps, au moins deux semaines. Il est toutefois possible de réaliser cette opération au mois d'octobre en prévision de l'année suivante.

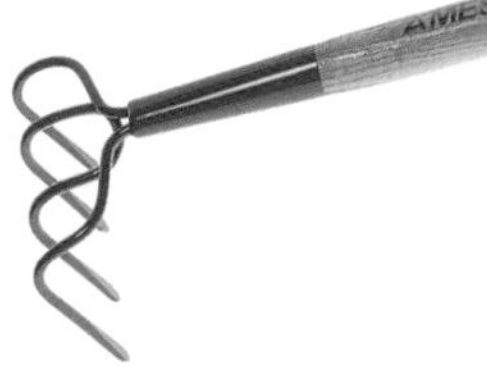

Le croc est un très bon outil pour secouer et exposer les racines à l'air. © B. Dumont/Horti Média

La méthode des faux semis

Cette méthode est complémentaire aux deux méthodes précédentes.

Lorsque les plantes existantes sont transformées en humus, il reste encore sur place les semences présentes sur le site et qui peuvent y subsister pendant des dizaines d'années. Les cultivateurs utilisent une technique toute simple pour éliminer une bonne partie des semences indésirables. À la fin du processus d'émiettement des mottes, ils laissent passer un intervalle de 10 à 15 jours pour permettre à toute une génération de semences indésirables de germer. Puis, ils passent avec une herse légère pour déraciner les petites plantules. Si vous avez le temps, je vous recommande fortement de réaliser cette opération.

TRUCS ET CONSEILS

Après un tel processus, votre sol est complètement propre. Évitez de retravailler le sol avant la plantation pour ne pas faire remonter de nouvelles semences à la surface.

Lorsque vos mottes de végétaux sont toutes défaites, les racines séchées et les végétaux morts, arrosez votre terre nue ou attendez une pluie. Puis, 10 à 15 jours après l'humification du sol, par une belle journée ensoleillée, passez simplement un râteau ou un croc pour déraciner les plantules qui sont apparues. Laissez-les tout simplement sécher au soleil. Pas besoin de les ramasser.

Si vous avez le temps, faites germer une seconde génération de semences indésirables en attendant un autre 10 jours. Cette technique a le grand avantage de détruire à la fois les semences de plantes en surface et les rhizomes de plantes que vous avez peut-être oubliées dans votre sol.

La méthode des engrais verts

TRUCS ET CONSEILS

L'engrais vert apporte de la fertilité à un sol et il nettoie aussi celui-ci de la communauté de plantes existantes.

Les agriculteurs utilisent aussi une autre méthode très efficace: la culture des engrais verts. Après avoir travaillé légèrement le sol (retournement des mottes, séchage à l'air libre, quelques coups de herses...), ils sèment des plantes qui, par leur vitesse de croissance ou les toxines qu'elles émettent, vont tuer ou empêcher les plantes existantes de se réimplanter. Puis ils incorporent ces *engrais verts* dans les premiers centimètres du sol pour à la fois stimuler l'activité biologique, améliorer sa structure et l'enrichir d'humus et d'éléments minéraux.

Bon à savoir

Autres engrais verts populaires: l'avoine, en association avec du trèfle rouge ou du trèfle d'odeur.

Toutes les plantes peuvent être utilisées comme engrais verts. Cependant, le sarrasin est sans doute la plante la plus utilisée depuis l'arrivée des premiers colons en Nouvelle-France. Il est particulièrement efficace pour nettoyer un site du très coriace chiendent.

Les engrais verts sont habituellement des plantes annuelles ou bisannuelles qui meurent par un simple fauchage. Il faut impérativement faucher l'engrais vert avant qu'il ne « monte en graine », sinon la plante employée devient elle-même envahissante. Dans le cas du sarrasin, on le sème habituellement au début du mois de juin après avoir préparé le sol adéquatement, le fauchage intervenant exactement sept semaines

En plus d'être un excellent engrais vert, le sarrasin produit une floraison blanche très attrayante.

© Michel Renaud

Le radis fourrager est un engrais vert particulièrement intéressant, car il a la propriété exceptionnelle de tuer le chiendent ou le gazon après un seul bêchage, labour ou passage de motoculteur. La plupart des engrais verts nécessitent quelques bêchages et l'émiettement de mottes avant le semis. © Michel Renaud

Trucs ET CONSEILS

Une autre méthode paresseuse consiste à recouvrir le sol d'une pellicule de plastique transparent dont les côtés sont fermés de façon hermétique pour empêcher l'air chaud de s'échapper. Les plantes sous la toile meurent sous la chaleur accablante.

après le semis. Par la suite, on laisse le feuillage se décomposer sur le sol ou on l'enfouit légèrement. Dans de bonnes conditions de dégradation, après deux à trois semaines, il est possible de faire la plantation.

Il n'est pas nécessaire d'amender le sol avant le semis d'un engrais vert, surtout si celui-ci est riche. S'il est pauvre, un épandage de compost mûr et d'un engrais avant le semis produira une plus grande masse végétale et des effets bénéfiques plus importants sur le sol et la vie microbienne.

La méthode paresseuse

Empêcher la photosynthèse d'une plante pendant une période de huit semaines consécutives cause la mort de la plupart des plantes. Ainsi, une méthode qui vous permet d'être vraiment paresseux consiste tout simplement à recouvrir la surface de votre plantation projetée de n'importe quel matériau opaque : plastique noir, planches de bois, vieux tapis, carton, plusieurs épaisseurs de papier journal, 20 cm de copeaux de bois, etc.

Au bout de huit semaines, retirez votre couverture et bêchez simplement votre plate-bande en incorporant les matières organiques que sont devenues les plantes mortes. Si vous avez utilisé un paillis épais, vous pouvez même planter directement dans le sol en tassant légèrement ce paillis, car, avec celui-ci, l'air se rend jusqu'au sol, favorisant ainsi les organismes bénéfiques à la croissance des plantes.

Certaines personnes ne font que recouvrir leur gazon de 15 à 20 cm de nouvelle terre pour tuer le gazon existant. Cette méthode fonctionne, mais dans cette façon de faire, une couche de gazon se retrouve à 20 cm sous le sol, dans des conditions de décomposition anaérobie (sans air). Avec cette méthode, vous vous éloignez sérieusement de ce qui se passe dans la nature et vous vous créez des problèmes potentiels.

Si vous n'avez d'autre choix que de transplanter par temps chaud, protégez les racines des plantes à l'aide d'une toile géotextile. © B. Dumont/Horti Média

Modifier les plantations existantes

Il est possible que vous ayez à modifier la composition de vos plates-bandes, par exemple pour réaménager vos plantes par niches écologiques viables. Le début du printemps, avant la feuillaison des arbres, est le meilleur moment pour transplanter la plupart des végétaux qui ne fleurissent pas à ce moment de l'année. Les plantes vivaces peuvent aussi, en général, être divisées et réaménagées après leur floraison, lorsque le temps est frais et pluvieux, à la fin de l'été par exemple. Les conifères peuvent aussi être transplantés au début du mois de septembre et les arbustes et arbres après la chute des feuilles à l'automne.

Au début du printemps, lors d'un réaménagement majeur de végétaux, vous pouvez entasser vos mottes sur une toile ou directement par terre dans une partie plus ombragée. Si vous prenez soin de recouvrir leurs racines de terre et de les garder humides, il est possible de les préserver ainsi plusieurs jours, jusqu'à leur relocalisation.

Bon à savoir

Plusieurs jardiniers ont malheureusement abandonné leurs plates-bandes aux « mauvaises herbes », faute d'avoir compris à temps l'importance de planifier des stratégies efficaces pour empêcher l'entrée des rhizomes de plantes indésirables.

Installer des bordures efficaces

Une fois que vous avez bien préparé votre sol et réalisé vos plantations, votre belle plate-bande bien meuble devient très attirante pour les herbes sauvages et le gazon environnant. L'avancée souterraine des rhizomes du gazon ou d'herbes sauvages est la plus grande menace qui pèse sur vos belles plates-bandes. Comme vous avez bien préparé le sol et planté sur un sol nu tel que décrit précédemment, il faut maintenant empêcher les plantes d'envahir la plate-bande par l'extérieur. Je vous présente donc quelques stratégies efficaces pour profiter de votre jardin sans être en guerre constante avec les plantes qui veulent envahir votre plate-bande.

Limiter les surfaces de contact

La première et la plus simple des stratégies consiste à limiter les surfaces de contact entre ces plantes indésirables et les plantations. Évitez, par exemple, d'implanter vos plates-bandes au beau milieu d'une pelouse. Aménagez plutôt votre plate-bande dans un coin de maison, le long d'une clôture ou d'un patio, pour limiter les surfaces d'entrée de rhizomes indésirables.

La minitranchée

La minitranchée est tout simplement une petite rigole d'environ 8 cm de profondeur que l'on maintient entre la plate-bande et le monde végétal extérieur, gazon, herbes sauvages, etc. Son principe est très simple. Le principal envahisseur végétal et le plus préoccupant est le rhizome. La majorité des rhizomes envahisseurs, dont ceux des herbes à gazon, pénètrent à moins de 8 cm sous la surface du sol. Ainsi, en creusant une petite tranchée de cette profondeur, on empêche la très grande majorité des rhizomes de pénétrer. D'où son efficacité éprouvée.

Aménager une plate-bande le long d'une clôture mitoyenne permet de réduire les surfaces de contact. © B. Dumont/Horti Média

La minitranchée est très subtile et se marie très bien avec un jardin d'allure naturelle, ce qui n'est pas le cas par exemple des bordures en plastique.
© Michel Renaud

L'entretien de la minitranchée est très simple. Avec le temps, la terre ou le paillis recouvrent la minitranchée. Lorsque vous apercevez quelques rhizomes pénétrer dans votre tranchée, servez-vous d'un coupe-bordures (demi-lune) pour remettre votre minitranchée à 8 cm de profondeur. Il suffit d'appuyer l'outil sur la bordure de gazon sans empiéter sur le gazon existant et de refaire une coupe bien définie à 60°, à la profondeur désirée. Si vous le faites de la bonne façon et que vous nettoyez bien votre tranchée après l'entretien, aucun rhizome ne pénétrera dans votre plate-bande. Un maximum de deux entretiens légers par année est requis les deux premières années, une seule fois par année par la suite et parfois, si vous avez bien planifié vos bordures, rarement.

L'entretien de la minitranchée est très facile. Il se fait une ou deux fois par année avec une demi-lune. © B. Dumont/Horti Média

Les bordures de plastique

Les bordures de plastique ont comme défauts d'être inesthétiques, de mal s'intégrer à un jardin d'allure naturelle et de sortir souvent de terre au bout de quelques années.

© B. Dumont/Horti Média

Avec le géranium odorant, l'entretien de la bordure se limite au passage normal de la tondeuse. Elle empêche ce géranium vivace d'envahir la pelouse.

© Michel Renaud

La bordure de végétaux

C'est la méthode la plus simple, celle qui nécessite le moins d'entretien. Elle est tout simplement composée de végétaux très vigoureux. C'est la bordure que je préfère, car elle est très esthétique, efficace et réellement à entretien minimal.

Des bordures de vivaces avec des hémérocalles orange (*Hemerocallis fulva*), des géraniums odorants (*Geranium macrorrhizum*) ou des arbustes au feuillage dense, telles des spirées de van Houtte ou des viornes, ne demandent d'autre entretien que celui de maintenir en place les vivaces vigoureuses à l'aide de la tondeuse ou de modeler une nouvelle ligne de bordure au gré de la fantaisie du jardinier tondeur.

Le gazon meurt littéralement sous le feuillage dense des spirées.

© B. Dumont/Horti Média

En deux temps

L'important, lorsque l'on choisit la stratégie des vivaces vigoureuses ou des arbustes à feuillage dense, est de bien entretenir les bordures les trois premières années pour empêcher le gazon ou les herbes sauvages de se mélanger à ces végétaux avant qu'ils deviennent denses et vigoureux. Les premières années, choisissez la méthode de la minitranchée que vous cesserez d'entretenir au bout de trois ans ou même de la bordure de plastique qui disparaîtra au bout de la même période.

Le muret de pierres

S'il est bien réalisé, le muret de pierres est une excellente bordure efficace, esthétique et durable. Les pierres de la base du muret sont déposées sur un minimum de 10 cm de graviers et de poussières de pierre. De plus, elles sont elles-mêmes enfouies de quelques centimètres sous le sol, ce qui empêche les herbes sauvages ou les gazons de s'infiltrer. Un géotextile est de plus installé à l'intérieur du muret entre la pierre et la terre.

Un muret de pierres bien aménagé ne requiert aucun entretien.

© B. Dumont/Horti Média

Réaliser les plantations

Vous avez sélectionné des végétaux adaptés, préparé le sol adéquatement et installé des bordures efficaces. Voici maintenant le moment de planter. Remisez vos sacs de terres, de composts et de poudre d'os, vous n'en aurez plus besoin.

Le sol qui vient d'être préparé est très aéré. Il a pris une expansion qu'il perd habituellement au bout de la première année. Pour éviter un affaissement trop marqué du sol, il est donc judicieux de compresser un peu le sol avant de planter (particulièrement dans le cas d'une installation de pelouse). Pour ce faire, vous pouvez utiliser un rouleau à gazon à moitié plein ou vos pieds et un râteau.

Installez vos plantes en respectant les distances de plantation pour qu'à maturité leur feuillage couvre le sol entièrement. Cela empêchera la germination de plantes indésirables et limitera de façon importante l'entretien.

Une bonne solution consiste à arroser profondément les plantes en pots avant la plantation.

© B. Dumont/Horti Média

Arrosez vos plantes en contenants quelques heures avant la plantation en vous assurant que le sol est bien imbibé. Recommencez juste avant la plantation. Si vous n'avez pas arrosé les pots avant la plantation, arrosez dans le trou avant de le refermer (ce qui n'est pas l'idéal dans le cas d'une plate-bande car, au bout d'un moment, vous travaillez sur un sol humide).

L'idéal consiste à bien planifier ses plantations, bien préparer son sol et à planter tous les végétaux d'une seule traite, puis à égaliser le sol, installer le paillis, et finalement arroser profondément. Si vous ne pouvez procéder à la pose du paillis immédiatement après la plantation, procédez à l'arrosage et faites l'installation du paillis le lendemain ou quand le sol n'est plus détrempé.

Installer le bon paillis organique

Lorsque l'on vient de planter, les plantes sont trop petites pour produire suffisamment de feuillage et de litière organique pour couvrir le sol. Vous n'êtes pas encore dans un écosystème et vous devez donner un petit coup de main à vos végétaux. Des plantes indésirables peuvent en effet s'installer, prendre de l'expansion et envahir vos nouvelles plantations. De plus l'humidité du sol qui s'évapore rapidement crée un stress supplémentaire pour vos plantes et un entretien important pour vous. Pour éviter cet envahissement et la perte d'humidité, il faut, rapidement après la plantation, épandre du paillis car, cinq à six jours plus tard, les premières herbes sauvages commencent déjà à pointer.

Bon à savoir

Le paillis crée une condensation entre le sol plus frais et l'air plus chaud.

Les pierres décoratives

Les pierres décoratives s'agencent bien avec les plantations peu denses de plantes de sols pauvres ou caillouteux. Elles ne peuvent être utilisées comme paillis, car elles ne se dégradent pas. Il faut plutôt les considérer comme des recouvrements décoratifs à haut niveau d'entretien.

© B. Dumont/Horti Média

Quel paillis choisir?

Toute matière biodégradable que l'on dépose à la surface du sol, autour des végétaux, peut être considérée comme un paillis: écorces de conifères déchiquetées, écales, copeaux de bois, rognures de gazon, litière organique, etc. Lors de la sélection d'un paillis, différents critères, parfois contradictoires, sont à considérer. Le choix du bon paillis représente souvent un compromis entre différentes priorités.

La provenance du paillis

Provient-il d'une autre région du pays ou d'un autre continent? Si oui, leur transport nécessite des énergies fossiles, énergies non renouvelables, sources de gaz à effet de serre. Leur achat ne favorise pas non plus l'économie locale. Dans le cas de paillis de tourbe de sphaigne, la tourbe elle-même n'est pas une ressource renouvelable.

L'aspect esthétique

Les écales de sarrasin, les paillis forestiers noirs, les mini-écorces de pins de l'ouest ou de pruches se marient bien aux couleurs naturelles de la terre et passent inaperçus au jardin, laissant la place aux véritables vedettes, les végétaux.

D'autres paillis, tels la paille, le foin séché ou la sciure de bois ont des couleurs pâles qui attirent l'œil. Il est préférable de les utiliser dans des endroits où ils ne volent pas la vedette aux fleurs.

Les copeaux de bois ont, quant à eux, une texture plus grossière.

L'action sur la structure du sol, l'activité microbienne et la croissance des plantes

Au chapitre «Observer la terre et le sol», vous avez pris conscience de l'existence de trois types de matières organiques: les débris organiques facilement dégradables, les débris organiques coriaces et les débris organiques très stables.

Un paillis composé de matières organiques très stables, tel un paillis de cèdre, stimule peu les organismes du sol et les plantes. Du fait de sa stabilité, il a également peu d'influence positive sur la structure du sol. L'acidité élevée des paillis de conifères et les produits répulsifs contenus entre autres dans les paillis de cèdre peuvent avoir un effet dépressif sur la vie microbienne, la structure du sol et, à long terme, sur la

La litière organique des plantes herbacées stimule les organismes du sol et modifie sa structure.

© Michel Renaud

croissance des plantes s'ils sont utilisés pendant de nombreuses années et surtout s'ils sont enfouis régulièrement dans le sol. Les paillis d'écorces de conifères sont cependant recommandés pour les conifères, rhododendrons et autres plantes de milieu acide qui préfèrent ce type de matière organique.

Si la stimulation des organismes du sol et l'amélioration de la structure du sol sont votre priorité, les paillis de paille, de foin, de feuilles, de copeaux de bois printaniers, de résidus végétaux coriaces et la litière organique produite par vos plantes sont à privilégier. Ces paillis favorisent la formation d'humus actifs et d'agrégats. Ils se dégradent lentement, mais continuellement, fournissant un apport constant d'éléments nutritifs aux plantes et aux organismes.

Les paillis de rognures de gazon et les résidus végétaux verts facilement dégradables, gorgés de sève et d'eau, apportent rapidement des éléments minéraux aux plantes et aux organismes du sol. Ils stimulent donc la croissance des plantes et l'activité biologique du sol.

Le paillis de cèdre stimule peu les organismes du sol.

© B. Dumont/Horti Média

Soif d'azote

Lors de la dégradation de paillis organiques coriaces, tels de la paille, du foin et des feuilles séchées, les organismes puisent de l'azote dans le sol, pour amorcer la dégradation de ces débris. Il peut donc se produire une diminution de l'azote disponible pendant un à deux mois (jusqu'à ce que celui contenu dans les matières organiques commence à se libérer et que les premiers organismes décomposeurs meurent). Cette soif d'azote temporaire *peut* légèrement *ralentir la croissance des plantes pendant quelques semaines. Si votre priorité est la croissance rapide des plantes, ajoutez un léger surplus de compost (1 à 2 cm) dans les premiers 5 cm de sol. Dans ce cas cependant, votre paillis se dégradera beaucoup plus vite.*

La soif temporaire d'azote se produit très peu pour les matières organiques très stables (qui se dégradent peu) ou les matières organiques facilement dégradables (qui relâchent rapidement de l'azote).

L'aspect économique

Feuilles d'arbres broyées, rognures de gazon, résidus végétaux divers, compost maison peu ou mal décomposé, etc., sont tous des paillis gratuits que l'on trouve dans de nombreux jardins, même les plus urbains.

Il y a copeaux de bois et copeaux de bois

Tout dépendant du fournisseur, il existe différents types de copeaux.

Les copeaux de bois qui proviennent des conifères ou du tronc des arbres feuillus sont des débris organiques extrêmement stables qui peuvent contenir des essences répulsives pour certains organismes du sol. On les utilise principalement pour les plantes acidophiles et les conifères.

Les bons BRF récoltés au printemps sont des paillis intéressants, car ils apportent à la fois des humus actifs et des humus très stables au sol.

© Michel Renaud

Les copeaux de bois déchiquetés de rameaux ou de branches de bois franc de moins de 7,5 cm de diamètre sont appelés bois raméal fragmenté ou BRF. Il s'agit d'un paillis extrêmement riche en éléments nutritifs, surtout si les copeaux ont été récoltés au printemps, car ils sont alors gorgés de sève et d'eau. Il est conseillé de l'utiliser pour des plantes qui nécessitent des humus actifs.

Les compagnies d'émondage d'arbres se font un plaisir de déposer chez vous leur précieux chargement de copeaux de bois. Autrement, ils doivent payer pour le déposer dans un centre d'enfouissement. Certains centres-jardin ou fournisseurs de terres vendent également des copeaux de bois en vrac. Dans les deux cas, il faut alors évaluer si ce sont des matières organiques coriaces, mais dégradables, ou des paillis de conifères très stables, pour pouvoir les utiliser judicieusement.

La paille et le foin

La paille est le résidu des céréales récoltées. Elle est constituée des tiges de céréales débarrassées de leurs grains. Elle est ainsi dépourvue de sève et d'eau.

Le foin est constitué de plantes entières vertes et gorgées de sève, récoltées pendant la saison de croissance. Le foin sert à l'alimentation des animaux. Il se décompose habituellement plus vite et contient une plus grande variété d'éléments minéraux que la paille.

Il est souvent possible d'acheter à peu de frais des ballots avariés de paille et de foin chez les fermiers. Il est aussi facile de se procurer pour presque rien du foin et de la paille, chez de nombreux commerçants, le jour suivant la fête de l'Halloween.

Afin d'éviter l'ensemencement de votre jardin par des graines de foin, laissez vos ballots passer un hiver complet à l'extérieur pour tuer les graines ou soyez certains d'utiliser du foin de la première récolte du mois de juin.

Trucs ET CONSEILS

Si vous utilisez des herbes sauvages fauchées ou du foin comme paillis, assurez-vous de les récolter avant la montée en graine, vers la mi-juin, afin d'éviter d'ensemencer votre jardin d'herbes sauvages ou de foin.

L'entretien

Si l'entretien est votre priorité, l'emploi de paillis composé de matières organiques très stables, tels des paillis de conifères, est tout indiqué, avec les réalités que cela peut comporter en ce qui a trait aux autres aspects.

La couleur et la texture du paillis d'écales de sarrasin se confondent avec la terre. C'est un excellent paillis à installer entre les vivaces et les annuelles, malheureusement pas toujours facile à trouver.

© Michel Renaud

La résistance au vent

Le paillis léger comme les écales de sarrasin peut se déplacer lors de grands vents. Si votre site est venteux, privilégiez des paillis plus lourds.

Attention au feu

Les paillis de conifères, principalement les paillis de cèdre, sont inflammables lors de sécheresses intenses. Un mégot de cigarette peut les embraser.

L'épandage du paillis est une des pratiques qui demandent le plus d'attention au jardin. C'est votre entretien futur qui est en jeu.

© B. Dumont/Horti Média

Comment installer un paillis ?

Installer un paillis est, malgré son apparente simplicité, une opération minutieuse, trop souvent ratée par des gens trop pressés ou pas assez méticuleux. Pour profiter pleinement des avantages des paillis, suivez bien les conseils suivants.

D'abord, avant de l'installer, préparez et désherbez minutieusement le site avec les méthodes précitées. Les paillis ne tuent pas les végétaux présents sur un site (à moins d'en épandre 20 cm d'épaisseur). Ils empêchent la germination des graines oubliées sur le sol et des nouvelles semences apportées par le vent ou les animaux.

Il est aussi absolument essentiel de bien égaliser le sol. Celui-ci doit être le plus plat possible. Si le sol est trop inégal, à certains endroits l'épaisseur de paillis sera insuffisante pour empêcher la germination des plantes indésirables.

L'autre point essentiel à considérer, c'est qu'il faut être très minutieux lors de la pose du paillis. Le paillis doit être déposé (jamais épandu au râteau) et réparti uniformément. Aucune parcelle de terre ne doit être visible ou mélangée au paillis, car la nature fera alors germer des semences sur ces minuscules particules de terre, ce qui rendra le paillis inefficace. De plus, si vous laissez des ouvertures dans votre paillis, l'humidité du sol pourra s'échapper par les trous, comme si elle était aspirée par la mèche d'une lampe.

S'il est bien épandu, le paillis peut facilement persister de mai à août sans aucun entretien. Au bout de cette période, on peut en ajouter un peu à certains endroits sans perturber celui existant. Puis, l'année suivante, on peut répéter une ou deux fois de légers épandages. Par la suite, le feuillage et la litière organique des colonies implantées devraient jouer le rôle de paillis et empêcher la germination de la majorité des plantes indésirables.

Trucs ET CONSEILS

Si vous avez opté pour la minitranchée comme bordure, il faut de temps en temps dégager le paillis qui s'y est accumulé. Sinon les rhizomes de gazon pourront pénétrer vos plates-bandes en passant à travers ce paillis.

Dans un sentier, si vous installez un géotextile, du carton ou du papier journal sous le paillis, sa dégradation sera retardée et son effet anti-herbes indésirables sera décuplé. © B. Dumont/Horti Média

Bon à savoir

Les feuilles constituent un très bon paillis. Il faut cependant faire attention de ne pas créer une couche épaisse et compressée qui aura tendance à empêcher la circulation de l'air. Laisser les tiges et les résidus grossiers de vos végétaux sur vos plates-bandes à l'automne empêche les feuilles de créer une couche compacte au sol.

Quelle épaisseur ?

Pour les vivaces et les annuelles, une épaisseur de 5 cm est suffisante. Si vous en mettez plus, dégagez alors un cercle de 7,5 cm de diamètre autour de la tige centrale pour leur permettre de s'étendre. Pour les arbustes et les arbres, une épaisseur de 7,5 à 10 cm est recommandée pour un entretien minimal. Dans le cas des plantes ligneuses, le paillis, s'il n'est pas trop épais, peut toucher le tronc ou les tiges de bois.

Toiles géotextiles

L'utilisation de toiles géotextiles doit être limitée aux sentiers et aux endroits où il n'y a pas de végétaux. Installer une toile autour des vivaces, des annuelles et de la plupart des végétaux comporte beaucoup plus d'inconvénients que d'avantages.

Les désavantages des paillis

L'utilisation de paillis comporte quelques désavantages. Les graines de bisannuelles, comme les digitales et les roses trémières ou même de vivaces prolifiques comme des échinacées ne peuvent germer sur du paillis. De plus, au printemps, un sol couvert de paillis se réchauffe moins vite, surtout si sa couleur est pâle.

Là où l'esthétique est importante, le paillis de pruche (comme ici) et les écales de sarrasin sont les meilleurs choix. © Michel Renaud

La vie est en perpétuelle transformation. L'art du jardin écologique consiste à faire naître et grandir le jardin dans ce changement continuel. © Michel Renaud

Créer la beauté

Tout au long de ce livre, je vous ai sensibilisé à l'importance de tirer parti des habitudes gagnantes de la Terre. Je vous ai décrit tous les processus qui concourent à faire de la nature ce qu'elle est. Il existe toutefois une autre habitude gagnante qui, disons-le, est la plupart du temps la base même de la démarche du jardinier : la beauté.

Dans bien des cas, pour ne pas dire dans tous les cas, ce que recherche le jardinier, c'est de créer autour de lui de la beauté. Il essaie de recréer sur son petit lopin de terre cette beauté qu'il a admirée, à une autre échelle, dans la nature, au cours de ses promenades ou de ses lectures.

En fait, cette beauté est un élément essentiel du jardin paysager. Elle inspire, élève, provoque des émotions et, le plus souvent, contribue à apporter des moments de bonheur. Encore une fois, sous cet aspect, la nature est votre meilleur guide. C'est une source d'inspiration inépuisable.

Cette beauté est toujours en mouvement, comme un jardin qui évolue continuellement. D'une journée à l'autre, d'une saison à l'autre, d'une année à l'autre, des transformations incessantes s'y produisent. Au jardin, chaque matin est différent des autres jours. Certaines fleurs éclosent, d'autres se fanent. C'est ce continuel épanouissement de la vie qui donne à la nature cette beauté que chaque jardinier recherche.

Le chant d'un oiseau, la puissance de la lumière, l'intensité de l'humidité dans l'air, l'odeur de la terre, une nouvelle floraison... tout concourt à faire du jardin écologique une expérience de beauté et d'enchantement constamment renouvelée.

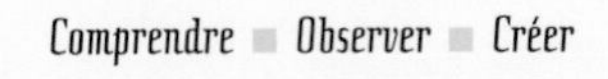

Au jardin, la beauté est d'abord perceptible dans les formes.

Dans la nature, tout est mouvement, en commençant par les courbes sinueuses que l'on y observe partout. Les reproduire crée une atmosphère naturelle.

© Michel Renaud

Dans ce jardin, les eaux d'écoulement, chargées d'éléments nutritifs, sont filtrées par des plantations esthétiques avant de se déverser dans l'étang. Ici, tout respire la nature, l'harmonie et la beauté, justement parce que c'est un écosystème fonctionnel.

© Michel Renaud

Tout est interrelié

Dans la nature, comme au jardin, tout est relié. Oiseaux, insectes, plantes, organismes du sol, humains, etc., constituent une formidable association. En gardant en tête cette interrelation, on réussit à créer et à conserver un beau jardin paysager écologique.

Le rythme des saisons

Au jardin écologique comme dans la nature, les colonies de plantes fleurissent en succession. Au mois de mai, des euphorbes en avant-plan, des trolles jaunes au milieu et des myosotis à fleurs bleues illuminent le jardin… © Michel Renaud

… au mois de juin et de juillet fleurissent (de gauche à droite) des crocosmies, un lis et une colonie formée d'astilbes 'Bremen', 'Professeur van der Wielen', 'Ostrich Plume' et 'Purple Gem'… © Michel Renaud

… puis au mois d'août, les astilbes, au fond, poursuivent leur floraison, accompagnées de monardes rouges et de filipendules blanches qui illuminent le jardin. À l'avant-plan, une échinacée rose, une colonie de coréopsis 'Moonbeam' et des hémérocalles complètent le spectacle. Une colonie de sédums prépare sa floraison pour le mois de septembre. La route, à l'arrière de la plate-bande, a complètement disparu, cachée par un fond de scène de feuillus. © Michel Renaud

Comprendre ■ Observer ■ Créer

CONTRE LES AGRESSIONS DE LA VIE MODERNE, LE JARDIN EST, POUR BEAUCOUP DE JARDINIERS, LE DERNIER REFUGE, CELUI OÙ L'HUMAIN SE RETROUVE ENFIN SEUL FACE À LA NATURE.

Un entretien minimal

Lorsque vous aménagez vos végétaux par colonies et dans leurs biotopes optimaux, comme le fait la nature, et que vous mettez côte à côte des espèces dont la vigueur est semblable, vous bénéficiez d'un écosystème à entretien minimal.

À l'avant-plan, deux colonies de forces égales qui se côtoient sans s'envahir : des monardes 'Cambridge Scarlet' (fleurs rouges) et des salicaires (fleurs roses). À l'arrière, vous pouvez observer les colonies de plantes que je vous ai présentées dans les photos précédentes. © Michel Renaud

Peu importe les dimensions

La beauté de la nature s'exprime quelles que soient les dimensions. Même dans de petits espaces urbains, il est possible de créer une beauté naturelle.

Ici, en plein centre-ville, sur une petite bande de terrain, un rosier rugueux 'John Cabot' s'appuie sur une toile de fond homogène de lierre de Boston qui le met en valeur. La clôture, les rampes, les fenêtres et les portes sont toutes peintes dans des couleurs de blanc et de brun, ce qui simplifie le paysage et permet de mieux apprécier les plantes vedettes. La couleur des fleurs dans les boîtes à fleurs s'harmonise à celle du rosier. Même sur un petit terrain, il est possible de créer de la beauté. © Michel Renaud

À l'automne et au début du printemps, ne couper que les tiges qui sont réellement inesthétiques et laisser les résidus sur place. © Michel Renaud

Un beau jardin en toutes saisons

Laisser sur place les tiges et la litière organique produites par vos végétaux est une des clefs d'un écosystème fonctionnel à entretien minimal. En prime, les tiges de végétaux laissés sur place apportent souvent mouvement et beauté à l'automne et à l'hiver. Le jardin est ainsi beaucoup moins monotone qu'un «jardin propre». En outre, lorsque les plantes sont dans la bonne zone de rusticité spécifique, nul besoin de couverture hivernale inesthétique.

© Michel Renaud

Au printemps, avant l'éclosion des premières pousses, le jardin est parfois moins esthétique, tout comme dans la nature qui, elle aussi, attend le réveil printanier. Cette période d'attente tout à fait naturelle d'environ deux semaines nous fait encore plus apprécier l'éclosion du printemps et la luxuriante beauté qui s'y installe par la suite. © Michel Renaud

Comprendre ■ Observer ■ Créer

Dans la nature, la beauté est perceptible partout.

Dans un jardin, la beauté est en mouvement. Cet aménagement (dont vous trouverez une photographie prise au mois de juin au début de ce chapitre) offre un aspect différent tout au cours de la saison. (Ici, au mois d'août.) © Michel Renaud

VOTRE JARDIN EST UNIQUE... À VOUS DE CRÉER

POUR TOUT ORGANISME, vivre dans des conditions environnementales propices à son épanouissement est la clef de la santé. Pour plusieurs d'entre nous, le contact avec la nature et la beauté font partie de cet environnement favorable. Le jardin écologique vous offre ce contact avec la nature avec, en prime, le plaisir de créer et de faire de l'exercice physique dans un environnement sain, exempt de pesticides, comme dans la nature. À cela s'ajoute l'intense satisfaction de favoriser la poursuite de la vie sur Terre. Vous faites partie d'un vaste mouvement de protection et de développement de la diversité sur la planète.

Le jardin écologique vous permet toutes ces expériences et encore plus. Il vous ouvre sur un monde d'explorations et de découvertes infinies.

C'est à tout cela que ce livre vous a convié, et ce n'est que le début puisque l'histoire se poursuit dans votre jardin, un espace unique. Comme je l'ai écrit dans l'introduction, ce livre vous invite à découvrir une méthode éprouvée pour réaliser un jardin paysager écologique. Bien que cette méthode ait fait ses preuves au cours des quinze dernières années, et que chaque étape soit essentielle pour maintenir un écosystème paysager fonctionnel, elle ne doit pas être considérée comme un dogme, mais plutôt comme processus à expérimenter soi-même. C'est une entrée en matière. Au même titre que les assouplissements permettent aux danseurs d'accéder à la grâce et à la créativité, l'art d'aménager des écosystèmes présenté dans ce livre peut être perçu comme un cadre préalable permettant d'accéder à une joie et à une créativité nouvelles au jardin.

Faites de votre coin de Terre un monde plus viable et plus beau tout en vous amusant et en étant plus en forme. Vous léguerez en outre aux enfants de ce monde un exemple vivant de l'art d'aménager des écosystèmes et de vivre en harmonie avec la nature. Un art qui repose sur des principes assez simples que l'on peut observer dans la nature, jour après jour.

Bonne évolution...

Bibliographie

Écologie et évolution

Begon, Michael, Harper, L. John et Townsend, Colin R. *Ecology: Individuals, Populations and Communities,* Sinauer, Massachusetts, 1986.

Currier, Alain. «Le feu et les premières nations: une docilité maintenue», *Quatre-Temps,* Vol. 28 – nº 3, Montréal, Automne 2003.

D'Astous, Claude. «À la conquête de la rhizosphère», *Quatre-Temps,* Vol. 23 – nº 3, Montréal, septembre 2004.

Diamond, Jared. *Le troisième Chimpanzé: essai sur l'évolution et l'avenir de l'animal humain,* Gallimar, Paris, 2000.

Fortin, J. André. «Et des végétaux... naquit le sol», *Quatre-Temps,* Vol. 28 – nº 3, Montréal, septembre 2004.

Gould, J. S. *Fullhouse: The Spread of Excellence from Plato to Darwin,* Crown, New York, 1996.

Kunh, Thomas S. *La structure des révolutions scientifiques,* Paris, Flammarion, 1983.

Leakey, Richard et Lewin, Roger. *La 6e extinction: évolution et catastrophes,* Paris, Flammarion, 1997.

Reeves, Hubert. *Mal de terre,* Éditions du Seuil, Paris, 2003.

Raynald-Roques, Aline. *La botanique redécouverte,* Belin Éditeur, Paris, 2001.

Sheldrake, Rupert. *The Rebirth of Nature: the Greening of Science and God,* Park Street Press, Rochester (VT), 1994.

Smith, Robert Leo. *Ecology and Field Biology,* Harper and Row Publisher, New York, 1980.

Susuki, David. *L'équilibre sacré: redécouvrir sa place dans la nature,* Éditions Fides, Montréal, 2001.

Terminologie et définition des termes employés

Ayotte, Gilles. *Glossaire de botanique,* Éditions MultiMondes, Sainte-Foy, 1994.

Bureau de normalisation du Québec. *Matières fertilisantes – vocabulaire,* BNQ Publication 0410-001, Québec, 1985.

Collectif. *Le Petit Larousse grand format,* Larousse, Paris, 2003.

Renaud, Michel. «Naturel ou chimique, comment s'y retrouver?», *Québec Vert,* Vol. 13 – nº 11, Québec, novembre 1991.

Robert, Paul. *Le Petit Robert: dictionnaire alphabétique et analogique de la langue française,* Paris, 1989.

Stern, Kingsley R. *Introductory Plant Biology,* 4e éd., Wm. C. Brown Publishers, Dubuque, Iowa, 1998.

Pesticides et santé humaine

Collectif. *Rapport de la commissaire à l'environnement et au développement durable à la Chambre des communes.* Chapitre 1: la gestion des pesticides: sécurité et accès sur le marché, Bureau du vérificateur général, Ottawa, 2003.

Collectif. *Code de gestion des pesticides: Méthodologie pour l'établissement de la liste des ingrédients actifs interdits (Annexe 1),* Ministère de l'Environnement du Québec, Québec, 2002.

Sol et fertilité

Boucher, Jean. *Précis de culture biologique,* Éditions Agriculture et vie, Angers, 1969.

Bourguignon, Claude. *Le sol, la terre et les champs,* Éditions Sang de la Terre, Auxerre, 2002.

Doucet, Roger. *La science agricole : climat, sol et production végétale du Québec,* Éditions Berger, Montréal, 1994.

Gagnon, Yves. *La culture écologique pour petites et grandes surfaces,* 3e éd., Les Éditions Colloïdales, Saint-Didace, 2003.

Frère Marie-Victorin. *Flore laurentienne,* Les Presses de l'Université de Montréal, 3e éd., Montréal, 1995.

Moore, Jean-David ; Pagé, Fernand et Sauvesty, Annie. « Brève histoire des vers de terre au Québec », *Quatre-Temps,* Vol. 28 – no 3, Montréal, septembre 2004.

Petit, Jacques. *Écologie des sols, fertilisation et matière organique,* notes de cours, ITA de Saint-Hyacinthe, 2004.

Parnes, Robert. *Fertile Soil : a Grower's Guide to Organic and Inorganic Fertilizers,* agAccess, Davis (CA), 1990.

Pedneault, André. « L'influence des pesticides sur la vie du sol », *Québec Vert,* Vol. 16 – n° 2, Québec, février 1994.

Renaud, Michel. « Les mauvaises herbes nous parlent », *Fleurs, Plantes et Jardins,* Vol. 12 – no 4, Québec, juillet-août 2001.

Robitaille, Alain et Allard, Michel. *Guide pratique des dépôts de surface du Québec : notions élémentaires de géomorphologie,* Les publications du Québec, Sainte-Foy, 1996.

Rusch, Hans Peter. *La fécondité du sol,* Le courrier du livre, Paris, 1972.

Scot, Auguste. *Les sols,* Librairie Beauchemin, Montréal, 1968.

Smeesters, E., Larochelle, L. et Lemieux, G. *Que faire avec les branches après le verglas : les BRF un cadeau du ciel,* Groupe de coordination sur les bois raméaux, Université Laval, Québec, 1998.

Soltner, Dominique. *Les bases de la production végétale, Tome I : Le sol,* Collection Sciences et Techniques agricoles, Sainte-Gemmes-sur-Loire, 1992.

Soltner, Dominique. *Les bases de la production végétale, Tome II : Le climat,* Collection Sciences et Techniques agricoles, Sainte-Gemmes-sur-Loire, 1999.

Stuart, Kevin. « A life with the soil : a conversation avec Hans Jenny », *The Journal of Soil and Water conservation,* Vol. 39 – n° 3, Ankeny (IA), 1984.

Tompkins, Peter et Bird, Christopher. *Secret of the soil,* Harper and Row Publisher, New York, 1990.

Tourbières et tourbe de sphaigne

Collectif. *La tourbe, une ressource d'avenir,* Centre Québécois de valorisation des biomasses et des biotechnologies, Sainte-Foy, 1987.

Payette, Serge et Rochefort, Line. *Écologie des tourbières du Québec-Labrador,* Presses de l'Université Laval, Québec, 2001.

Puustjärvi, Viljo. *Peat and its use in horticulture,* Association of Finnish Peat Industries, Saarijärven, Finlande, 2004.

Roulet, Nigel, Moore, Tim et Richard, Pierre J. H. « Les tourbières, des puits de carbone », *Quatre-Temps,* Montréal, Vol. 25 – n° 2, juin 2001.

Sélection de végétaux

Armitage, Allan M. *Herbaceous Perennial Plants,* Varsity Press, Athens (GA), 1989.

Barone, Sandra et Oemichen, Friedrich. *Les graminées,* Les Éditions de l'Homme, Montréal, 2001.

Bélisle, Claire. « Nos achats de végétaux : visons la résistance », *Québec Vert,* Vol. 26 – n° 1, janvier-février 2004.

Brisson, Laurent. « Nains, petits, moyens, gros, géants : les hostas sont sans histoire », *Fleurs, Plantes et Jardins,* Vol. 7 – n° 8, mars 1997.

Cordier, J. P. *Guide des plantes vivaces,* Horticolor, Lyon, 1995.

Darke, Rick. *The Color Encyclopedia of Ornamental Grasses,* Timber Press, Portland (OR), 2004.

Dumont, Bertrand. *C'est le temps de bulbes,* Spécialités Terre à Terre, Québec, 1996.

Dumont, Bertrand. *Guide des arbres, arbustes et conifères pour le Québec,* Broquet, Saint-Constant, 2005.

Dumont, Bertrand. *Les niches écologiques des arbres, arbustes et conifères,* Bertrand Dumont éditeur, Boucherville, 2005.

Dumont, Bertrand. *Les niches écologiques des vivaces et plantes herbacées,* Bertrand Dumont éditeur, Boucherville, 2005.

Collectif. *Plantes vivaces.* La Maison des Fleurs Vivaces, Saint-Eustache, 1999.

Lamoureux, Gisèle et coll. *Flore printanière,* Fleurbec éditeur, Saint-Henri-de-Lévis 2003.

Renaud, Michel. « Les arbres et les arbustes non résistants », *Fleurs, Plantes et Jardins,* Vol. 14 – n° 1, Québec, avril 2003.

Renaud, Michel. « Les vivaces et les annuelles non résistantes », *Fleurs, Plantes et Jardins,* Vol. 14 – n° 2, Québec, mai 2003.

Renaud, Michel. « Des plantes faciles à entretenir », *Québec Vert,* Vol. 19 – n° 6, Québec, mai-juin 1997.

Brise-vent

Soltner, Dominique. *Les bases de la production végétale, Tome 1 : Le sol,* Collection Sciences et Techniques agricoles, Sainte-Gemmes-sur-Loire, 1992.

Design de jardin

Marcoux, Jean-Pierre. « Réflexions sur des principes de design », *Québec Vert,* Vol. 14 – n° 11, Québec, novembre 1992.

Collectif. *Un jardin pluvial pour mieux gérer les eaux de ruissellement dans votre cour,* Société canadienne d'hypothèque et de logement, Québec, 2004.

Oiseaux

St-Georges, Mario et Venne-Forcion, Luce. *Guide d'aménagement des espaces verts urbains pour les oiseaux,* Fondation de la faune du Québec, Sainte-Foy, 1999.

Santé des végétaux

Manion, Paul D. *Tree disease concepts,* Pearson Education, New York, 1996.

Taille des arbres

Lamontagne, Jean et Brazeau, Diane. *Entretien et taille des jeunes arbres au Québec,* Éditions du Trécarré, Saint-Laurent, 1996.

Lamontagne, Jean et Brazeau, Diane. *Entretien et taille des arbres fruitiers,* Éditions du Trécarré, Saint-Laurent, 1997.

Quelques coordonnées utiles

Laboratoires d'analyse de sol

- La plupart des jardineries et des coopératives fédérées
- Agro-envirolab : tél. : (418) 856-1079
- Agri-direct : tél. : (450) 674-5046

À propos des alternatives aux pesticides

Coalition pour les alternatives aux pesticides (CAP) : tél. : (450) 875-5995 ou (www.cap-quebec.com).

Sites Internet

Identification et recherche sur les végétaux :

- Forestis : (forestis.rsvs.ulaval.ca). Un herbier québécois de l'Université Laval.
- Dendrology at Virginia Tech : Un site extraordinaire mais en anglais uniquement.

Pour identifier les plantes : (www.cnr.vt.edu/dendro/dendrology/factsheets.cfm).

- clef de recherche à partir des tiges et des feuilles : (www.cnr.vt.edu/dendro/dendrology/idit.htm).
- The Ohio State University Ohio – Plant facts : (hcs.osu.edu/plantfacts/images.lasso). Banque de photos couleurs de plantes ornementales idéale pour l'identification.

Carte de rusticité canadienne

Agriculture et Agro-alimentaire Canada : (sis.agr.gc.ca/siscan/nsdb/climate/hardiness/intro.html.).

Taille des arbres et des arbustes

Jardin botanique de Montréal : les Carnets horticoles à l'adresse

(www2.ville.montreal.qc.ca/jardin/info_verte/arbre/coupe.htm).

Cours offerts par Michel Renaud

- Les Amis du Jardin botanique de Montréal : tél. : (514) 873-1403 ou (www.amisjardin.qc.ca). Formations pour le grand public.
- Institut de technologie agro-alimentaire de Saint-Hyacinthe : tél. : (450) 778-6504, poste 201, sans frais 1-888-353-8482 ou (www.ita.qc.ca). Formations pour les professionnels et les jardiniers expérimentés.

Conférences

- Sociétés d'horticulture et d'écologie du Québec : conférences un peu partout au Québec. Si vous voulez organiser des formations ou des conférences dans votre région, contactez Michel Renaud à (mrenaud@endirect.qc.ca).

LES AMÉNAGEMENTS PAYSAGERS présentés dans ce livre ont été créés par Michel Renaud. Font exception ceux présentés page 20 (Jardin botanique de Montréal) ; page 36 (L'allée royale – Jardin de la société d'horticulture de Granby) ; page 79 (Claude et Ginette Paré) ; page 94 (M. Arsenault) ; page 101 (Jardins du Château de Versailles [en haut] et Stourhead [en bas]) ; page 103 (Éric Graf) ; page 111 (Bertrand Dumont [en haut] et Jardin des Quatre Vents [en bas]) ; page 113 (Michel Picard) ; page 190 (Jardin botanique de Montréal) ; page 194 (Jardin botanique de Montréal) ; pages 195 et 198 (inconnu) ; page 213 (Bertrand Dumont) ; page 227 (Kulturpark Europas Rosengarten – Zweibrücker) ; page 255 (Michel Bédard) ; page 260 (Kulturpark Europas Rosengarten – Zweibrücker), page 275 (inconnu) ; page 286 (Jardin botanique de Montréal) ; page 319 (Bertrand Dumont) ; page 323 (Clos du Coudray [France]) et page 337 (inconnu).

Carte des zones de rusticité

© Sa Majesté la reine du Chef du Canada. 2004
Reproduit avec la permission de Ressources naturelles Canada, Service canadien des forêts

INDEX